Marianne Awerbuch,
Christlich-jüdische Begegnung
im Zeitalter der Frühscholastik

Abhandlungen zum christlich-jüdischen Dialog

Herausgegeben von Helmut Gollwitzer
unter Mitarbeit von Ulrike Berger, Michael Brocke,
Albert H. Friedlander und Martin Stöhr

BAND 8

Marianne Awerbuch

Christlich-jüdische Begegnung im Zeitalter der Frühscholastik

Chr. Kaiser

Gedruckt mit Unterstützung der Deutschen Forschungsgemeinschaft

CIP-Kurztitelaufnahme der Deutschen Bibliothek

Awerbuch, Marianne:
Christlich-jüdische Begegnung im Zeitalter der Frühscholastik / Marianne Awerbuch. —
München: Kaiser, 1980. (Abhandlungen zum christlich-jüdischen Dialog; Bd. 8)

ISBN 3-459-01256-0
Umschlag: Christa Manner, München.
Satz: Satzstudio Gerda Tibbe, München.
Druck und Bindung: Georg Wagner, Nördlingen.
Printed in Germany.

Inhalt

Einleitung

Die Geschichte des christlichen Antijudaismus und der Judenverfolgungen findet ihren Ausgangspunkt in der Geschichte der Kirche in ihrem Verhältnis zur Synagoge oder in der Geschichte der Auswirkungen einer Konfliktsituation, in welcher sich die Kirche aufgrund von Gegebenheiten und Umständen zur Zeit ihrer Entstehung und ihres Aufstieges gegenüber Judentum und Juden befand.

Den Antijudaismus kannte bereits die heidnische Antike. Das Volk der Juden im Lande Judaea, das wohl als einziges das „Glück", Teil des Imperium Romanum zu sein, nicht zu schätzen wußte, stellte sich somit außerhalb aller gentes und nationes des orbis terrarum, dieses riesigen Herrschaftsbereiches, in dem sich das „Imperium populi Romani" manifestierte. Es bestand im Bewußtsein dieser Welteroberer keine andere Welt als diese. Der Orbis Terrarum war entweder römisch oder „res nullius"[1]. Ein Volk, das sich diesem Anspruch nicht unterwerfen wollte, mit allem, was dieser beinhalten konnte, und seine Kräfte auf die Entfaltung eigener Lebensweisen auf politischem, religiösem und sozialem Gebiet konzentrierte, mußte sich zwangsläufig den Vorwurf der Exklusivität gefallen lassen, einer Exklusivität, die eine eigentliche Humanitas nicht kannte, weil nur der Mensch innerhalb des eigenen Verbandes im Mittelpunkt des Bewußtseins dieses Volkes stand. Ein „Haß gegen alle Anderen"[2] war einer solchen Lebensauffassung immanent. Damit wurden sie zu Feinden der übrigen Welt. Alles an ihnen war verdächtig und unheimlich: Kultvorschriften, Institutionen und nicht zuletzt der Glaube an einen unsichtbaren Gott. Eigenschaften, die als solche höchste Tugend bedeuten, wurden bei ihnen als verwerflich empfunden, denn Treue und Mitleid kannten sie nur füreinander, sie speisten nicht mit anderen, hielten sich von Frauen anderer Völker fern. Das Judentum galt als menschheitsfeindlich, seine Proselyten unterwarfen sich mit einer Ausschließlichkeit dem neuen, von Gesetzesvorschriften und Kultausübungen regulierten Leben, daß alles, was vorher war, gleichsam nicht existent wurde: Vaterland, Götter, Eltern und Kinder[3]. Mit dem Niedergang des Imperium Romanum und der Konsolidierung

---

1. Th. Mommsen, Römisches Staatsrecht, Bd. III, Leipzig 1887, S. 825.
2. Tacitus, Hist. V, 5: „Sed adversus omnes alios hostile odium..."
3. Tacitus, ibid.

der Kirche als Zentrum eines neuen Imperiums war das Judentum wieder gezwungen, außerhalb der allgemeinen Entwicklung zu leben. Wenn die bisherige Weltmacht noch Toleranz zu üben vermochte im vollen Bewußtsein einer unerschütterlichen Macht, und wenn, da die jüdische Religion als religio licita erklärt wurde, es vielleicht auf dem politischen Gebiet noch Lösungsmöglichkeiten gegeben hätte, entwickelte die neue Weltmacht ein Selbstverständnis, mit dem Juden und Judentum sich niemals zu identifizieren vermochten. Gerade nach der Zerstörung ihres eigenen Staatswesens konnten sie den Schritt in diese Form einer neuen Geschichtsepoche nicht mitvollziehen. Es ging, wenn man so sagen kann, um mehr als um Jahvekult oder Kaiserkult, um Gerichtsautonomie oder staatliche Souveränität, es ging schließlich um die Existenz, um die Geschichte und um das sich in jahrhundertelanger Tradition herausgebildete und scharf formulierte Selbstverständnis der Juden. Es ging um ihr heiligstes Traditionsgut, bei dem nichts „hinzugefügt und nichts hinweggelassen werden durfte"[4], um die hebräische Bibel. Wie betroffen sie von der Usurpation ihrer Heiligen Schrift gewesen waren, wie fremd, wie entartet ihnen die Glaubensvorstellungen der neuen Interpreten erschienen, die damit die Behauptung verbanden, die wahrhaft Schriftverständigen zu sein, bezeugen die Erwähnungen von Begegnungen zwischen jüdischen Schriftgelehrten und Christen und die Äußerungen jener über diese, die im Talmud ihren Niederschlag gefunden haben[5]. Die Abneigung war tief, man sollte sie meiden, nicht mit ihnen sprechen, sich nicht von einem ihrer Ärzte behandeln lassen. Die Bemühungen der Christen, die Juden von ihren Glaubensvorstellungen zu überzeugen, waren intensiv, man konnte sich ihrer Zudringlichkeit und Hartnäckigkeit kaum erwehren. Die neuen Lehren wirkten als Beleidigungen und trafen tief[6]. Mit der „Uminterpretierung" wurde die hebräische Bibel zum abgewerteten „Alten Testament", die Anhänger des Alten Bundes zum verstockten und verblendeten Volk, das die neuen Zeichen nicht verstanden hatte, Gott wählte sich ein neues, ein „Verus Israel", das sich gegen den Anspruch des verworfenen Israels auf jede nur erdenkliche Weise glaubte erwehren zu müssen.
Der Weg von der theologischen zur menschlichen Verunglimpfung ist kurz. Was kann an einem Volk, das den Tod des menschgewordenen Gottes verschuldet hatte, noch menschlich sein. Sie sind Mörder, das Instrument des Bösen in der Welt. Ihre Kultausübungen, die bisher nur als

---

4. Deut. IV, 2: Ihr sollt nichts dazutun, was ich Euch gebiete und sollt auch nichts davon tun, auf dass Ihr gewahret die Gebote des Herrn.
5. Quellen bei: R. Travers Herford, Christianity in Talmud and Midrash, London 1903, Neudruck 1972.
6. M. Friedländer, Patristische Studien, Wien 1878, Neudruck 1972, S. 62/63.

augenscheinliche Beweise ihrer selbstgewählten Exklusivität angegriffen wurden, werden jetzt als Blasphemie des höchsten Gottes verstanden. Die hebräische Bibel wird zu einer unerschöpflichen Fundgrube von Deutungen auf das Kommen Christi und damit gleichzeitig zu einem reichhaltigen Arsenal für christliche Angriffe auf das ehemalige Gottesvolk. Es gibt wohl in der gesamten Menschheitsgeschichte kaum eine Konstellation, ein Ineinanderwirken von Kräften, der eine tragische Entwicklung für die Geschichte eines Volkes im gleichen Maße immanent gewesen war, wie die Geburt des Christentums für die Juden, entstanden im Lande Judaea, mit Juden als ersten Anhängern, mit einem Juden als eifervollem Apostel und genialem Interpreten, dessen Missionsargumentation sich Heiden erschließen konnten, aber niemals das Ursprungsvolk in seiner Gesamtheit, weil in dieser Entstehungszeit bereits „Judentum" durch Gesetz und Auslegung in einer Weise definiert war, die eine Umkehr von den seit Generationen mühsam erschlossenen Wegen, manifestiert in einer reichhaltigen Literatur, legitimiert durch weit zurückgehende ungebrochene Tradition, schlechthin nicht mehr möglich gewesen war. Jedes Nachgeben, jede Umkehr bedeutete Selbstaufgabe.

Es gilt, das zwangsläufige, das tragische Moment dieser Entwicklung zu betonen. Keine neue Lehre proklamiert sich als solche. Man schafft keine „res novae", nicht auf dem politischen und nicht auf dem geistigen oder religiösem Gebiet. Immer handelt es sich um die richtige Interpretation, um etwas, das bereits gewesen war. Im antiken Rom entbrannte der Kampf um die Auslegung des „mos majorum", im Mittelalter bis in die frühe Neuzeit hinein um die richtige Auslegung der „consuetudines". Alle Umsturzbewegungen bis zur Neuzeit sind letzten Endes Bewegungen neuer Interpreten. Auf der religiösen Ebene werden diese, wenn möglich noch eifervoller verfolgt als auf der politischen; die Geschichte der häretischen Bewegungen und die Schicksale ihrer Anhänger zeugen hierfür. Wieviel mehr muß das Judentum die neue Lehre als Häresie empfunden haben, und wieviel eifervoller mußten die Verfechter dieser Lehren sich bemühen, sich diesem Vorwurf zu entziehen. Dies konnte nur durch Abwehr und Angriff geschehen, nicht nur auf die Glaubensvorstellungen des Ursprungsvolkes, sondern auf deren Anhänger im gleichen Maße. Nicht nur ihr Unverständnis wird aus der Schrift, aus ihrem eigenen Buch erwiesen, ihre menschliche Verworfenheit desgleichen. Jede einzige Scheltrede gegen das hartnäckige und störrische Volk Israel, das seinem Gott nicht in allen Phasen seiner Geschichte gefolgt war, zeugt nicht für zeitgebundene, sondern für ewige Bestrafung. Die neuen Glaubenslehrer, die den Juden vorwarfen, nur den „tötenden Buchstaben" zu verstehen, lassen selber nichts als Metapher gelten, wenn irgendetwas geeignet erscheint, das „verworfene Volk" vor der christlichen Welt anzuprangern. Prophetenworte wie

„du hast die Stirn einer Dirne"[7], „Dein Tempel ist eine Räuberhöhle"[8]
bedeuten Realität.
Doch hatte auch das verworfene Volk eine Aufgabe in der Geschichte.
Sie sind Zeugen für die Wahrheit der neuen Lehre, Zeugen für das
Schicksal, das diejenigen trifft, die sich der eigentlichen Wahrheit verschließen, sie sollen am Leben bleiben, doch sollen sie ein schlechtes Leben führen. Erst am Ende der Tage wird auch dieses Volk sich der
Wahrheit nicht mehr verschließen, wird zum wahren Glauben sich bekennen.
Doch entsprach die reale Existenz des Juden nicht diesem Bilde. Sie lebten nicht entsprechend dieser Rolle, dieser Vorstellung, denn sie lebten
gut, vor Augen aller und gerade dort, wo die Bevölkerung am dichtesten
war, wo es die meisten Zeugen der Nichterfüllung des ihnen von Gott
auferlegten Geschickes gab. Wie jede soziale Oberschicht, die sich noch
dazu durch exklusive Lebensformen stärker bemerkbar macht, als ir-
gendeine andere Gruppe, übte sie Einfluß und Anziehungskraft gleichermaßen aus. Es setzte ein Prozeß ein, der bis ins späte Mittelalter
niemals unterbunden werden konnte, immer wieder unter bestimmten
Gegebenheiten in Gang gebracht wurde: es entstanden die
„judaizantes", die zur Gefahr für die sich konsolidierende Kirche wurden. Judaizare bedeutete Teilnahme am synagogalen Gottesdienst, an
Sabbatfeiern, an gemeinsamen Mahlzeiten und bedeutete Schriftauslegung nach dem sensus Judaicus. Die Vehemenz der Angriffe eines Chrysostomos, eines Hieronymus, im Mittelalter der Erzbischöfe von Lyon,
Agobard und Amulo, und wahrscheinlich auch die des Mönches von
Cluny, Petrus Venerabilis, sind vor allem in diesem Sinnzusammenhang zu verstehen.
In diesem Spannungsfeld von religiöser Selbstbehauptung und Polemik
auf beiden Seiten, zwischen zeitweiliger, meist zweckgebundener Toleranz mancher weltlicher und geistlicher Fürsten und Bedrohung an Eigentum und Leben durch niedere städtische oder ländliche Bevölkerungsschichten, legitimiert durch ständig wiederholte kirchliche Argumentation gegen Judentum und Juden, provoziert wiederum durch jüdischen Wohlstand und Exklusivität, spielte sich jüdisches Leben nicht
nur in der Antike ab. In einer Epoche der starken religiösen Ausdrucks-
und Bewußtseinsformen, die als „dunkel" allein unter dem Gesichtspunkt der „Aufklärung" von dem späteren Betrachter bezeichnet werden kann, sich in Wirklichkeit aber grell in den Farben und laut in den
Tönen darstellt, als eine Epoche, in welcher jede menschliche Begegnung unmittelbarer empfunden wurde und geprägt von Emotionen

---

7. Jeremias III, 3; Chrysostom. Hom. I PG 48, col. 848.
8. Jeremias VII, 11; Chrysostom. ibid. col. 847, zit. von Marcel Simon, Verus Israel, Paris
1964, S. 257.

war, wurde dieses Spannungsnetz in stärkerem Maße nicht nur gefahrenträchtig, sondern auch bewußtseinsbildend. Im Mittelpunkt der Ausführungen steht die christlich-jüdische Begegnung im 11. und 12. Jahrhundert. Wie in der Antike war auch im Mittelalter dem Nebeneinanderleben von Christen und Juden eine tragische Komponente immanent, die jederzeit imstande war, unter dem Druck sich stetig verändernder politischer und sozialer Gegebenheiten und religiöser Bewußtseinsformen, die Grenzen zwischen kirchlichem Antijudaismus und offenem, sich gegen den Menschen als solchen richtenden Judenhaß, zu verwischen.

Sowohl christliche als auch jüdische Quellen, die einen durch lapidare und unkritische Form der Darstellung, die anderen durch vehemente Anklage und breite Schildung des jüdischen Märtyriums, lassen diese Epoche der Geschichte der Juden zu einer Chronik von Blut und Tränen werden. Jüdisches Gegenwartsverständnis, Geschichtsbewußtsein, Einstellung der Juden zur christlichen Umwelt, wie auch christliches Verständnis von Juden und Judentum werden durch diese Berichte wenig erhellt.

Ich habe den Versuch unternommen, aus Traktaten, Disputationen, Bibelauslegung und vor allem aus dem Schriftverständnis der Juden, wie es sich in Inhalt und Methode ihrer Auslegung manifestiert, ein Bild christlich-jüdischer Begegnung aufzuzeichnen, in einem Zeitraum, in dem die völlige Konsolidierung der christlichen Gesellschaft noch nicht abgeschlossen war, in dem sich christliches und jüdisches Leben noch in enger gegenseitiger Berührung abspielte, und Juden sich noch frei gegenüber ihren Kontrahenten artikulieren konnten.

Bibelstudium und Bibelauslegung dienten als Grundlage für die Aufzeigung christlich-jüdischer Begegnung. Wirkung und Reaktion auf beiden Seiten, Ambivalenz zwischen Duldung und Achtung, zwischen Zuneigung und Ablehnung in einer Zeit, in welcher Juden bereits grausame Schicksalsschläge erlitten hatten und bangend künftige ahnen konnten, sind Gegenstand dieser Studie.

I. Zusammenleben zwischen Juden und Christen vor dem ersten Kreuzzug: Vollkommene Idylle oder Vorspiel künftiger Katastrophen?

In der modernen jüdischen Geschichtsschreibung spricht man gemeinhin von einem goldenen Zeitalter der Juden im christlichen Mittelalter, welches ungefähr die Zeitspanne vom 9. Jahrhundert, der Regierungszeit Karls des Großen und Ludwigs des Frommen bis zum Ende des 11. Jahrhunderts, zum Beginn des ersten Kreuzzuges umfaßte[1]. Obwohl die Historiker auch während dieser Epoche religiöse, antijüdische Polemik, judenfeindliche Verordnungen, Zwangstaufen und Verfolgungen keineswegs mit Stillschweigen übergehen, sehen sie doch die kaiserlichen Schutzbriefe Ludwigs des Frommen und, am Ende dieser Epoche, Heinrichs IV.[2], als den entscheidenden Ausdruck einer judenfreundlichen

1. H. Graetz, Geschichte der Juden, Leipzig 1870, Bd. V, S. 218ff; über die Juden in der Karolingerzeit. Bd. VI, S. 90ff, über die Juden Deutschlands und Frankreichs während der zweiten Hälfte des 11. Jahrhunderts.
O. Stobbe, Die Juden in Deutschland während des Mittelalters, Braunschweig 1866, Neudruck Amsterdam 1968, S. 5, über die Juden im fränkischen Reich, S. 11, über die Juden im 11. Jahrhundert.
G. Caro, Sozial- und Wirtschaftsgeschichte der Juden, Frankfurt a.M. 1924, Neudruck Hildesheim 1964, 3. Auflage, Bd. I, S. 154ff.
M. Güdemann, Geschichte des Erziehungswesens und der Cultur der Juden in Frankreich und Deutschland, Wien 1880, S. 23, über das 11. Jh. bis zum ersten Kreuzzug.
Anders K.A. Schaab, Geschichte der Juden in Mainz, Wiesbaden 1855 (Neudruck von 1968), S. 5: Ludwig ... konnte den Zustand nicht verbessern, weil die geistlichen Satzungen allen Verkehr mit den Juden untersagten. Ihr Stand blieb daher der niedrigste der Gesellschaft und ein nur tolerierter, beschränkt auf die Erlaubnis, sich durch den Handel zu ernähren(!). Schon die Terminologie verrät, daß der Verfasser die Zustände späterer Jahrhunderte auf die Karolingerzeit übertragen hat.
2. Judenschutzbriefe Ludwigs des Frommen vom Jahre 825 in Formulae Merowingi et Carolingi Aevi, ed. K. Zeumer, MGH, Leg. Sect. V, Nr. 30, 31, 52, S. 309ff.
J. Aronius, Regesten zur Geschichte der Juden im Fränkischen und Deutschen Reiche bis zum Jahre 1273, Berlin 1887–1902, Neudruck Hildesheim 1970, S. 30–32, Nr. 81, 82.
Schutzbriefe Heinrichs IV. für die Juden von Speyer vom Jahre 1090, MGH D.D. VI, 2, S. 543; Regest. S. 71–74, Nr. 171. Für die Juden von Worms (MGH D.D. VI, 2, S. 548, Nr. 412, Regest. S. 74–77, Nr. 171) liegt nur eine Bestätigung Friedrichs I. vor (MGH Const. I, S. 226, Nr. 163), übernommen von Friedrich II. im Jahre 1236. Schutzbrief des Bischofs Ruediger von Speyer aus dem Jahre 1084, Regest. S. 69, Nr. 168.
Den Juden wird in den Briefen Ludwigs Schutz für Leben und Eigentum zugesagt, Freiheit in Handel und Wandel. Sie enthalten u.a. Anordnungen im Fall von Rechtsstreitigkeiten zwischen Juden und Christen, Anerkennung des jüdischen Rechtsbrauchs im Fall von Streitigkeiten zwischen Juden und Juden; Verbot, den Sklaven eines Juden gegen den Willen des Herrn zur Taufe zu bewegen, Verbot, die Juden christlichen Rechtsverfahren,

Gesinnung an, die trotz erwähnter Mißstände die Geschichte der Juden während dieser Jahrhunderte bestimmte. Entsprechend dieser Auffassung erlebten die Juden Deutschlands und Frankreichs in dieser Epoche einen Zustand gesellschaftlicher Anerkennung, religiöser Toleranz und wirtschaftlicher Sicherheit, der abrupt und in einer nicht voraussehbaren Form durch die Kreuzzüge ein Ende genommen hatte, in deren Verlauf blühende jüdische Gemeinden der Zerstörung anheimfielen, viele Juden gezwungen wurden, ihr Leben durch die Zwangstaufe zu retten oder den Märtyrertod für die „Heiligung Seines Namens" — qiduš ha šem — zu erleiden.

Es ist nicht die Aufgabe dieser Arbeit, eine solche These durch grundlegende wissenschaftliche Untersuchungen zu widerlegen, doch sollen einige Hinweise dazu dienen, die Kreuzzugsereignisse nicht als plötzlichen, unvorhergesehenen Bruch in der Geschichte der Juden Deutschlands und Frankreichs, sondern eher als einen seit langem fälligen Anlaß, der in zahlreichen einzelnen, lokalen Ereignissen vorgebildet war, für den Ausbruch teils offen geäußerter, teils unterschwellig stets existenter Judenfeindschaft auf religiöser, wirtschaftlicher und sozialer Ebene zu begreifen.

Aufgrund ihrer Handelsbeziehungen zu den islamischen Ländern gewannen die Juden an wirtschaftlicher Bedeutung vor allem in den Augen der weltlichen und geistlichen Fürsten. Um die vielseitigen Bedürfnisse eines aufwendigen Hoflebens befriedigen zu können, zogen bereits die karolingischen Kaiser Juden an den Hof, wo sie gleich christlichen Kaufleuten ihre eigenen Unterkünfte besaßen. Die kaiserlichen Schutzbriefe finden zum großen Teil ihre Erklärung in der Notwendigkeit eines ungehinderten Warenverkehrs, der absolute Sicherheit aller Kaufleute, christlicher und jüdischer, voraussetzte[3]. In den Städten

wie Gottesurteil, zu unterwerfen, Festsetzung eines hohen Wergeldes für die Erschlagung eines Juden etc. Ausführliche Interpretation bei Caro op. cit. Bd. I, S. 131ff der Schutzbriefe Heinrichs IV., ibid. S. 172ff.
Siehe auch L. Dasberg, Untersuchungen über die Entwertung des Judenstatus im 11. Jh., Den Haag, 1966, S. 9—49. G. Kisch, Forschungen zur Rechts- und Sozialgeschichte der Juden in Deutschland während des Mittelalters, Stuttgart 1955, S. 49. — The Jews in Medieval Germany N.Y. 1970, S. 129ff.
3. Nicht nur vor Räubern und Wegelagerern hatte sich der Kaufmann zu schützen, sondern auch vor Übergriffen weltlicher und geistlicher Herren und kaiserlicher Beamten. Die Schutzbriefe Ludwigs wenden sich gleicherweise an Bischöfe, Äbte, Herzöge, Grafen, Beamte, Zöllner etc. Nur Königsschutz konnte ihnen wenigstens ein Maß von Sicherheit verschaffen. Wie sehr die Schutzbriefe der Juden eigentlich Kaufmannsschutzbriefe und Privilegien bedeuteten, bezeugen die zahlreichen Verordnungen aus späterer Zeit, die gleichermaßen an „mercatores et judaei" ergingen. So heißt es in einem Privileg von Kaiser Otto II. aus dem Jahre 973 für die Stadt Merseburg „cum judaeis et mercatoribus", Thietm. Chron. MGH, SS, 3, S. 758, Regest. S. 56, Nr. 132. In einem anderen Dokument aus dem Jahre 965 lesen wir „mercatores, id est judaei et ceteri mercatores", Otto I., MGH D.D., I, 416, Nr. 300. In demselben Jahr erhielt die Stadt Magdeburg Privilegien, darunter

Deutschlands und bereits im 9. Jahrhundert Südfrankreichs, bildeten die Juden eine soziale Oberschicht. Ihren christlichen Mitbürgern begegneten sie nicht nur auf den Märkten zwecks Abwicklung von Handelsgeschäften. Eine nicht weniger wichtige Begegnung fand auf gesellschaftlicher und religiöser Ebene statt.

Die Angriffe der Erzbischöfe von Lyon auf die Juden, Agobards und seines Nachfolgers Amulo[4], wurden sicher provoziert durch die privilegierte Stellung der Juden Lyons unter Ludwig dem Frommen, und die von ihnen vorgebrachten Beschwerden und Anklagen lassen einiges von der starken Anziehungskraft, die von den Juden auf die Christen ausgeübt wurde, verraten[5].

Wir erfahren unter anderem, daß Christen und Juden gemeinsame Mahlzeiten abhielten, und daß Christen es bevorzugten, an jüdischen und nicht an christlichen Gottesdiensten teilzunehmen[6]. Ohne hier in

Gerichtsbarkeit über „Mercatores et Judaei", hier werden als dritte Gruppe die Unfreien angeführt. MGH D.D. (Otto II.), S. 38, Nr. 29.

Das „Praeceptum negotiorum" aus dem Jahre 828 (Regest. S. 41, Nr. 98) hat wegen der Redewendung „sicut Judaeis" zu Trugschlüssen Anlaß gegeben (dies bei L. Dasberg, op. cit. S. 49, die ihre These u.a. auf diese Redewendung basiert). Kisch, op. cit. S. 49, unter Bezugnahme auf M. Tangl, Zum Judenrecht unter den Karolingern, Neues Archiv für ältere Deutsche Geschichtskunde, XXXIII, 1907, S. 197—200, hat überzeugend nachgewiesen, daß diese Worte durch die Lesungen „sicut cum diximus", bzw. „sicut diximus" ersetzt werden müssen. Dieses Praeceptum läßt daher keinerlei Rückschlüsse auf die Art königlichen Judenschutzes im Vergleich zum Kaufmannsschutz zu.

4. Agobards Hauptschriften gegen die Juden: De Insolentia Judaeorum, PL, 104, col. 69—76, De Judaicis Superstitionibus, PL, 104, col. 77—100, aus den Jahren 826 u. 827. Hauptschrift seines Nachfolgers Amulo: Contra Judaeos. PL, 116, col. 141—184 aus dem Jahre 846.

5. Ich erwähne hier nur diejenigen Beschwerden Agobards, die über den gesellschaftlichen Umgang zwischen Juden und Christen Aufschluß geben. Er beschwert sich bei Ludwig dem Frommen, daß christliche Frauen mit den Juden den Sabbath feierten und bei ihnen Fleisch und Wein kauften, er hätte dies den Christen untersagt, De insol. col. 73 A. Auch dem Bischof Nibridius teilt er in einem Brief aus dem Jahre 828 mit, daß er den Christen jeglichen Umgang mit Juden verboten hätte, PL, 104, col. 111ff, Reg. S. 40, Nr. 96. Agobard wiederholt jahrhundertealte Beschwerden gegen die Juden, deren „Überheblichkeit" sich in der Weigerung ausdrückt, ihrerseits bei Christen zu speisen; so der Konzilbeschluß von Agde, im Jahre 506, Reg. S. 9 Nr. 20, Mansi VIII, S. 331 art. XL; ähnlich ein Konzilbeschluß von Epaon vom Jahr 517, Mansi VIII, S. 561 can. XV, Reg. S. 9 Nr. 20 und von Orléans vom Jahre 538, Mansi IX, S. 15 can. XIII, Reg. S. 10, Nr. 25. Eine Anklageschrift gegen die Juden von Metz, vom Jahre 888, die dem dortigen Konzil vorgelegt wurde, wiederholte das Verbot mit Juden zu speisen mit der Begründung, daß die Juden die Christen gering schätzten, da die Speisegesetze den Juden nicht erlaubten, bei Christen zu speisen. Mansi XVIII, S. 79, Conc. Mett. can. 7.

6. Agobard beschwert sich, daß den unwissenden Christen der jüdische Gottesdienst lieber wäre als der christliche: „... dicant imperiti christiani, melius eis praedicare Judaeos, quam presbyteros nostros...", de insol. Jud. col. 75 A, ähnlich Amulo, contr. Jud. PL 116, col. 170, cap. 41.

Vielleicht ist der Übertritt zum Judentum des Diakon Bodo im Jahre 839 Zeugnis für Einfluß und Beliebtheit der Juden. Bodo hatte am kaiserlichen Hofe die Juden kennenge-

diesem Zusammenhang ein endgültiges Urteil über die Motivation und über die Persönlichkeit des Agobard fällen zu können[7], sind wir doch berechtigt anzunehmen, daß die scharfen Angriffe der Lyoner Erzbischöfe einen Grund in der Gefahr finden, die sich in ihren Augen in einer Bürgerschaft von Nichtchristen manifestierte, von der aufgrund ihrer Bildung, ihres sozialen Standes und nicht zuletzt ihres dem Christentum verwandten Glaubens eine starke missionierende Kraft auszugehen imstande war.

Wie ernst die Situation in den Augen der hohen Geistlichkeit der Städte Südfrankreichs war, bezeugt die missionierende Aktivität, die sie ihrerseits entfaltete. Nicht nur Amulo spricht von Informationen, die ihm getaufte Juden geliefert hätten, einem anderen Bericht zufolge hatten diese getauften Juden mit großem Erfolg unter jüdischen Kindern Mission getrieben[8]. Wenngleich dem Bericht, wahrscheinlich aus dem Jahre

lernt, ging unter dem Vorwand einer Pilgerfahrt nach Rom, nach Spanien, konvertierte dort zum Judentum und nahm den Namen Eleazar an; einige der Beweggründe des Bodo erfahren wir aus den Antworten des Paul Alvarus aus Kordova auf Eleazars Briefe; letztere sind leider nicht erhalten geblieben. Paul Alvar. Epist. 18, 5 PL 121, col. 475—514, col. 496. Amulo legt den Übertritt des Bodo Eleazar den Juden zur Last. Contr. Jud. cap. 42. — Bibliographie über Bodo Eleazar: A. Cabaniss, Bodo Eleazar, A famous Jewish Convert, JQR, NF 43 (1952/53), 313ff, B. Blumenkranz: Jüdische und christliche Konvertiten, in: Misc. Mediev. 4, Judentum im MA, Berlin, 1966, S. 264ff.

7. Agobards Haltung gegenüber den Juden ist sehr unterschiedlich bewertet worden. H. Graetz op. cit. S. 226ff nennt ihn „Haman", der Erzfeind der Juden aus dem Buch Esther, spricht von seinem „finsteren Gemüt", bezichtigt ihn der Verleumdung der Juden, wenn er behauptet, die Juden lästerten Christus, bezeichnet den Bericht des Agobard, Juden hätten freie christl. Männer als Sklaven nach Spanien verkauft, als „haarsträubendes Märchen" (S. 230). Graetz geht soweit, Agobards spätere Stellungnahme gegen die Kaiserin Judith und für die Söhne Ludwigs als Racheakt für die kaiserliche Zurücksetzung in der Angelegenheit der Juden zu bezeichnen. Gemäßigter, Th. Reinach, Agobard et les Juifs, REJ 50, 1905, S. LXXXI—CXI, indem er den christlichen Standpunkt des Agobard betont, vor allem in der Frage von Sklaven, die sich im Besitz der Juden befinden und zum Christentum bekehrt wurden; ähnlich E. Boshof, Agobard von Lyon, Köln 1969, S. 127, es wäre nicht der Jude als Fremdkörper(!) im Reich gewesen, den Agobard angegriffen hat, sondern die Juden „increduli, infideles" waren es, die seinen Zorn erregten. Sicher bezog Agobard in vielen seiner Beschwerden den Standpunkt des kanonischen Rechts, doch sind die Grenzen zwischen religiösem Eifer und gesellschaftlicher Diffamierung leicht überschritten; dafür bietet die Geschichte des Antijudaismus in der Antike und im Mittelalter zahlreiche Beispiele. — Die heftigen Angriffe des Johann Chrysostomos auf die Juden Antiochias' verraten in ähnlicher Weise eine Art von Existenzangst für eine christliche Gemeinschaft, in welche eine jüdische soziale Oberschicht integriert war. (Über J. Chrysostomos, Angriffe auf die Juden, bei Marcel Simon, Verus Israel, Paris 1964, S. 250ff.)

8. Brief eines Bischofs an einen nicht genannten Kaiser, PL 119, Epist. Episcopi, Ad Imperat. de baptiz. Hebraeis, col. 422. Aronius, Reg. S. 49, Nr. 112, nimmt an, daß es sich um einen Brief Amulos an Kaiser Lothar handelt. J.M. Jost, Geschichte der Israel., Berlin 1820, Bd. VI, S. 70, sieht in dem Verfasser des Briefes Amulos Nachfolger Remigius. Es handelt sich mit Sicherheit um einen Bischof Südfrankreichs, wie die Ortsangaben bezeugen: Arles, Chalon, Macon, Vienne etc.

850, nicht eindeutig zu entnehmen ist, daß es sich um Zwangstaufen gehandelt hatte, so wird bereits in der ersten Hälfte des 10. Jahrhunderts Taufe als Alternative zur Vertreibung zumindest als Frage aufgeworfen, doch wird, so widersprüchlich die Begründung hierfür klingt, die Zwangstaufe von päpstlicher Seite abgelehnt[9]. Zu Beginn des 11. Jahrhunderts führte, gleichsam als Vorspiel zu den Ereignissen des ersten Kreuzzuges, religiöser Fanatismus zu Verfolgungen und Zwangstaufen, wie wir erfahren „in allen christlichen Ländern"[10]. Die Bischöfe verboten den Christen, mit den Juden Handel zu treiben, wenn diese sich nicht taufen ließen und allen jüdischen Riten und Gebräuchen entsagten[11]. Aus Todesfurcht nahmen viele den christlichen Glauben an, blieben aber später dem Christentum˙nicht treu[12]. Von Raub und Plünderungen erfahren wir nichts von unserem Berichterstatter, doch ist mit Sicherheit anzunehmen, daß der Besitz der Juden nicht verschont wurde, da wie bei allen auch späteren derartigen Ereignissen die Grenze zwischen religiösem Eifer und wirtschaftlicher Mißgunst schwer zu ziehen ist. Zahlreiche Juden wurden gezwungen, um ihr Leben zu retten, aus den Städten zu fliehen und sich in den umliegenden Dörfern versteckt zu halten[13].

9. In den Jahren 937/38 wandte sich Friedrich, EB von Mainz, an Papst Leo VII. mit der Frage, ob man die Juden taufen oder vertreiben solle. Der Papst antwortete im Geiste Gregors (s. S. 84), man sollte nicht ablassen, das Evangelium zu predigen, doch diejenigen, die den christlichen Glauben nicht anzunehmen bereit sind, sollten vertrieben werden. Er versucht, traditionelle päpstliche Toleranz zu wahren, indem er fortfährt „per virtutem autem et sine illorum voluntate atque peticione nolite eos baptizare", Reg. S. 54, Nr. 125.
10. „Utque divulgatum est per Orbem universum, communi omnium Christianorum consensu decretum est, ut omnes Judaei ab illorum terris vel civitatibus funditus pellerentur" (Recueil des Hist. de Gaule et de France, ed. Bouquet, Paris 1874, Bd. X, S. 34, Rad. Glaber, Hist. III, 7). Die Juden wurden beschuldigt, die Zerstörung der Grabeskirche in Jerusalem im Jahre 1009 durch den Kalifen El-Hakem angestiftet zu haben. Der Wortlaut könnte auf einen Konzilbeschluß hinweisen (so B. Blumenkranz, Les Auteurs Chrétiens Latins du Moyen Age sur les Juifs et le Judaisme, Paris 1963, S. 257, Nr. 5) und somit das übertriebene Pathos erklären.
Laut dem Bericht des Rad. Glaber waren die Verfolgungen äußerst grausam: sicque universi odio habiti, expulsi de civitatibus, alii gladiis trucidati alii fluminibus necati, diversisque mortium generibus interempti ... ibid.
11. Tum quoque decretum est ab Episcopis atque interdictum ut nullus Christianorum illis se in quocumque sociaret negotio, si qui tamen de illis ad baptismi gratiam converti voluissent omnemque Judaicam respuere consuitudinem vel morem, illos tantum suscipere decreverunt.
12. „Quod et fecerunt plurimi illorum magis amore praesentis vitae coacti metu mortis, quam vitae sempeternae gaudiis, nam quicumque illorum sese tales mentiendo fieri poposcerant, paulo post ad morem pristinum sunt impudenter reversi...", ibid.
13. Graetz, op. cit. Bd. V, S. 134ff, äußert Zweifel am Ausmaß der Verfolgungen und hält den Bericht des Rad. Glaber für übertrieben. Adémar v. Chabannes berichtet in seiner Chronik nur über die von den Juden angestiftete Zerstörung der Grabeskirche in Jerusalem, weiß aber nichts von Judenvertreibungen und Verfolgungen in Orléans; von

Eindeutiger ist ein Vorkommnis aus dem Jahre 1012. König Heinrich II.
vertrieb die Juden aus Mainz, doch blieben diejenigen, die sich der Taufe unterzogen, von der königlichen Anordnung verschont. Die Gründe
für diese Vertreibung konnten nicht völlig geklärt werden. Die Tatsache, daß sie sich nur auf die Stadt Mainz beschränkte und, wie man annimmt, ein Jahr danach den Juden die Rückkehr in die Stadt erlaubt
wurde, legt die Vermutung nahe, daß es sich um eine plötzliche Zornesaufwallung des Königs gehandelt hat. Man nimmt an, daß der Übertritt
zum Judentum eines gewissen Wezelin, des Geistlichen eines Herzogs
Konrad, den Kaiser zu seiner grausamen Maßnahme gegen die Juden
motiviert hat[14]. Auch dieses Ereignis zeugt für den direkten Einfluß der
Juden auf christliche Mitglieder städtischer Gemeinden, der Jahrzehnte
vor dem Beginn des ersten Kreuzzuges scharfe Maßnahmen gegen jüdische Gemeinden zur Folge haben konnte, wenn geistliche oder weltliche Fürsten daran Anstoß nahmen und die Machtmittel besaßen, ihrer
Willkür freien Lauf zu lassen. Von einer ungetrübten Sicherheit der Juden Deutschlands und Frankreichs vor den Kreuzzügen kann man

ihm erfahren wir nur, daß es in demselben Jahr in Limoges zu Zwangstaufen oder bei
Weigerungen der Juden zu Vertreibungen gekommen war auf Anordnung des dortigen
Bischofs; er bringt aber dieses Ereignis nicht mit dem Geschehen in Jerusalem in Zusammenhang. Chron. edit. Chavanon, Paris 1897 (Collection des textes pour servir à l'étude
et à l'enseignement de l'Histoire), S. 169; über die Vorkommnisse in Limoges s. S. 83. Wilhelm v. Tyrus berichtet ebenfalls nur von der Zerstörung der Grabeskirche und nichts
von Judenverfolgungen (Recueil des Hist. des Croisades, Paris 1894, Bd. I, S. 16). Doch
vielleicht sind wir berechtigt, eine Motivation für den Zorn des Rad. Glaber in der Judaisierung verschiedener offizieller Persönlichkeiten zu finden. Rad. Glaber berichtet in
demselben Zusammenhang von dem „Bajulus Litterarum" Robert, der nach seiner Rückkehr aus dem Heiligen Land angeklagt wurde, freundschaftlich mit Juden verkehrt zu haben und zum Tode verurteilt wurde. Desgleichen berichtet er von einem Grafen von
Sens, der „Judaeorum quoque in tantum prevaricatorias diligebat consuetudines, ut se regem ipsorum suo prenomine ... suis omnibus imperaret...", Recueil, ibid. S. 32. Das Ineinanderwirken von sozialem Wohlstand der Juden, Judaisieren einflußreicher Christen und
religiösem Eifer, der oft von der Geistlichkeit in die niederen Volksschichten getragen
wurde, denen die Exklusivität einer jüdischen Gemeinschaft von jeher ein Anstoß war,
führte sicher, wie in den meisten Fällen, auch hier, zu den Verfolgungen.
14. Über den Übertritt des Wezelin zum Judentum, MGH, SS 4, S. 704, Reg. S. 63, Nr.
147. Der Briefwechsel zwischen dem Ministerialen Heinrich und dem Abtrünnigen, Albert v. Metz „de Diversitate Temporum", PL 140, col. 484ff. Über die Vertreibung der
Juden aus Mainz, s. Annales Quedlinburgenses, ed. Pertz, MGH, SS 11, S. 81.
Wie tief die Juden sich getroffen fühlten, trotz der Kurzfristigkeit ihres Exils bezeugen die
Bußlieder des Rabbi Gerschom Ben Jehudah (s. S. 28 über seine Persönlichkeit und Wirk-
samkeit) und des Rabbi Simon ben Isaak ben Abbun, zit. v. Grätz, Bd. V, S. 496, n. 22. –
Der Sohn des Gerschom ben Jehudah gehörte ebenfalls zu den Zwangsgetauften. Eine
Bannverordnung des Gerschom — den zum Judentum zurückgekehrten Zwangsgetauften
sollte ihr Übertritt zum Christentum niemals vorgeworfen werden — ist auf dem Hintergrund dieser Ereignisse zu verstehen. S. Responsum des Salomo Ben Isaak (Raschi), Tešu-
vot hakme zarfat we lotir (Rechtsentscheidungen der Weisen Frankreichs und Lothrin-
gens), ed. J. Müller, Jerusalem 1967, S. 11, Nr. 21, ebenso S. 68.

schlecht reden. Die Alternative Taufe oder Vertreibung wurde bei den ersten Kreuzfahrern, oder besser, bei dem sie begleitenden fahrenden Volk, zur Alternative Leben oder Taufe. Religiöser Fanatismus wurde oft von der Geistlichkeit in die niederen Volksschichten getragen, dies können wir mit Sicherheit dem Bericht des Radulfus Glaber entnehmen, und wenn Bischof Rüdiger von Speyer im Jahre 1084 die Juden auffordert, in seiner Stadt sich niederzulassen, um deren Glanz zu erhöhen, ihnen aber gleichzeitig rät, ihren Wohnbezirk mit einer Mauer zu umgeben, damit sie sich vor dem Pöbel schützen könnten[15], fürchtet er wohl nicht nur religiösen Fanatismus, sondern nicht weniger wirtschaftlichen Neid als etwaige Motivation für Überfälle auf die Wohnbezirke der Juden. Sollte doch nur wenige Jahre später der Aufeinanderprall von religiösem Fanatismus auf wirtschaftlichen Neid die Katastrophe der Jüdischen Gemeinden der Rheinischen Städte auslösen. Die Idylle vom 9. bis zum 11. Jahrhundert war eine höchst unvollkommene; und die Kreuzzugserlebnisse waren in der komplexen und zwiespältigen Einstellung der Christen und Juden zueinander während der vorangegangenen Jahrhunderte vorgebildet worden[16]. Die Judenprivilegien entsprangen gleich den Kaufmannsprivilegien in nicht geringem Maße den Nützlichkeitserwägungen geistlicher oder weltlicher Fürsten, entsprachen aber nur wenig dem verfassungsmäßigen Status der Juden innerhalb einer christlichen Gemeinschaft — sie konnten jederzeit eines Willküraktes irgendeines Machthabers gegenwärtig sein — und der Gesamteinstellung aller Schichten einer christlichen, ländlichen und städtischen Bevölkerung zu den Juden Deutschlands und Frankreichs. Die kaiserlichen Schutzbriefe vermochten die jüdischen Gemeinden der rheinischen Städte nicht vor den kreuzfahrenden Horden zu schützen, deren Verhalten durch Motivationen und Kräfte ausgelöst wurden, die wenig den Interessen derjenigen Fürsten oder Bischöfe entsprachen, die Juden unter ihren Schutz genommen hatten[17]. Die Juden Nordfrankreichs standen, so viel wir wissen, nicht unter dem ausdrücklichen Schutz eines Königs oder eines Feudalherrn, sie genossen wohl aufgrund ihrer jahrhundertelangen Ansässigkeit in den dortigen Ortschaften die gleichen Rechte und Privilegien wie nichtjüdische Ansässige und Kaufleute. Städtische Ansiedler und Kaufleute in Nordfrankreich und Flandern gelangten aufgrund der einzigartigen wirtschaftlichen Entwicklung dieses Gebietes zu besonderem sozialem Wohlstand,

---

15. „Collectos igitur locavi extra communionem et habitacionem ceterorum civium, et ne a pecoris (lies peioris) turbe insolencia facile turbarentur...", Reg. S. 70, Nr. 168.
16. In anderen Zusammenhängen werde ich ausführlicher auf dieses Thema zurückkommen, s. S. 166ff.
17. Über das Verhalten Kaiser Heinrichs IV. zu den jüdischen Verfolgten des 1. Kreuzzuges. s. S. 169, n. 8. Über das Verhalten von Bischöfen und weltlichen Herren s. S. 169, n. 8.

und es ist vielleicht kein Zufall, daß gerade dort das bedeutendste Zentrum jüdischen Lernens im christlichen Europa des Mittelalters entstehen sollte[18].

Eine hier sehr summarisch aufgezeichnete Vielschichtigkeit der christlich-jüdischen Beziehungen soll uns helfen, die jüdisch geistige Aktivität in Nordfrankreich und in den rheinischen Städten Deutschlands innerhalb des allgemein geschichtlichen Zusammenhangs zu verstehen. Dabei möchte ich eins nochmals betonen: Die Juden waren nicht nur bis zum ersten Kreuzzug, sondern noch fast während des gesamten 12. Jahrhunderts, trotz oft starker Bedrängnisse, weitestgehend in die sie umgebende christliche Gemeinschaft integriert, obwohl sie als Gruppe eigener religiöser Gesetzlichkeit und Lebensform, als außerchristliche Gemeinschaft, stets als solche im Bewußtsein der zeitgenössischen Christen registriert wurden. Die daraus resultierenden Widerstände und Angriffe förderten wiederum Konsolidierung und Abgrenzung der jüdischen Gemeinschaft von ihrer christlichen Umwelt.

Die Form des sozialen Zusammenlebens der Juden, Verfassung, Institutionen, wie auch geistige Beschäftigung sind nicht losgelöst von der christlichen Umwelt zu betrachten. Im Verlauf meiner Ausführungen werde ich versuchen, auf die Frage der gegenseitigen Einflußnahme und Abgrenzung voneinander einzugehen. Doch vor allem will ich eine Entwicklung verfolgen, an deren Endpunkt christliche Gelehrte auf dem Gebiet des Bibelstudiums, das bei Juden und Christen im Mittelpunkt

---

18. Über die wirtschaftliche Entwicklung Flanderns und Nordfrankreichs, s. H. Pirenne: Hist. Economique et Sociale du Moyen Age, Paris 1963, S. 82/83. Die wichtigsten Marktplätze lagen entlang der großen Handelsstraße, die sich vom Süden — der Provence — bis zum Norden — der Champagne — hinzog. Pirenne nimmt an, daß bereits im 9. Jh. Kaufleute die Ortschaften der Champagne besuchten. Berühmt waren die „warmen Messen" (im Juni) und die „kalten Messen" (im Oktober) in Troyes, die laut Pirenne bereits im 12. Jahrhundert sechs Wochen währten und vom Jahre 1114 an eine bedeutende Rolle spielten (leider ohne Quellenangabe). Hingegen behauptet S. Baron, daß die Messen von Troyes vor dem Jahre 1114 keine Rolle in der Wirtschaftsgeschichte Frankreichs gespielt hatten. Baron wendet sich gegen die allgemein vertretene These, daß Raschis Persönlichkeit nicht zuletzt von den Handelsgewohnheiten seiner Umgebung geprägt wurde (so M. Liber, Rashi, London 1906 [engl. Ausgabe], S. 35, und A. Berliner, Blicke in die Geisteswerkstatt Raschis, Ffm. 1905, S. 6). S. Baron, Rashi and the Community of Troyes, in „Rashi Anniversary Vol.", NY 1941, S. 43—73, S. 49. Raschi starb im Jahre 1105, und lebte — so Baron — in einer Umgebung, die sich von Landwirtschaft ernährte. Abgesehen von der Tatsache, daß im 11. und 12. Jh. schlecht eine Trennung von Landwirtschaft, Handwerk und Handel zu treffen ist — in den städtischen Gemeinden gingen diese Erwerbszweige ineinander über —, können wir der Responsa-Literatur genügend Hinweise für Handel und Wandel der Juden auch in Nordfrankreich entnehmen (s. S. 25f). F. Bourquelot, Etudes sur les foires de Champagne sur la nature l'étendue et les règles du commerce qui s'y faisait au XII', XIII', XIV' siècle, 2 vol. Paris 1865, Bd. I, S. 65ff setzt eine Kontinuität für die Märkte NFr. vom 5. Jh. der Römerzeit voraus. Datum von Belegen muß nicht eine bereits schon vorhergegangene Praktizierung ausschließen.

jeglicher geistigen Tätigkeit stand, trotz gleichzeitiger antijüdischer Polemik, vor Denkkategorien der Juden und deren Methoden, welche im Verlauf der fortwährenden Auseinandersetzungen mit den Christen zunehmend schärfer und eindeutiger wurden, sich weder verschließen konnten noch wollten.

II. Die jüdische Szene

1. Zur Geschichte der jüdischen Niederlassungen in Nordfrankreich und in den rheinischen Städten

Bereits im ersten vorchristlichen Jahrhundert, wahrscheinlich seit der Unterwerfung Jerusalems durch Pompejus im Jahre 63, bestand in der Urbs Rom eine nicht unbedeutende Judengemeinde. Juden aus Palästina und Rom ließen sich bald, aufgrund ihrer Tätigkeit mit Schiffahrt und Seehandel, vor allem mit Sklaven und Warenimport, an den Küsten Italiens und in Südfrankreich nieder. Im Gefolge der caesarischen Legionen gelangten sie nach Gallien, ließen sich in den römischen Kolonien nieder, wo sie römisches Bürgerrecht genossen[1]. Sie wurden sowohl von den Galliern als auch von den Burgundern als Römer angesehen. Ihre aktive Handelstätigkeit führte sie durch ganz Gallien, so daß wir bereits aus dem 6. Jahrhundert, aus der Regierungszeit des ersten christlichen Königs Chlodwig, Belege für jüdische Niederlassungen finden, die sich vom Süden der Provence, über die Isle de France bis nach Nordfrankreich, der Champagne, erstreckten. Nach der endgültigen Niederlassung und der Konsolidierung eines Gemeinwesens blieb vielleicht der Handel eine wichtige Einnahmequelle, doch haben wir Zeugnisse, daß sich die Juden gleichermaßen anderen Erwerbszweigen zuwandten[2].

1. Über die ersten jüdischen Niederlassungen in Westeuropa, Graetz, op. cit., Bd. V, S. 143ff.
2. Über See- und Sklavenhandel der Juden im 6. Jh., Caro, I, S. 60ff, über andere Beschäftigungszweige der Juden in der Merowingerzeit, Grätz ibid., aus Greg. v. Tours, de glor. confess. cap. 97, und Hist. Franc. cap. V, S. 6. Der Sklavenhandel der Juden war immer wieder Gegenstand von Konzilbeschlüssen: Das dritte Konz. v. Orléans, im Jahre 538, bestimmte, daß ein Jude von einem christlichen Sklaven nichts verlangen durfte, was dessen Religion widersprach; das vierte Konzil im Jahre 541 bestätigte diesen Beschluß und regelte zusätzlich, daß ein zum Judentum bekehrter Sklave nicht freigelassen werden darf (obwohl das mosaische Gesetz die Freilassung eines hebräischen Sklaven gebietet) (vgl. Exod. XXI, 2f) (Reg. S. 11, Nr. 28), Mansi IX, 15, Mansi IX, 118. Greg. I. fordert im Jahr 509 die Königin Brünhilde auf, den Juden den Besitz christlicher Sklaven zu verbieten (Reg. S. 20, Nr. 55). Das Konzil von Reims vom Jahre 624 verbot den Juden den Besitz christl. Sklaven (Reg. S. 21, Nr. 60, Mansi X, 572). Auf diesem Hintergrund verdient die Anordnung Ludwigs des Frommen in seinem Privileg für die Juden von Lyon, daß man die heidnischen Sklaven der Juden „sub autentu christiane religionis" nicht zur Taufe anstiften sollte (s. S. 13, n. 2), besondere Beachtung.

Troyes, in der Landschaft Champagne in Nordfrankreich, wurde bereits im Jahre 279, viele Jahre vor der Einführung des Christentums im Merowingerreich, Sitz einer Judengemeinde. Im 11. Jahrhundert unterstanden die Bewohner der Stadt und somit auch die Juden denGrafen der Champagne, die die Landschaft als Lehen von den burgundischen Herzögen erhielten. Im 12. Jahrhundert erlangten die Juden Autonomie in der Gemeindeverwaltung, doch blieb der Graf der oberste Gerichtsherr[3]. Da die Städte und Landgemeinden Nordfrankreichs sich sehr früh zu blühenden Marktplätzen entwickelten und somit zu reichen Einnahmequellen der Feudalherren wurden — wir besitzen zahlreiche Belege für die rege Handelstätigkeit der Juden innerhalb und außerhalb ihrer Niederlassungen[4] — erfreuten sich die jüdischen Gemeinden ungestörter Ruhe, frei von willkürlichen Eingriffen der Obrigkeit. Die Juden waren weder in ihrer Kleidung noch in ihrer Sprache von den Christen ihrer Umgebung zu unterscheiden[5]. Für das ungestörte Zu-

---

3. H. Gross, Gallia Judaica, Dictionnaire Géographique de la France, Amsterdam 1969, Nachdruck der Ausgabe Paris 1897, S. 599.
4. Belege aus der Responsaliteratur für die Rechts- und Wirtschaftsgeschichte der Juden, bes. I. Agus: The Heroic Age of France and German Jewry, NY 1969; Urban Civilisation in Pre-crusade Europe, 2 Vols. NY 1965. Über jüdischen Fernhandel hören wir bereits in der Karolingerzeit. Karl der Große entsandte den Juden Isaak mit einer Gesandtschaft zu dem Kalifen Harun El Raschid, wohl weil dieser einige Erfahrung im Fernhandel besaß. Reg. S. 25, Nr. 68, aus dem Jahre 797. Isaak kehrte als Einziger der Gruppe im Jahre 802 nach Aachen zurück, Reg. S. 26, Nr. 71.
Die Juden belieferten die Märkte Nordfrankreichs und auch der rheinischen Städte u.a. Arles, Troyes, St. Denis, Köln und Mainz mit Wachs, Honig, Wolle, Wein, Fisch, Seide, Brokat, Papyrus, mit feinen Gewändern und Gewürzen.
Agus, Her. Age, S. 28, behauptet, daß die Entwicklung der Märkte dieser Städte vor allem den Juden zu verdanken war, da unter den fahrenden Kaufleuten die Juden in stärkster Zahl vertreten waren. Die jüdischen Kaufleute entwickelten ihrerseits Sicherheitsmaßnahmen, trotzdem konnten auch sie sich nicht immer vor Überfällen schützen. (Aus einer Rechtsentscheidung des Rabbi Tov-Elem-Bonfils aus dem Jahre 1000 erfahren wir, daß Juden auf einer Handelsreise von Reims nach Troyes überfallen wurden, Urb. Civ. S. 48, 173, Nr. LXI.) Einigen Schutz erhielten sie von Adligen, die bei ihnen verschuldet waren, und deren Zorn von manchen Bandenführern gefürchtet wurde (Urb.Civ., S. 99, Nr. XXIII). Doch entscheidend wirkte die Verbundenheit der jüdischen Gemeinden untereinander für die Sicherheit der Handelsreisenden. Beispiele s. Her. Age, S. 30/31. Auch Christen profitierten von den Sicherheitsmaßnahmen der Juden. Nicht selten gaben ihnen Juden Empfehlungsbriefe mit, mit der Bitte, ihnen Schutz zu gewähren; s. J. Agus, Control of Roads by Jews in Pre-Crusade Europe, JQR, XLVIII, 1957, S. 35; ebenso Her. Age, S. 36, über Jakob ben Jekuthiel, der einen römischen Bischof mit Geld, Pferden und Schutzbriefen versorgte. Ob aber die Gottesfriedensbewegung durch den religiösen Zusammenhalt der Juden inspiriert wurde (so Agus, Her. Age S. 34) und die Geistlichkeit bewog, für christliche Kaufleute entsprechende Bedingungen zu schaffen, möchte ich dahingestellt sein lassen.
5. L. Rabinowitz, The social Life of the Jews in Northern France in the 12th and 14th Century, London 1938, S. 23. Agus, Her. Age S. 38, behauptet, daß die Juden einen „special jewish dialect" gesprochen haben, doch lesen wir bei Agobard (de bapt. jud. manc. MGH, Ep. 5, S. 165), PL 104, col. 102ff, daß die heidnischen Sklaven bei ihren jüdischen

sammenleben zwischen Juden und Christen in diesem Teil des christlichen Europa und ihre gemeinsamen Aktivitäten auf allen Gebieten des Wirtschaftslebens zeugt die Modifizierung einer talmudischen Vorschrift, die den Juden das Abwickeln irgendwelcher Geschäfte mit Nichtjuden an christlichen Feiertagen bisher untersagt hatte[6]. Doch würde es dem Gesamtbild in keiner Weise gerecht werden, wenn man sich vorstellen würde, daß die Juden Nordfrankreichs im 11. Jahrhundert sich ausschließlich mit Handel beschäftigt hätten. Wir wissen, daß sie häufig im Besitz von Weinbergen waren, doch ist es zweifelhaft, ob Ackerbau oder Weinbau für die Besitzer von Ländereien als ausschließliche Erwerbsquelle diente[7]. Eher ist anzunehmen, daß diese zur Erzeu-

Herren die „Sprache des Landes" gelernt haben; desgleichen spricht Amulo (contr. Jud. PL 116, col. 170) von der Umgangssprache, die die Rabbinen in den Synagogen sprachen, welche von den Christen, die den jüdischen Gottesdienst besuchten, bevorzugt wurde. Doch den überzeugendsten Beweis, daß die Juden die Landessprache sprachen, liefert Raschi, der ungewöhnliche hebräische Ausdrücke der Bibel zum besseren Verständnis seiner Leser in die „Landessprache" (lo'as, bei Raschi) übersetzte; doch sprachen die Juden bei offiziellen Anläßen Hebräisch (König Guntram wurde im Jahre 585 von der Bevölkerung mit Zurufen begrüßt; man hörte Syrisch, Latein und „etiam (lingua) Judaeorum"), Reg. S. 18, Nr. 48.
Handelsverträge wurden oft auf Hebräisch abgefaßt; J. Baer, Die Juden im christlichen Spanien 1, 1 Nr. 7 S. 4, 1970. Es ist anzunehmen, daß die Juden ein einfaches Hebräisch verstanden; Güdemann, Erziehungswesen und Cultur der Juden in Frankreich und Deutschland, Wien 1880, S. 55, über die Bemühungen, am Passah-Abend die hebräische Hagadah anhand einer französischen Übersetzung zu verstehen. Ausführlicher hierüber bei B. Blumenkranz, Juifs et Chrétiens dans le Monde Occidental, Paris 1960, S. 4ff.
6. Rabinowitz, op. cit., S. 90, H. Hailperin, Rashi and the christian scholars, Pittsburgh 1963, S. 17.
7. Wir wissen, daß Raschi Weinbergbesitzer gewesen war, Baron, op. cit. S. 53, nimmt an, daß dieser seine Haupteinnahmequelle gewesen war. Daß viele Juden Weinbergbesitzer waren, erklärt sich schon aus der Tatsache, daß es den Juden verboten war, aus rituellen Gründen Wein zu genießen, der von Nichtjuden erzeugt wurde. Wein war ein wichtiges Handelsgut. Juden handelten vor allem mit Wein; diejenigen, die keine Weinberge besaßen, kauften häufig die Früchte von christlichen Weinbergbesitzern zur Herstellung von Weinen, die sie auf den Markt brachten. Agobard beschwert sich bitter darüber, daß die Juden den von ihnen erzeugten Wein absichtlich verunreinigten, daß sie ihn überhaupt nur aus dem Grunde hielten, um ihn an Christen zu verkaufen: „de vino vero, quod et ipsi immundum fatentur et non eo utuntur nisi ad vendendum christianis, si contigerit, ut in terram defluat quolibet loco licet sordido festinantes hauriunt iterum de terra ad conservandum in vasa remittunt" (De insol. PL 104 col. 72). Die geringen Summen, mit denen die Juden ihre Weinberge beliehen, beweisen, daß diese nicht groß gewesen sein können. Aufgrund zahlreicher Responsa kann man zu dem Schluß kommen, daß Juden besondere Wein- und Getreidesorten als Handelsobjekte kultivierten. Ausführlich Agus, Heroic Age S. 170ff. Manche Juden überließen ihr Land Christen als Lehen und empfingen Feudalabgaben, Agus, op. cit. S. 176, aus dem Responsum eines Schülers von Raschi. Es kam auch vor, daß jüdische Landbesitzer ihr Land von Sklaven und Lohnarbeitern bearbeiten ließen, sich selber wohl Handelsgeschäften widmeten (Respons. des Tov Elem, aus dem 11. Jh., Urb.Civil. S. 438, Nr. CL). Man findet die Juden in allen Berufszweigen: Samuel Ben Meir (der Enkel Raschis) war Besitzer einer Viehherde, dessen Bruder, Rabbi Jacob Tam, wahrscheinlich in gräflichen Diensten, vielleicht Steuereinnehmer; s. A. Ap-

gung spezieller landwirtschaftlicher Produkte, die als Handelsware leicht abzusetzen waren, genutzt wurden. Land- und Weinbergbesitz ist mit einer Ansässigkeit in einer mittelalterlichen Stadt, vor allem im 11. Jahrhundert, durchaus zu vereinbaren. Juden, die in den Landgemeinden oder in kleineren Ortschaften ansässig waren, basierten ihre Existenz sicher in weit stärkerem Maße auf Landwirtschaft, Weinbau oder auch Viehzucht. Unsicherheiten — Verfolgungen während des ersten und zweiten Kreuzzuges bis zu Vertreibungen am Ende des 12. Jahrhunderts — hatten zur Folge, daß die Juden sich mehr und mehr vom Landbesitz als Existenzgrundlage zurückzogen und das Schwergewicht ihrer Tätigkeit auf Handel und Gewerbe verlagerten. Doch blieben ihnen Reichtum und damit ein gewisser gesellschaftlicher Status bis in das 14. Jahrhundert trotz allem erhalten[8].

Die Schwierigkeit für die Juden des christlichen Europas, sich in einer mehr und mehr sich konsolidierenden Gesellschaftsordnung einer bestimmten Klasse der Feudalgesellschaft zugehörig zu fühlen, hat zu der Behauptung geführt, daß sie sich bemüht hätten, sich mit dem Stand der Ritter zu identifizieren und sie nachzuahmen[9]. Belege von Bibel-und Talmudkommentaren scheinen mir hierfür keine ausreichend breite Basis zu liefern. Doch ist es sicher anzunehmen, daß sich die Juden vor allem, nachdem es offensichtlich wurde, daß auch die städtischen Organisationsformen sie ausschlossen, sich nach einer anderen Gruppe zu orientieren suchten. Vielleicht schuf der Königsschutz mit seinen Ter-

---

towitzer: Mavo le sefer rabiah, Jerusalem 1938, S. 361 (hebr.): meiner Lasten sind viele, und die Lasten vieler trage ich und die Lasten des Königs (avodat ha melekh, term. techn. für Königsdienst).

8. Juden trennten sich zuweilen von Landbesitz, wenn andere Einnahmequellen größere Profite versprachen; aufschlußreich ein Schreiben von Tov-Elem aus der ersten Hälfte des 11. Jh. an die Gemeinde von Troyes, in welchem es sich um einen Weinberg handelte, den eine Jüdin aus Troyes der Gemeinde überantwortet hatte. S. Gross, op. cit. S. 225, Abhängigkeit vom Wetter, teure Arbeitskräfte und vor allem aber die Steuern bewirkten zunehmend Aufgabe von Landbesitz. Tov-Elem, in einem Responsum, weist auf das geringe Einkommen der Landbesitzer hin und rät völlige Steuerbefreiung. Die Gemeindeältesten sollten das Einkommen schätzen und danach die Steuer bestimmen. Da in vielen Fällen der Landbesitz seit Generationen in der Familie geblieben war, und man sich höchst ungern von ihm trennte, nahm sich die Gemeinde der Landeigentümer an. Agus, Urb. Civ. S. 440.

9. Rabinowitz, op. cit. S. 67. Eine Verherrlichung des streitenden Ritters, der seinem Herrn in die Schlacht folgt, entnehmen wir dem „Buch der Frommen" (sefer chasidim) des Jehudah v. Worms aus dem 13. Jh. „der Fromme soll Gott lieben und ihm in gleicher Weise dienen, wie es die Ritter tun, die ihr Leben in der Schlacht aufs Spiel setzen, nur um ihrem Herrn zu dienen und nicht um des Lohnes willen", sefer chasidim, ed. J. Wistinetzki, Frankfurt a.M. 1924, 2. Aufl., Neudr. Jerus. 1969, S. 109, Nr. 359. In der rabbinischen Literatur dieser Zeit finden wir den Ausspruch: „Juden durften wie Ritter an jedem ihnen beliebigen Ort wohnen" (Tos. Bab. Kam. 58 a, vergl. Güdemann, op. cit. S. 24).

mini: „ad cameram nostram attineant"[10] oder „ad fiscum imperatoris pertinent"[11] eine Art Standesbewußtsein, das es möglich machte, sich mit dem neuen Stand der Ministerialen zu identifizieren. Der soziale Wohlstand der Juden, der es ihnen ermöglichte, reich und vornehm aufzutreten, konnte ein solches Bewußtsein womöglich vertiefen. Noch trugen die Juden Waffen[12] und beteiligten sich an der Instandhaltung der Stadtmauer[13]. Der spätere Begriff ‚servi camerae' mit der ihm innewohnenden Abwertung des Judenstatus machte den Juden ihre Rolle als Außenseiter aller ständischen Gruppen der christlichen Gesellschaftsordnung endgültig bewußt[14].

Über die Anfänge einer Ansiedlung der Juden in den Gebieten östlich des Rheines liegen keine eindeutigen Berichte vor[15]. Wahrscheinlich finden die unglaubwürdigen Legenden und Überlieferungen, die sämtlich von einer sehr frühen Ansiedlung der Juden in den rheinischen Städten berichten, eine Erklärung in den Bemühungen der Juden, sich vor antijüdischen, kirchlichen Angriffen zu schützen[16]. Um sich von der furchtbaren Beschuldigung des Gottesmordes zu reinigen, wiesen die Juden der Colonia Agrippina darauf hin, daß sie bereits vor der Geburt Jesu dort ansässig gewesen wären und somit für das Geschehen in Jerusalem — die Kreuzigung Jesu — nicht verantwortlich gemacht werden könnten. Die erste sichere Nachricht über eine jüdische Niederlassung in Köln datiert aus dem 4. Jahrhundert[17], aber erst für das 10. Jahrhundert besitzen wir Belege für Niederlassungen der Juden in den Städten Merseburg, Magdeburg und Regensburg[18].

10. Aus dem Privileg Heinrich IV. für die Wormser Juden, s. S. 13, n. 1.
11. Landfrieden Friedrichs I., 1179, MGH, Const. 1, 381, Nr. 277.
12. Kisch, op. cit. S. 20ff über das Waffentragen der Juden.
13. „Vigilias, tuiciones, municiones circa suum tantummodo exhibeant ambitum tuiciones vero communiter cum servientibus", aus dem Privileg des Bischofs Rüdiger v. Speyer aus dem Jahre 1084, s. S. 13, n. 1.
Während des ersten und des zweiten Kreuzzuges verteidigten sich die Juden mit der Waffe in der Hand, s. S. 169, n. 8.
14. Über Kammerknechtschaft und den Begriff ‚servi camerae' s. G. Kisch: The Jews in Medieval Germany: A study of their legal and social Status, Chicago 1949, S. 134; L. Dasberg op. cit. S. 50ff.
15. Über die ersten jüdischen Niederlassungen in Westeuropa, bei Graetz, Bd. V, S. 143ff, G. Caro, op. cit. Bd. I, S. 18ff.
16. Inhalt verschiedener Legenden und Quellenangaben bei Graetz, V, S. 194. Einer Chronik zufolge waren die Begründer der ersten jüd. Gemeinden in Worms und Mainz Nachkommen derjenigen röm. Legionäre, die bei der Zerstörung Jerusalems durch Titus mitgewirkt hatten und deren jüd. Frauen. S. auch Schaab, op. cit. S. 2.
17. Kaiser Konstantin verordnete im Jahre 321, daß die Juden Kölns zur Curie berufen werden können, doch sollen zwei bis drei Mitglieder (wahrscheinlich die Vorsteher der Gemeinde) ausgenommen werden. Die Tatsache, daß diese Verordnung nur für Köln erlassen wurde, mag zeigen, daß diese die einzige jüdische Gemeinde in Deutschland gewesen war. Aronius, Reg. S. 2, Nr. 2.
18. Für Magdeburg s. Germania Judaica, ed. J. Elbogen, A. Freimann, H. Tykocinsky,

Während die Juden innerhalb der islamischen Welt entweder ihren kulturellen Höhepunkt — wie in Babylonien — fast überschritten hatten, oder wie in Spanien, ihn in einem Maße erreicht hatten, wie ihn die jüdische Geschichte kaum zu verzeichnen hat, lag die Judenheit des christlichen Abendlandes „in geistiger Nacht"[19]. Die Lehrhäuser Babyloniens, die seit der Mitte des 2. Jahrhunderts mehr und mehr das Erbe Judaeas als geistiges Zentrum für die Judenheit der Diaspora übernommen hatten, konnten ihren Einfluß auf alle innerhalb des islamischen Machtbereiches befindlichen Gemeinden von Indien über Persien, Nordafrika und Spanien ausüben. Es ist anzunehmen, daß es den Gemeinden Italiens und Südfrankreichs aufgrund ihrer Handelsbeziehungen gelang, gewisse kulturelle und geistige Verbindungen aufrechtzuerhalten, doch lagen die Gemeinden Nordfrankreichs und der rheinischen Städte zu weit entfernt und somit außerhalb der babylonischen Einflußsphäre.

Jüdische Handelsreisende und reiche Kaufleute waren es, die aus dem Orient entweder direkt nach Südfrankreich oder auf dem Umweg über Italien nach Deutschland gelangten[20], die die Mauern der Unwissenheit, die die jüdischen Gemeinden Deutschlands und Frankreichs von der übrigen jüdischen Welt isolierten, endlich niederreißen sollten.

2. Anfänge der Schrifterklärung der Juden Frankreichs im 11. Jahrhundert

Ende des 10. Jahrhunderts gelangten Mitglieder der weitverzweigten und gelehrten Familie Kalonymus von Lucca in Italien nach Mainz[21]. Es

Breslau 1934, Neudruck Tübingen 1963, S. 103. Für Regensburg, S. 286, Merseburg, S. 226.
19. Güdemann, op. cit. S. 9.
20. Beispiele für jüdische Handelstätigkeit in den rheinischen Städten zu Beginn des 11. Jh. bei Agus, Her. Age, S. 26; dort über einen Juden aus Mainz, der in Handelsgeschäften nach Kairuan ging und bei dieser Gelegenheit talmudische Diskussionen mit den dortigen Juden führte (Quelle: Urb. Civil. S. 56, Nr. II). Aus einem Responsum erfahren wir, daß Gruppen von gelehrten Kaufleuten aus christlichen Ländern nach Afrika in Handelsgeschäften gelangten (Urb. Civil. S. 55, Nr. II), aus einem anderen, daß Juden aus Frankreich und aus Deutschland behaupteten, Bücher zu besitzen, die sie aus entfernten fremden Ländern mitgebracht hätten (ibid. S. 57, Nr. V). Reisen zwischen Italien und Deutschland wurden sehr häufig unternommen. Bereits aus dem 10. Jh. liegt eine Rechtsentscheidung vor, die von einem jüdischen Kaufmann berichtet, der sich aus dem Orient aus Handelsgründen in ein christliches Land begab. Müller, op. cit. S. 191.
21. Graetz, op. cit. Bd. V, S. 193, nimmt an, daß Karl der Große in dem Bemühen, nicht nur die Franken, sondern auch die Juden zu bilden, sie von Italien nach Deutschland gebracht hatte. Hingegen verbindet Aronius, op. cit. S. 58, Nr. 136, die Übersiedlung der Familie Kalonymus von Italien nach Deutschland mit einem Bericht über einen Juden Kalonymus, der Kaiser Otto II. nach der Schlacht von Cotrone das Leben gerettet haben soll. Es wird berichtet, daß er dem Kaiser sein eigenes Pferd überließ, der sich somit an die Küste retten und auf einem Schiff entfliehen konnte, während der Jude sein Lebens aufs Spiel setzte.

ist nichts darüber bekannt geworden, ob sie Lehrhäuser gegründet haben, doch öffneten sie jüdischer Gelehrsamkeit die Tore der Stadt und bereiteten somit den Boden für den ersten bedeutenden jüdischen Gelehrten und Lehrhausbegründer Deutschlands, Rabbi Gerschom ben Jehudah, der den Beinamen „Licht der Diaspora" erhielt.

Ebenfalls am Ende des 10. Jahrhunderts ließ sich Rabbi Nathan ben Isaak, ein Talmudgelehrter aus Babylonien, in Narbonne in Südfrankreich nieder und eröffnete dort ein Lehrhaus für Talmudstudium. Sein eifrigster Schüler wurde Rabbi Jehudah ben Meir, von dem uns außer einer Rechtsentscheidung nichts Schriftliches überliefert wurde[22], dessen Bedeutung vor allem darin lag, daß er der Lehrer des Gerschom ben Jehudah wurde, der, wie man annimmt, ebenfalls aus Südfrankreich stammt[23]. Dieser ging später von Narbonne nach Mainz und legte dort durch die Gründung seines Lehrhauses den Grundstein für jüdische Talmudgelehrsamkeit der jüdischen Gemeinden Deutschlands.

Die Talmudschule des Rabbi Gerschom in Mainz wurde zum Mittelpunkt der deutschen und nordfranzösischen Gemeinden und löste sie damit mehr und mehr von ihrer Abhängigkeit von den Lehrhäusern Babyloniens ab. Gerschoms in hebräischer Sprache geschriebener Talmudkommentar tat ein Übriges, um den Blick der Juden Deutschlands und Frankreichs von Babylonien abzulenken, und seine Verordnungen — Taqanot — machten ihn zur unumstrittenen rabbinischen Autorität[24].

Es scheint, als handele es sich hier um einen legendären Topos, in dessen Mittelpunkt ein tapferer Jude steht, der irgendeinem Kaiser das Leben gerettet hatte. Von allen Chronisten der Schlacht von Cotrone ist Thietmar v. Merseburg der einzige (Chron. 3, 24, PL 139, col. 1239; MGH, SS 3, 765/66, Chron. edit. R. Holtzmann, MGH, SS, NS, T IX, Berlin 1935, cap. 21, S. 124), der dem Kalonymus diese Rolle überträgt. Siehe K. Uhlirz, Jahrbücher des Deutschen Reiches unter Otto II., Leipzig 1902, excurs. X, S. 262ff. A. Neubauer hat ein Manuskript aus dem Jahre 1240 veröffentlicht (REJ, X, 1885, S. 98ff, Documents sur Narbonne), aus dem hervorgeht, daß während der Belagerung von Narbonne durch die Mauren ein Jude, einem König Karl das Leben gerettet hatte. Es scheint doch, als handele es sich hier um eine Legende, deren Ursprung in Narbonne zu suchen ist.

Mitglieder dieser Familie bildeten während vieler Generationen den geistigen und sozialen Mittelpunkt der Mainzer Gemeinde. Das Privileg Heinrichs IV. ist auf die Namen Judah, David, Sohn des Meschullam Kalonymus, ausgestellt worden. Meschullam war wohl der bedeutendste Gelehrte dieser Familie, er wurde von Raschi mit „Gaon" tituliert (TB, Sev. 45 b), sandte Rechtsanfragen an Raw Schrira nach Babylonien, s. L. Ginzberg, Geonica, II, NY 1909, S. 55/57; Agus, Her. Age S. 26.

22. Rabbi Jehudah ben Meir, mit dem Beinamen Leontin (s. Gross, op. cit. S. 223) hinterließ eine Rechtsentscheidung für die Gemeinde von Troyes, des Inhalts, daß die Rechtsentscheidungen dieser Gemeinde nicht nur für die Bewohner der Stadt Troyes, sondern auch für die Juden der umliegenden Landgemeinden ihre Gültigkeit haben sollen.

23. Graetz, V. S. 364, n. 2: Den Beweis sieht er in den französischen Ausdrücken in Gerschoms Talmudkommentar.

24. Über die Taqanot des Gerschom ben Jehudah bei Graetz V, S. 365ff, hier die wichtigsten: Verbot der Vielweiberei, Erfordernis der Einwilligung der Frau für die Eheschei-

Es klingt wie ein Spiel der Geschichte, daß kurz vor dem völligen Niedergang des babylonischen Gaonats[25] den westeuropäischen jüdischen
Gemeinden in Gerschom „die Leuchte des Exils" erstand, und somit
die Voraussetzungen geschaffen wurden, unter denen ein Genius wie Salomo ben Isaak (Raschi) aus Troyes sich entfalten und tätig werden
konnte.
Raschi war der Sohn einer gelehrten Familie, Talmudstudium war bereits Tradition[26]. Sein Hauptwerk, ein Kommentar zum gesamten babylonischen Talmud, überragt an Schärfe und Bedeutung bei weitem den
seines Vorgängers Gerschom ben Jehudah; doch nicht mit diesem soll
sich diese Arbeit beschäftigen, sondern mit den Kommentaren zur Hebräischen Bibel.
Raschi ist der erste jüdische Gelehrte, der es unternahm, die hebräische
Bibel Vers für Vers zu kommentieren[27]. Vielleicht wandte er in seiner
Exegese nicht völlig neue Kategorien an, bestimmt aber eine durchdach-
te, streng systematische Methode. Die Bedeutung seiner Kommentare ist
für die jüdische Religionsgeschichte einmalig. Einerseits gelten sie bis
zum heutigen Tag dem gesetzestreuen Juden als Leitfaden für

dung — nach mosaischem Recht genügte der Wille des Mannes —, Anordnungen für die
Wahrung des Briefgeheimnisses. Rechtsgültigkeit der Taqanot s. S. 68.
25. Der letzte große Gaon, Haj Gaon, Vorsitzender des Gerichtshofes (av bejt din) und
stellvertretender Leiter des Lehrhauses in Pumbedita. Seine Rechtsentscheidungen genossen absolute Autorität in allen Ländern der Diaspora. Nach seinem Tode konnte sich das
Gaonat aufgrund äußerer Feindseligkeiten nicht mehr halten. Der Nachfolger wurde ein-
gekerkert und im Jahre 1040 hingerichtet. Damit hörte Babylonien auf, als geistiges Zentrum der Judenheit eine Rolle zu spielen.
26. Bibliografie über Rabbi Salomo ben Isaak (Raschi): L. Zunz, Toldot Raschi (hebr.),
Warschau 1862. A. Levy, die Exegese bei den französischen Israeliten, Leipzig 1873, Neudruck Jerusalem 1971, S. 10—13. A. Geiger, Parschandatha, die Nordfranzösische Exegetenschule, Breslau 1855, Neudruck Jerusalem 1970. S. Poznanski, mavo al hakme zarfat
mefarše hamiqra, Jerusalem 1965, Neudruck d. Ausgabe Warschau 1913; M. Liber, Rashi
(engl. v. A. Szold), 1906. E.M. Lifschitz, Rabbi Salomo ben Isaak, 1946, Neudruck Jerusalem 1966 (hebr.); H. Hailperin, Rashi and the christian scholars, Pittsburgh 1963.
Über Raschis Geburtsjahr herrscht Unklarheit; Graetz op. cit. VI, S. 70, bestimmt das Jahr
1040, das Todesjahr Gerschoms ben Jehudah — ebenso M. Liber, op. cit. S. 37. Dagegen
H. Hailperin, S. 25, mit Aptowitzer (Mavo le sefer Rabiah, S. 395) datiert 1030. Über sein
Todesjahr 1105 besteht keine Meinungsverschiedenheit. Ausführliche Lebensbeschrei-
bung, Graetz, VI, S. 70ff, Liber, op. cit. S. 33ff.
Seine Mutter war die Schwester des Simon ben Isaak aus Mainz, Talmudgelehrter und
Verfasser liturgischer Poesie; ihm werden auch Buß- und Klagelieder zugeschrieben, die
er nach der Vertreibung der Juden aus Mainz (s. S. 18) verfaßt haben soll; ausführlicher
über ihn: Graetz, Bd. V, S. 366, S. 495, n. 22ff; sein Vater war ebenfalls Talmudgelehrter.
Raschi besuchte die von Gerschom ben Jehudah gegründete Talmudschule in Mainz, sein
Lehrer, Jacob ben Jaqar; s. Aptowitzer, op. cit. S. 398.
27. Die größte Bedeutung gewann Raschis Kommentar zum Pentateuch. Es besteht heute
keine Meinungsverschiedenheit darüber, daß die Kommentare zu den Büchern Esra und
Nehemia wie zu den Chronikbüchern nicht von Raschi stammen. S. Lifschitz, op. cit. S.
188, Poznanski, op. cit. S. XIV, n. 1.

orthodoxes Bibelverständnis[28], andererseits, und hiermit wollen wir uns
befassen, verschaffen sie dem Historiker Einblick in die Vorstellungen,
die die Juden des christlichen Mittelalters mit dem Bibelwort verbanden.
Die Bibel galt von jeher, sowohl Juden und Christen, als Lehr- und
Schulbuch par exellence. Nach der kulturellen Hochblüte der karolingischen Ära im 8. und 9. Jahrhundert, in welcher das Bibelstudium in den
Klöstern und Klosterschulen im Zentrum der geistigen Beschäftigung
stand[29], setzte eine Unterbrechung ein[30]. Erst am Ende des 11. Jahrhunderts und in der ersten Hälfte des 12. Jahrhunderts wurde Bibelstudium
und Bibelauslegung wieder zum Brennpunkt des allgemeinen Interesses.
Es war der Raschischule vorbehalten, den christlichen Gelehrten des 12.
Jahrhunderts die Exegesemethoden der Juden nahe zu bringen. Aus welchem Grunde auch immer erkannten die christlichen Gelehrten dieser
Zeit — man ist geneigt zu sagen, fast wider Willen — den unabhängigen
Wert des eigentlichen Wortsinnes innerhalb eines Textzusammenhangs.
Gleichzeitig, oder eben aus diesem Grunde, erwachte das Interesse an
der hebräischen Sprache, an der Beschäftigung mit dem Text der hebräi-
schen Bibel, um in der Lage zu sein, Abweichungen von den griechischen und lateinischen Versionen feststellen zu können[31]. Ohne Zweifel

28. Doch fand Raschi, trotz aller Bewunderung, Kritiker. Bereits die Exegeten der spanischen Schule teilten nicht immer seine Meinung. Abraham Ibn Esra verfügte über reiche-
re Kenntnisse der Linguistik und war daher nicht immer mit Raschis grammatikalischen
Erklärungen einverstanden. Ohne in jedem Fall Raschis Namen zu erwähnen, lehnt er öfter dessen Auslegung ab und setzt seine eigene dafür ein. Moses ben Nachmani zitiert häufig Raschi, doch nicht, um in jedem Fall seine Meinung zu teilen, zuweilen fügt er hinzu:
„und scheint mir (Raschis) Erklärung nicht richtig zu sein", um darauf seine eigene Auslegung folgen zu lassen.
Generationen von Bibelkommentatoren beschäftigten sich mit Raschis Interpretation,
wiesen auf innere Widersprüche in seiner Auslegung hin, erläuterten seine nicht immer
allgemein verständlichen Kommentare, nahmen für Raschi gegen widersprechende Meinungen Partei, doch vor allem erklärten und erläuterten sie Raschis Kommentare. Zunz,
Toldot Raschi, S. 30ff, bringt eine vollständige Liste aller Kommentare zum Raschikommentar.
29. B. Smalley, The study of the Bible in the Middle Ages, Oxford 1952, Neudruck India-
na 1964, S. 33ff, über die bedeutendsten Kommentatoren des 8. und 9. Jh.: Alcuin, Clau-
dius von Turin, Hraban Maurus (über diesen s. S. 204), Walafrid Strabo, Johannes Scotus,
Haimo u.a. In anderen Zusammenhängen komme ich auf das Bibelstudium in der Karolingerzeit noch zurück, s. S. 71f.
30. Für die Unterbrechung des Bibelstudiums vom Ende des 9. bis zur ersten Hälfte des
12. Jh. ist es schwer, eine ausreichende Erklärung zu finden. Die Verwahrlosung der Klöster, nicht zuletzt als Folge politischer Umwälzungen und Unsicherheiten — Verfall der
karolingischen Dynastie, Wikingereinfälle — haben sicher eine Rolle dabei gespielt. Viel
spricht für den Hinweis von B. Smalley, op. cit. S. 44, auf die Tatsache, daß die Reform-
klöster des 10. Jh. glaubten, sich zunächst nicht auf das Bibelstudium, sondern auf die Erneuerung der Liturgie konzentrieren zu müssen.
31. Über das Interesse an der hebräischen Bibel s. S. 71.

waren es wie in der Antike jüdische Gesprächspartner, von denen sie jüdische Auslegungen bezogen, die entweder übernommen oder nach kritischen Erwägungen abgelehnt wurden. Eine spätere Phase dieser Arbeit wird sich mit dieser Form christlich-jüdischer Begegnung befassen,
mit der absichtlichen oder unabsichtlichen Übernahme jüdischer Auslegungsmethoden, die trotz allem konventionellen Festhalten an den
überlieferten Kategorien bei manchem gerade der bedeutendsten christlichen Gelehrten, einen nicht übersehbaren Einfluß auf Form und Inhalt ihrer Denkweise und ihres Bibelverständnisses ausüben sollten[32].

Im folgenden will ich den Versuch unternehmen, Methode und Inhalte
der Raschikommentare darzustellen und zu analysieren, um somit das
Bibelverständnis eines jüdischen Gelehrten Nordfrankreichs im 11.
Jahrhundert aufzuzeigen.

32. Über die Victoriner s. S. 206.

III. Salomo ben Isaak (Raschi)

1. Raschis Einstellung zum Midrasch und zum „einfachen Schriftsinn" (pešuto šel miqra)

Vom Beginn der nachexilischen Periode stand die Bibelauslegung auf drei Gebieten des sozialen und religiösen Lebens — der Rechtsauslegung, des Bibelstudiums und des Gottesdienstes — im geistigen Mittelpunkt des jüdischen Gemeinwesens. Die Auslegung des Pentateuchgesetzes wurde zur Schaffung einer Rechtsgrundlage für die nachexilische jüdische Gemeinde zur absoluten Notwendigkeit, die in dem Abschluß des Jerusalemer und des Babylonischen Talmuds im 4. und im 5. Jahrhundert ihre Vollendung fand. Um den Text der hebräischen Bibel weitesten Kreisen des jüdischen Volkes, das in seiner Gesamtheit die hebräische Schriftsprache nicht mehr beherrschte, zugänglich zu machen, mußten Übersetzungen vorgenommen werden. Jede Übersetzung ist notgedrungen Auslegung. Das dritte, und wohl für das jüdische Gemeindewesen und Geistesleben äußerst wichtige Gebiet, auf welchem Bibelauslegung im Mittelpunkt stand, war der Gottesdienst und die synagogale Predigt, die die erzählerische Auslegung des Bibeltextes zu ihrem Hauptgegenstand machte.

Alle Formen der Auslegungen werden unter dem Begriff „Midrasch" zusammengefaßt. Die Auslegung des Pentateuchgesetzes ist Midrasch-Halachah, des erzählenden und prophetischen Textes der hebräischen Bibel Midrasch-Agadah. Für unsere Untersuchungen der Methoden der mittelalterlichen Bibelkommentatoren spielt die Funktion und die Definierung des Midrasch-Agadah die relevante Rolle.

Man geht nicht zu weit, wenn man behauptet, daß es in der gesamten Literatur schwerlich einen Text gibt, der im gleichen Maße wie der hebräische Bibeltext nach ‚Auslegung' verlangt. Dies hat vielleicht seinen Grund darin, daß für die Autoren der biblischen Schriften nicht so sehr einzelne Personen und ungewöhnliche Ereignisse im Vordergrund standen. Diese waren Objekte, Mittel, deren Schicksale und Abläufe erzählt wurden, um darzustellen, wie Gottes Allmacht und Seine Vorsehung im Einzelgeschehen manifest werden.

Alles liegt in der Hand Gottes. Die Gerechten werden in furchtbarer Weise geprüft — Abraham durch den Befehl, seinen einzigen Sohn zu opfern, schwersten Schicksalsschlägen ausgesetzt — Jacob muß erst vor seinem Bruder, dann vor seinem Schwiegervater fliehen — sein Sohn wird, wie ihm berichtet, von wilden Tieren zerrissen. Dieser, Josef, wird so tief erniedrigt, daß die endliche Erhöhung nicht vorauszuahnen ist, doch Gottes Vorsehung führt alles gemäß Seinem eigentlichen Willen dem vorbestimmten Ende zu. Da die Aufmerksamkeit des Lesers auf Gottes Walten in der Welt allein gelenkt werden soll, werden die Einzelheiten der Darstellung förmlich in den Hintergrund gedrängt, andeutungsweise erwähnt, in sprachlich konzentriertester Form zusammengedrängt, so daß dem Leser unendlich viele Fragen für sein Verständnis offen bleiben. Ein repräsentatives Beispiel für diese besondere Art der biblischen Erzählung bildet die Versuchung Abrahams. Nur von der Versuchung des vollkomenen Gerechten, der auch diese furchtbarste aller göttlichen Prüfungen übersteht, soll berichtet werden. Der Autor begnügt sich daher mit den Hauptelementen der Erzählung, ohne irgendwelche Ausschmückungen oder Details hinzuzufügen, nämlich, Gottes Auftrag, Abrahams Bereitwilligkeit diesen zu erfüllen, Gottes Intervention im letzten Augenblick. Das ist alles. Weder hören wir irgendetwas über Abrahams Empfindungen, noch wird Sarah, die Mutter, überhaupt erwähnt, der Knabe Isaak, obwohl er ahnt, was sich abspielen wird, spielt eine absolute Nebenrolle. Nur durch seine wiederholte Frage an den Vater, wohin denn der Weg eigentlich ginge, werden wir auf ihn aufmerksam gemacht. Und doch sollen weder diese Fragen oder die kurzen ausweichenden Antworten Abrahams, noch der nach jeder Frage und Erwiderung wiederholte Satz des Erzählers „und gingen die beiden miteinander" Isaak in den Vordergrund rücken, sondern einzig und allein die schwere Versuchung Abrahams unterstreichen[1]. Bei der Untersuchung der Methode der Raschikommentare werden wir Gelegenheit finden auf die Art der Fragen, die der komprimierte Text offen läßt, und die sich dem Leser, wenn er sich mit dem Text identifi-

---

1. In der Midrasch-Literatur wird Isaak zu den wenigen vollkommen Gerechten, deretwillen die Welt bestehen wird, gerechnet (Midrasch Bereschit Rabba, ed. J. Theodor, Ch. Albeck, Jerusalem 1965, 63, S. 678) —, bei den Midrasch-Autoren nach dem Bar Kochba Aufstand, nachdem unter Hadrian viele der Aufständischen und der mit ihnen sympathisierenden Rabbinen den Märtyrertod erlitten —, zum Prototyp des Märtyrers überhaupt, der für die Heiligung Seines Namens den Opfertod auf sich nahm. Auch Raschi kommentiert den Vers: und gingen beide zusammen (Gen. XXII, 6, 8): „... der Eine (Abraham) um zu opfern, der Andere (Isaak) um geopfert zu werden" (aus Bereschit Rabba 56, S. 598) und macht damit Isaak zur zweiten Hauptperson des Dramas, der bewußt und heldenhaft in den Tod gehen wollte. — Man ging in der Verherrlichung Isaaks soweit, aus der Versuchung die vollendete Tat zu machen. Isaak wurde tatsächlich geopfert und Israel seinetwegen gerettet. Den Vers, Exod. XII, 23: und er sah das Blut (Der Todesengel in Ägypten an den Häusern der Israeliten), erklärte man: das Blut Isaaks, der Opferung Isaaks, denn es steht geschrieben, „und Abraham nannte die Stätte: Gott sah" (Gen. XXII, 24) (aus Mechilta de Rabbi Isma'el 4, S. 24), zit. v. E. Urbach, The Sages, their Concepts and Beliefs (Hebr.), Jerusalem 1969, S. 446. (Engl.), Jerusalem 1975, S. 503.

zieren will, aufdrängen, einzugehen. Hier möchte ich nur festhalten, daß es sich bei dem Midrasch um eine Vergegenwärtigung, um einen Versuch der Aktualisierung des Bibelstoffes handelt. Der fehlende Hintergrund, die Unmittelbarkeit, mit der die Erzählung einsetzt, Unverständlichkeiten, die sich hieraus für die Handlungsweise der Personen ergeben, Lücken im Ablauf der Handlungen, für all dies wird der Midrasch eingesetzt als Produkt der freien Phantasie. Wir erfahren durch ihn über das Anliegen, die Überlegungen, die Sorgen und die Nöte des Midraschautors bei weitem mehr als über den Sinn der biblischen Erzählung als solcher. Diesem wird innerhalb seines sprachlichen und historischen Zusammenhanges nicht selten Gewalt angetan, da der Midraschautor häufig weder auf das Vorhergegangene noch auf das Folgende irgendwelche Rücksicht nimmt.

Drei Kategorien sind es vor allem, die sich in der Midraschexegese der hebräischen Bibel ausbildeten: Die Erläuterung des Schriftwortes für das Verständnis eines Wortes, eines Schriftverses oder gar eines ganzen Abschnittes innerhalb des Zusammenhanges. Der hebräische Terminus für die Kategorie ist „pešuto šel miqra" oder kurz Pešat, übersetzt „die einfache Erklärung". Die beliebig-gedankliche Assoziation zur Beantwortung irgendwelcher Fragen, die der Text offen gelassen hat, sei es aufgrund eines persönlichen, religiösen oder politischen Anliegens: Deraš, Erklärung und der Versuch, dem Text Andeutungen, Inhalte meist mystischer Art, zu entnehmen: remez oder sod[2].

Diese Teilung wird nicht in streng geordneter Form durchgeführt. Jede Methode wird beliebig, wie es der Bibelvers oder das Bibelwort nach dem Verständnis des Exegeten verlangt, gemäß der gedanklichen Assoziationen, die in ihm erweckt werden, angewandt. Oft geht die Eine in die Andere über, erst im Mittelalter, in der nordfranzösischen Exegetenschule, bahnt sich eine methodische Trennung, vor allem der beiden ersten Auslegungsmethoden, Pešat und Deraš, an.

Nicht nur dem Textzusammenhang tat die Midraschexegese zuweilen Gewalt an, noch ein anderer Aspekt blieb völlig unberücksichtigt: die kritische, philologisch-historische Auslegung. Eine nach philologischen Erkenntnissen vorgenommene Wort- oder Textauslegung, frei sowohl von dem assoziativen und daher willkürlichen Charakter der Midraschexegese, wie auch von den philosophischen Tendenzen des babylonischen Judentums, repräsentiert vor allem durch Sa'adjah, bildete sich zuerst in Spanien im 11. Jahrhundert aus. Menachem ben Saruq und Dunasch ben Lavrat führten die von Sa'adjah und den Karäern begonnene Sprachforschung fort. Ibn Saruq arbeitete ein vollständiges hebräisches Wörterbuch aus, bestimmte grammatikalische Regeln, erkannte

---

2. Die Auslegungskategorien werden nach ihren Anfangsbuchstaben Pešat, Remez, Deraš, Sod = PaRDeS, Paradiesgarten, genannt.

und beschrieb im wesentlichen den Aufbau der hebräischen Sprache.
Ben Lavrat verbesserte Ibn Saruqs Werk[3]. Die Arbeiten beider Gelehrten verbreiteten sich auch in Nordfrankreich und in den Gelehrtenschu-
len Deutschlands und stießen dort auf die völlig entgegengesetzte Methode der „Daršanim", der Midrascherzähler, die der grammatikalischen Form eines Wortes und dem syntaktischen Aufbau eines Textes
bisher kaum Aufmerksamkeit geschenkt hatten.
In der ersten Hälfte des 11. Jahrhunderts ist somit ein Wendepunkt zu
verzeichnen, an dem sich die freie, assoziative, erzählerisch ausfüllende
und ausschmückende Midraschauslegung durch den Einfluß philologi-
scher Erkenntnisse mit der Methode, dem Text, dem Wort oder einem
Vers eine einfache sprachliche oder sinngemäße Erklärung zu entnehmen, verband. Es bahnte sich eine Richtung an, die erkannte, daß der
Midrasch nur dann anzuwenden ist, wenn er dem einfachen Wort- oder
Textsinn, dem Pešat, nahe kommt oder wenn möglich mit ihm in Einklang zu bringen ist, indem er nicht willkürlich, sondern mit Rücksicht
auf den Gesamtzusammenhang eingesetzt wird, wie dieser von den Exegeten begriffen wurde. Diese Entwicklung der Schriftauslegung von der
Predigt bis zu einer nach methodischen Richtlinien vorgenommenen
Exegese, die Gesamtzusammenhänge aller Aspekte, sprachlicher und in-
haltlicher, berücksichtigt, erlangt mit den Raschikommentaren zur hebräischen Bibel ihren Höhepunkt[4].
Raschi hat sich die Aufgabe gestellt, seiner Generation die Schrift zu er-

---

3. Ben Lavrat schrieb Responsa gegen Menachems Werk (machberet) und beschuldigte
ihn, seine Lehren seien irreführend für Gesetzesauslegung und Glaubenslehren. Es entstanden bereits im 10. Jh. zwei gegeneinander rivalisierende Schulen. Der spätere Josef
Kimchi, 1105—1140, nahm in seinem „Sefer hagalui" Partei für Dunasch. Literatur: J.
Winter, A. Wünsche: Die jüdische Literatur, Trier 1894, Bd. II, S. 145—149.
W. Bacher: Die hebr. Sprachwissenschaft, in MGWJ 46 (1902), S. 478—480.
4. Doch hatte Raschi in Frankreich Vorläufer. Menachem ben Chelbo war wohl der Erste, der sich mit ausschließlicher Deraš-Exegese nicht mehr begnügte. Er war ein Verwandter des Josef Kara (ausführlich über diesen s. S. 131f) und erhielt den gleichen Beinamen — Kara —: Bibelerklärer. Da seine Kommentare sowohl französische als auch deutsche Worterklärungen enthalten, nimmt man an, daß er aus Frankreich stammte, sich
aber in rheinischen Städten aufgehalten hatte. Seine Kommentare nannte er „pitronim"
(Lösungen), von denen nur Teile von Ezechiel, einiger anderer Prophetenbücher, Kommentare zu Richter, Samuel, Ruth und Hiob überliefert wurden. Seine Bedeutung liegt
vor allem darin, daß er der sprachlichen Auslegung Vorrang vor dem Deraš gegeben hatte.
Die bedeutendsten Daršanim des 11. Jh.: Moses von Narbonne, Schüler des Gerschom
ben Jehudah aus Mainz, erhielt den Beinamen Ha-daršan (Kommentator, Midrascherzähler). Nach ihm gewann Simon, auch er Ha-daršan, an Bedeutung durch eine Midraschsammlung — jalqut — und Rabbi Tobiah, Sohn des Elieser aus Mainz.
Moses Ha-daršan übte einigen Einfluß auf Raschi aus, wurde von ihm öfter zitiert, so zu
Numeri, cap. 19, v. 22: „den midrasch agadah (zu diesem Vers) habe ich abgeschrieben
von Rabbi Moses ha-daršan." Ausführlich über die Vorläufer Raschis: Poznanski, op. cit.
S. X—XIII.

klären. Die Mittel, die er anwandte, waren nicht neu an sich, das „Neue" erstellte sich aus der Art seines Anliegens: nicht eine einzige Textstelle zu kommentieren oder eine Predigt über einen Schriftabsatz zu halten, sondern die gesamte Schrift in ihrem Zusammenhang zu erklären. Durch dieses Anliegen wurde er, im Gegensatz zu den meisten seiner Vorgänger, in seiner literarischen Freiheit eingeengt. Über die eine Textstelle, die er gerade vor Augen hatte, hinaus mußte ihm die Gesamtschrift gegenwärtig sein, nur so konnte er die von ihm angestrebte Harmonisierung des Bibeltextes erreichen, nämlich: einander widersprechende Einzelheiten der Erzählungen miteinander in Einklang zu bringen, fehlende Zusammenhänge herzustellen, Einheitlichkeit in der Charakterdarstellung der zentralen Persönlichkeiten der biblischen Erzählungen zu erzielen. Vor allem konzentrierten sich seine Bemühungen darauf, „die sinngemäße Erklärung" — den pešuto šel miqra, den Pešat, zu finden. Die Schwierigkeiten des Bibeltextes sind mannigfaltig, angefangen von nicht allgemein verständlichen Wörtern, stilistischen Unklarheiten, die zu Mehrdeutungen des Verses oder des Abschnittes führen können, Wiederholungen von Wörtern oder von Redewendungen, die bei der einzigartigen Gedrängtheit des Bibelstils besonders auffällig scheinen, Unstimmigkeiten eines Textes mit dem vorhergegangenen oder dem darauffolgenden bis zu Aussagen über Gott und seine Taten, die mit religiösen Vorstellungen nicht in Einklang gebracht werden können, für alles dies wird der „Pešat" gesucht.

Raschi maßte sich nicht an, traditionellen Schriftauffassungen völlig neue Überlegungen oder Einsichten entgegenzusetzen. Seine Bedeutung liegt nicht in der Erfindung neuer Kategorien. Aus dem ungeheuren Schatz der Midrasch-Literatur wählte er jeweils denjenigen aus, der nach seiner Auffassung nicht nur die sinngemäße Erklärung des einen Bibelverses, sondern auch die sinngemäße Erklärung in Hinsicht auf die Gesamtschrift bietet[5]. Hingegen war der Darschan frei in der Anwendung eines Midrasch, da sein Anliegen sich meist auf die Auslegung eines Verses oder eines Textabschnittes beschränkte. Auf Widersprüche seiner Erklärung zu anderen Bibelstellen nahm er kaum Rücksicht, da jeder Text für ihn aktuelle, nur auf diesen bezogene Probleme aufwarf.

Im folgenden einige Beispiele für Raschis Einstellung zum Midrasch-Agadah als Kommentar für einen Bibelvers. Am ausführlichsten äußerte er sich hierüber in der Einleitung zu seinem Kommentar zum Hohen Lied:

---

5. Seine Hauptquellen: zu Genesis: vor allem Bereschit Rabba, zu Exodus: Mechilta, zu Numeri und zu Deuteronom.: sifre de've Rav. Er entnahm Agadot ebenfalls dem „Midrasch Tanchuma", stützte sich auf Onkelos (aram. Übersetzung); ausführlich über Raschis Quellen, vgl. Lifschitz, op. cit. S. 179.

Eine Schriftstelle kann verschiedene Bedeutung haben, aber am Ende gibt es keine Schriftstelle, die im Widerspruch zu ihrem Sinn und zu ihrer Bedeutung steht⁶. Obwohl sich die
Propheten in ihren Worten bildlicher Darstellung bedienten, muß man die bildliche Darstellung nach dem Sinn des Zusammenhanges und nach der Anordnung der Bibelverse erklären. Was nun dieses Buch angeht, habe ich einige hagadische Midrasch-Auslegungen zu
ihm gesehen. Einige legen das ganze Buch, gemäß einem einzigen Midrasch aus, andere
kommentieren nur einzelne Stellen des Buches, die sich nicht mit der Sprache, der Schrift
und nicht mit der Anordnung der Verse in Einklang bringen lassen. Da beschloß ich in
meinem Herzen, die Wortbedeutung der Schrift festzuhalten und die Erklärungen in einen Zusammenhang zu bringen, und die Midrasch-Auslegungen unserer Lehrer werde ich
— jeden Einzelnen an seinem ihm gemäßen Ort — anbringen⁷.

Für seinen Kommentar zum Hohen Lied wählte Raschi einen der überlieferten midrašim aus: Gott offenbarte dem König Salomo, dem Verfasser des Buches, die Zukunft des Volkes Israel, das nach vielen Strafen
und Erniedrigungen seinen Weg zu Gott zurückfindet. Israel ist gleich
einer treulosen Frau, die nach zahlreichen Irrungen zu ihrem ersten Gemahl — Gott — zurückfindet und von diesem in Liebe wieder empfangen wird.

Der einfache Sinn, Pešat, kann aus einer von Raschi erdachten sinngemäßen Erklärung bestehen oder aus einem Midrasch-Agadah, der nach
seinem Verständnis dem einfachen Sinn entspricht und weder mit dem
Kontext, nicht nur des Kapitels, sondern der Schrift überhaupt, in Widerspruch gerät. Im letzteren Falle besteht Raschis Arbeit nicht nur in
der Auswahl des betreffenden Midrasch, sondern vor allem in der sinnvollen Anwendung desselben. Aus diesem Grunde bringt er den Midrasch nicht wörtlich, wie er ihn in der Quelle vorfindet, sondern häufig kürzt er ihn, so daß dadurch das Wort oder die Redewendung, die es
zu erklären gilt, einen besonderen Akzent erhält, und der Midrasch sich
als sinngemäße Erklärung harmonisch einfügt⁸.
Noch einen anderen Gesichtspunkt berücksichtigt Raschi bei der Aus-

---

6. Bei einer Wort- oder Versauslegung unterscheidet Raschi zwischen Sinn (Pešuto) und
sprachlicher Bedeutung (Mašma'o). Nicht immer entspricht das eine dem anderen und in
den Fällen, wo dies doch zutrifft, betont er ausdrücklich: Sein (des Verses) Wortsinn entspricht seiner (sprachlichen) Bedeutung (hebr. Pešuto ke mašma'o), Beispiel Genes. VIII, 7.
7. Zur Erleichterung des Verständnisses der sehr konzentrierten Raschisprache habe ich
es für notwendig gefunden, Ergänzungen bei sonst unverständlichen Kommentaren in
Klammern hinzuzufügen. Durch meine Bemühungen, die Kommentare — auch die anderer rabbinischer Exegeten — nach Möglichkeit wörtlich zu übersetzen, konnte ich nicht
in jedem Fall auf guten deutschen Sprachstil Rücksicht nehmen. Es kam mir aber darauf
an, die Spracheigenheiten der mittelalterlichen Exegeten nach Möglichkeit in der Übersetzung zu übernehmen.
8. Trotz Raschis eindeutiger Bevorzugung der sinngemäßen Erklärung, des Pešat, gibt er
zu, daß es mehr als eine Möglichkeit gibt, eine Bibelstelle zu interpretieren, und er rechtfertigt seine Auffassung mit einem Vers aus Jeremias (cap. XXIII, v. 29): „Fürwahr, so
sind meine Worte dem Feuer gleich, spricht der Ewige, und wie der Hammer, der den
Felsen zersplittert, daß er sich in viele Funken verteilt". Doch käme es auf das Ziel an,

wahl eines Midrasch. Seine Aufmerksamkeit ist darauf gerichtet, daß sich die Erklärung nicht nur in den Schriftzusammenhang einfügt, sondern daß sie vor allem seiner Vorstellung von einer Persönlichkeit der biblischen Schriften entspricht. Wir werden Gelegenheit finden, festzustellen, daß in Raschis Vorstellung die Hauptpersönlichkeiten der hebräischen Bibel weit weniger komplex oder mehrdeutig waren, als sie, gemäß der Überlieferung von dem Autor geschildert wurden. Nach Raschis Vorstellungen sind die biblischen Helden, sei es Kain, Noah, Abraham oder Lot, entweder absolute Gerechte oder unverbesserliche Bösewichter, eine Konzeption, die ihn in der Anwendung des Midrasch als sinnvolle Auslegung nicht selten vor Schwierigkeiten stellt, und die ihn zuweilen zwingt, den Boden der Überlieferung und Tradition zu verlassen und seine eigenen Wege zu gehen[9].

Es kommt häufig vor, daß Raschi für ein und dieselbe Textstelle zwei Deraš-Erklärungen gibt, eine Methode, die bei seiner fast sprichwörtlichen konzentrierten Ausdrucksweise erstaunlich scheint. Es stellt sich aber heraus, daß er diesen Weg nur dann einschlug, wenn er selber nicht sicher war, die einzig treffende Erklärung gefunden zu haben. Somit ist er also mit keiner seiner beiden Auslegungen einverstanden. Hierfür ein Beispiel: Gen. cap. XXV, 22: „und es liefen die beiden Knaben (Jacob und Esau) in ihrem (Rebekkas) Leib hin und her."

Raschi: Notwendigerweise sagt dieser Vers, erkläre mich, denn was soll dieses Stoßen?, und ferner, warum steht (dann) geschrieben: warum bin ich dann (schwanger geworden)? (V. 22)[10]. Unsere Lehrer erklären es mit Laufen. Wenn ihre Mutter an den Pforten von Schem und Ever vorüberging, lief Jacob und bewegte sich, um hinauszukommen, wenn sie aber an den Pforten der Götzendiener vorbeiging, bewegte sich Esau, um hinauszukommen[11]. Eine andere Erklärung[12]: sie stießen sich und stritten um den Besitz der beiden Welten[13].

Die erste Erklärung stimmt sowohl mit der traditionellen als auch mit Raschis Auffassung über Jacob überein, doch die Fortsetzung der Erzählung (Vers 23): Und der Herr sprach zu ihr „zwei Völker sind in deinem

---

daß man sich gestellt habe „und der Deraš sei angewandt (we haderaš tidareš) in seiner Weise, ich aber habe es mir zum Ziel gesetzt, den Vers nach seinem einfachen Sinn (pešat) zu erklären, so wie es die Worte in ihrem Zusammenhang erfordern" (Raschi zu Exod. VI, 9 — ähnlich auch zu Gen. XXXIII, 20). An anderer Stelle erklärt Raschi nochmals seine Methode: „Es gibt viele Midrašim zu diesem Vers (Gen. III, 8) und unsere Lehrer haben sie schon geordnet in Bereschit Rabba, ich aber konnte nur ... solche Agadah bringen, welche die Worte des Verses erklären."

9. S. S. 43.
10. So Luther: Die gantze Heilige Schrifft Deutsch, Wittenberg 1545, Hg. H. Volz, München 1972.
11. Ber. Rab. 63, S. 683.
12. Hebr. „davar aher".
13. Jalqut Schimeoni, ed. Landau, Jerusalem 1959, S. 66 (die seiende und die kommende Welt).

Leib ... und ein Volk wird dem anderen überlegen sein, und der ältere wird dem jüngeren dienen" harmoniert mit seiner zweiten Erklärung. Doch fällt es Raschi schwer, Jacob der Streitsucht, sogar vor seiner Geburt, zu beschuldigen, er war Esau von Anbeginn, aufgrund seines Charakters, überlegen[14].

An vielen Stellen wendet Raschi den Midrasch-Agadah als einzige Erklärung, anstelle des Pešat an. Doch oft und wahrscheinlich immer dann, wenn dem Text eine viel einfachere und naheliegendere Erklärung zu entnehmen ist, als der Deraš sie liefern könnte, verzichtet er zwar nicht auf die traditionelle Überlieferung, auf den Deraš, fügt aber eine eigene, textimmanente, Pešat-Erklärung hinzu. Beispiel hierfür bietet Gen. cap. I, V. 4: „Und Gott sah, daß das Licht gut war, und ER unterschied zwischen dem Licht und der Finsternis."

Raschi: „Auch hier benötigen wir eine Agadah. ER sah, daß es (das Licht) nicht verdiene, von den Bösen gebraucht zu werden und sonderte es für die Frommen in der einstigen Welt ab[15]. Nach dem einfachen Sinn[16] erkläre so: ER sah, daß es gut war und ihm nicht gezieme mit der Finsternis zusammen vermischt gebraucht zu werden. Darum wies er dem Einen sein Gebiet bei Tag und dem Andern sein Gebiet bei Nacht an."

Das Problem dieses Textes besteht in der Beziehung zwischen dem Licht (or) des ersten Tages und den Leuchten (meorot) des vierten Tages[17]. Die Rabbinen versuchten, die Schwierigkeit auf zwei Wegen zu lösen. Ein Tanait, Rabbi Jacob, der Lehrer des R. Jehudah Hanaśi, erklärte: „dieses Licht (des ersten Tages) erblickte Adam und schaute von einem Ende der Welt bis zum anderen". Nach dieser Aussage handelte es sich um ein wesentlich anderes Licht als das des vierten Schöpfungstages. Andere Rabbinen widersprachen ihm und erklärten: „das Licht, das Gott am ersten Tage erschaffen hatte, befestigte er (am Himmelsgewölbe) erst am vierten Tag", demnach handelte es sich am ersten und am vierten Tag um dasselbe Licht. Rabbi Jacobs Aussage wurde von der späteren Generation der Amoräer ergänzt, denn wo blieb denn dieses erste, gewaltige Licht? Die Antwort: „Als Gott die Sintflutgeneration sah ... und ihre verdorbenen Taten, verbarg er es für die Gerechten, die in der Zukunft kommen werden"[18].

Doch noch auf eine andere Schwierigkeit wollte Raschi eingehen. Was

---

14. S. S. 61f.
15. Ber. Rab. 3, S. 22.
16. Lefi pešuto.
17. Urbach op. cit. S. 183/185, engl. S. 209/210, weist auf die Entwicklung zu einer esoterischen Auffassung über das Wesen des ersten Lichts hin, parallel zu Philons τὸ ἡγεμονικόν (herrschendem Prinzip) (Philo, de fuga, 110). Raschi übernahm mit dem Deraš die eschatologische Komponente, die der rabbinischen Auffassung über die Funktion der Gerechten in der Welt immanent ist.
18. b. Hagigah, 12b, 71 Ber. Rab. 14, S. 405.

heißt „hivdil" (= ER unterschied)? Licht und Finsternis konnten doch niemals vermischt gewesen sein. Also übernahm Raschi den Deraš, der in dem Begriff eine „Unterscheidung" in der zeitlichen Funktion sah.

Manchmal geht Raschi in umgekehrter Weise vor, das heißt, er bringt erst eine „einfache" Erklärung, die ihm sinnvoll erscheint und fügt dann, weil ihm diese Erklärung nicht völlig die Schwierigkeiten zu lösen imstande ist, einen Midrasch-Agadah hinzu.

Exod. Cap. XIV, V. 25: „Gott kämpfte für die Kinder Israel gegen (?) in (?) Ägypten."

Raschi: gegen die Ägypter, andere Erklärung: „Im Lande Ägypten, denn wie die Ägypter am Meer geschlagen wurden, so wurden auch jene erschlagen, die in Ägypten geblieben waren"[19].

Was ist hier der Grund für Raschis zweifache Auslegung? Seine erste Erklärung stimmt nicht mit der Vokalisierung des Wortes überein, nach welcher zu lesen ist: *in* Ägypten, ergo im Lande Ägypten[20]. Die zweite Erklärung stimmt nicht mit dem Inhalt der Erzählung überein, da sich die Kinder Israel nicht mehr im Lande Ägypten, sondern bereits an den Ufern des Roten Meeres befanden.

Im folgenden zwei weitere Beispiele für Raschis Anwendung eines Midrasch als „sinngemäße Erklärung". Gen. Cap. III, V. 7: „Und es öffneten sich ihre (Adams und Evas) Augen und sie wußten, daß sie nackt waren."

Raschi (zur ersten Hälfte des Verses): „In Angelegenheit der Weisheit spricht die Schrift, der Vers spricht von der Erkenntnis des inneren Auges, und nicht vom wirklichen Sehen, der Schluß (des Verses) beweist es." Und zum zweiten Teil: „Auch der Blinde *weiss*, daß er nackt ist, was bedeutet also, sie wußten, daß sie nackt waren? Eine Pflicht hatten sie in Besitz gehabt, und sie hatten sich ihrer entkleidet"[21].

Es soll also das geistige Auge heißen, der Verstand öffnete sich ihnen, daher „wußten" sie, wie der Vers sinngemäß fortfährt und nicht „sahen" sie, wie es zu Beginn des Textes zu verstehen war.

Gen. Cap. XII, V. 5: „Und Abraham nahm Sarah seine Frau und Lot den Sohn seines Bruders, seinen gesamten Besitz, den sie gekauft hatten,

---

19. Mechilta, Midrasch zu Exodus ed. H.S. Horovitz, Jerusalem 1960, V, S. 109 übers. v. J. Winter, A. Wünsche, Leipzig 1909, S. 105: allerdings mit einer Ergänzung: „... und nicht gegen Ägypten allein, sondern gegen alle, welche die Israeliten in künftigen Geschlechtern bedrängen werden." Raschi blieb mit seiner Ergänzung bezogen auf die Gegenwart der biblische Erzählung.
20. Es steht laham be (das Verb laham wird mit nachfolgendem be konjugiert), was sowohl „gegen" (Ägypten) wie auch „in" (Loc. ba oder be = in) bedeuten kann. Da die masoretische Vokalisierung des Wortes ‚mizrai' (Ägypten?, Ägypter?) die Schwierigkeit noch erhöht, ist hier jede Übersetzung Interpretation. Luther übersetzt: Der Herr streitet wider sie in Ägypten. Ausg. Wittenberg 1545.. 21. Ber. Rab. 19, S. 175.

und die Menschen, die sie erworben hatten in Haran..." Die Textschwierigkeit liegt sowohl in dem Verb „aśah" — geheimhin „vollbringen", aber auch „erwerben" — und in der Pluralform des zweiten Vers-
teils, im ersten war nur von Abraham die Rede. Raschi löst die Schwierigkeit mittels eines Midrasch-Agadah:

„aśah = erworben, die sie unter die Fittiche der Göttlichen Gegenwart geführt hatten;
Abraham bekehrte die Männer und Sarah die Frauen, und das rechnet ihnen die Schrift
an, als wenn sie sie erschaffen hätten[22]. Der einfache Sinn des Verses ist, die Knechte und
Mägde, die sie gekauft hatten[23]."

Und als Beleg für die Gültigkeit dieser Auslegung zitiert Raschi Schriftstellen, die das Verb „aśah" ebenfalls im Sinne von „kaufen" oder „erwerben" enthalten[24]. Obwohl er also auch hier den Midrasch nicht verschweigen mag, fügt er eine sinngemäße Erklärung, die ihm wohl textnäher erscheinen mochte, hinzu.

In einem anderen Fall bringt er, bevor er sich dem Pešat zuwendet,
gleich zwei midrašim, die aber beide nicht die zufriedenstellende Auslegung enthalten, da sich beide nicht ohne Schwierigkeiten in den Textzusammenhang einfügen.

Gen. Cap. XII, 11: „Siehe nun weiß ich, daß Du eine Frau von schönem
Ansehen bist"[25].

Raschi: der agadische Midrasch sagt: bis jetzt hatte er sie infolge ihrer beiderseitigen Sitt-
samkeit nicht erkannt, jetzt erkannte er sie...[26]. Andere Erklärung: gewöhnlich wird ein
Mensch durch die Anstrengung der Reise unansehnlich, sie aber behielt ihre Schönheit[27];
der einfache Sinn des Verses (aber) ist: siehe doch, die Stunde ist gekommen, daß ich wegen Deiner Schönheit besorgt sein muß; ich weiß seit vielen Jahren, daß du schön von
Ansehen bist, jetzt aber kommen wir zu schwarzen und häßlichen Menschen, die an eine
schöne Frau nicht gewöhnt sind.

Die Schwierigkeit liegt in der Temporalform des Verbs „jadati"; das
heißt, wann kam ihm diese Erkenntnis, dieses Wissen, daß sie schön
war. Beide midrašim beziehen dies auf die letzten Ereignisse, als beide,
Sarah und Abraham, nach Ägypten gelangten. Raschi geht seinen eigenen Weg, da diese Auslegungen nach seinem Verständnis nicht dem eigentlichen Sinn entsprechen. Seine Erklärung bezieht sich im Gegensatz
zu den Agadot nicht auf die jüngste, sondern auf die weit zurückliegen-

---

22. Ber. Rab. 39, S. 379.
23. Hier „aśah" im Sinne von erwerben.
24. Gen. XXX, 1: Hat er all diese Pracht erworben (aśah)? Num. XXIV, 18: und Israel er-
wirbt (aśah) Macht.
25. Abraham zu Sarah auf dem Wege nach Ägypten.
26. Midrasch Tanchuma (ed. H. Sundel, Jerusalem 1962), S. 20.
27. Ber. Rab. 40, S. 383.

de Vergangenheit und fügt sich in die Fortsetzung der Erzählung harmonisch ein[28].

2. Raschis Anwendung des rabbinischen Midrasch als Ausdruck für sein Bibelverständnis

Um Raschis Denkprozeß nachvollziehen und voll würdigen zu können, genügt es nicht, sich zu bemühen, seine Auslegungen zu verstehen. Der Leser muß sich immer wieder fragen, welche Schwierigkeit er in der Schriftstelle fand, die es ihm galt zu erklären. Bei der Suche nach der eventuellen Schwierigkeit bemerken wir bald mit Staunen, mit welch intensiver Aufmerksamkeit Raschi die Bibel studiert hatte, wie er sich stets gefragt haben muß, ob die Textstelle keine Unklarheiten enthält. Der moderne Leser, der die Raschi-Schwierigkeiten entdecken will, wird es nicht immer leicht haben. Zu sehr haben wir uns einer solchen Leseintensität entwöhnt, zu wenig fragen wir nach Vollkommenheit oder Lückenlosigkeit eines Erzählungstextes. Ohne viel nachzudenken, füllen wir in Gedanken das aus, was wir nicht geschrieben finden, oder, da unser Interesse niemals gleichmäßig allen Texteinzelheiten gilt, verfolgen wir mit Spannung die Entwicklung der zentralen Handlung und lesen daher leicht über Einiges hinweg, das sich bei prüfendem Lesen als Unebenheit irgendeiner Art erweisen würde.

Im folgenden will ich versuchen, eine Aufstellung der häufigsten Textschwierigkeiten, mit denen sich Raschi konfrontiert sah, aufzuzeigen. Eine solche Aufstellung enthält keinerlei Anspruch auf Vollständigkeit.

a. Lücken im Fortlauf einer Handlung.

b. Textstellen, die einem transzendenten Gottesbegriff widersprechen.

c. Tautologien, oder scheinbar überflüssige Redewendungen, die keine zusätzlichen Informationen vermitteln.

d. Disharmonien im Bibeltext (innerhalb einer Erzählung oder zwischen zwei Kapiteln).

e. Bruch in der Kontinuität des Handlungsablaufs.

f. Vermeintliche Widersprüche in der biblischen Charakterdarstellung irgendeiner Person.

a. Lücken im Fortlauf einer Erzählung

Das wohl bekannteste Beispiel für eine Lücke im Fortgang der Erzählung finden wir in Gen. Cap. IV, V. 8: „Und Kain sagte zu Abel, seinem Bruder, und es war als sie zusammen im Felde waren, da erhob sich

---

28. V. 12: „Wenn dich nun die Ägypter sehen, so werden sie denken, ‚das ist sein Weib‘,und sie werden mich erschlagen und dich am Leben lassen.‘‘

Kain über Abel und erschlug ihn." Wir erfahren nicht, was Kain eigentlich zu Abel sagte. Diese Textschwierigkeit hat bereits die Midraschautoren beschäftigt, die ihre Phantasie anstrengten, um das Fehlende auszufüllen.

„Worüber stritten sie sich? Sie sagten: wir wollen die Welt (unter uns) teilen! Einer nahm die Ackerböden, der Andere die beweglichen Güter, sagte der Eine: die Erde, auf der du stehst, gehört mir, und der Andere: das, was du am Leibe hast[29], mein sind sie. Dieser sagte: zieh die Kleider aus, und jener: scher' Dich davon, und dies hatte zur Folge: und es erhob sich Kain über Abel und erschlug ihn..."[30].

Ein anderer Midrasch:

Beide nahmen sich die Felder und beide nahmen sich das Vieh und anderes bewegliches Gut. Und worüber haben sie sich gestritten? Dieser sagte, auf meinem Anteil wird der Tempel erbaut werden, und dies hatte zur Folge: und es erhob sich Kain über Abel, seinen Bruder, und erschlug ihn[31].

Raschi übernimmt keinen dieser und anderer midrašim, sondern geht seinen eigenen Weg, und so sagt er zu dieser Textstelle:

„Er (Kain) brach mit Abel einen Streit vom Zaun, um einen Anlaß zu finden, ihn zu erschlagen", und fügt ausdrücklich hinzu: „hierüber gibt es viele Midraše Agadah, aber dies ist die sinngemäße Erklärung" (pešuto šel miqra).

Wer sich mit der Auffassung, die Raschi von Kains Persönlichkeit hat, befaßt, wird schnell begreifen, aus welchem Grunde er diese beiden und auch alle anderen midrašim, die zur Behebung dieser Textschwierigkeit verfaßt wurden, ablehnt und hier seinen eigenen Weg geht. Sämtliche Midraschautoren beschuldigen beide Brüder gleichermaßen an dem Ausbruch des Streites, völlig schuldlos sind beide nicht, und im Verlauf des Streites war es wie zufällig Kain, der seinen Bruder erschlug, nicht aus Vorsatz, sondern einem plötzlichen, unvorhergesehenen Zornesausbruch folgend. Doch nach Raschis Verständnis mußte Kain der absolute Bösewicht sein. Wir werden an anderer Stelle darauf zurückkommen und nachzuweisen versuchen, daß es für Raschi auch im Fortlauf der Erzählung Schwierigkeiten gibt, die nach seiner Auffassung Kains Charaktereigenschaften widersprechen[32].

Ein anderes Beispiel für eine Textlücke oder eine Zusammenhanglosigkeit finden wir in Gen. Cap. XXXVII, 29: „Ruben kehrte zu dem Brunnen zurück, und siehe, Josef ist nicht im Brunnen, und er zerriß seine Kleider." Da im vorhergehenden Vers erzählt wird, daß Ruben seinen Brüdern riet, Josef nicht zu töten, sondern ihn in den Brunnen zu wer-

---

29. ... von der Wolle meiner Schafherde.
30. Ber. Rab. 22, S. 213.
31. Ber. Rab. ibid.
32. s. S. 60.

fen, erhebt sich die Frage, was mit Ruben in der Zwischenzeit geschehen war, nämlich in der Zeit vom Annähern Josefs zu dem Weideplatz seiner Brüder bis zu dessen Verkauf an die Midianiter?

Raschi: „Während seines (Josefs) Verkaufs war er nicht dort gewesen, denn es war sein Tag, an dem er seinem Vater dienen mußte."

Dies ist eine Verkürzung aus Bereschit Rabba: „... Alle Pflichten des Hauses waren auf ihn gefallen, (und) als er sich frei machen konnte, ging er fort und blickte in denselben Brunnen"[33]. Zu diesem Text finden wir dort noch einen anderen Midrasch: „Er (Ruben) war beschäftigt mit Trauern und mit Fasten, als er sich freimachen konnte, ging er und blickte in denselben Brunnen"[34]. Hier ist das Wort „šav" (umkehren) mit „bereuen" interpretiert, das heißt bereuen im Sinne von „Umkehr von der Sünde". Raschi entschloß sich, den ersten Midrasch zu übernehmen, sicher, weil er ihm sinngemäßer erschien. Die Erzählung berichtet nichts von einer inneren Umkehr Rubens, hinzukommt, daß im nächsten Vers die Verbform „šav" im Sinne von Rückkehr (Rubens zu seinen Brüdern) und nicht von Reue angewandt wird.

Während die Midraschautoren, wohl aus Freude am Fabulieren in der Schrift anonym gebliebene Personen mit allgemein bekannten Persönlichkeiten der biblischen Erzählungen identifizieren, erkennt Raschi die Notwendigkeit einer „Namensgebung" nur in den Fällen an, in denen die Erwähnung einer Person mit dem bestimmten Artikel erfolgt, als ob vorausgesetzt wird, daß der Leser wissen muß, über wen gesprochen wird. Es handelt sich demnach in solchen Fällen nach seinem Verständnis ebenfalls um eine Textlücke, die er sich beeilt auszufüllen. So ist „*der* Knabe"[35], der Abraham bei der Bewirtung seiner Gäste hilft, Ismael; „*die* beiden Knaben", die Abraham und Isaak zur Opferung begleiten[36], Elieser und Ismael; „*Der* Dolmetscher", der zwischen Josef und seinen Brüdern bei der Zusammenkunft in Ägypten vermittelt, Menasse, der Sohn Josefs[37], und „*der* Knabe", der Moses Bericht erstattet[38], Gerson, Moses Sohn[39].

---

33. Ber. Rab. 84, S. 1032.
34. Be šaqo, steht geschrieben, er hüllte sich in einen Sack als Zeichen der Trauer. Ibid.
35. Gen. XVIII, 7: hebr. el ha na'ar (der Knabe); Luther: dem Knechte.
36. Gen. XXII, 2: seine beiden Knaben; Luther: er nahm mit sich zween Knaben.
37. XLII, 23.
38. Num. XI, 27: hebr. wa jaraz ha na'ar: und es lief *der* Knabe; Luther: da lieff ein Knabe...
39. Ich habe hier nur eine beschränkte Auswahl von Beispielen für diese Auslegungsmethode Raschis getroffen.

b. Texte, die einem transzendenten Gottesbegriff widersprechen

Immer dann, wenn die Schrift Gott allzu menschlich darstellt, ihm Eigenschaften oder Taten zuspricht, die dem Begriff vom einzigen und verborgenen Gott widersprechen, bemühten sich die Exegeten aller Generationen, auch die Midraschautoren, eine solche Textstelle gemäß der rechtmäßigen Gottesvorstellung zu erklären und auszulegen.

Gen. III, 9: „Und es rief Gott der Herr den Adam und sagte zu ihm, wo bist Du?"

Raschi: „*ER* wußte, wo er (Adam) war, sondern um mit ihm ein Gespräch zu beginnen (fragte er ihn), daß er nicht erschrocken sei, um zu antworten, wenn ER plötzlich seine Strafe verkünden würde"[40].

Es handelt sich also nicht um eine Unwissenheit Gottes, sondern um eine pädagogische Maßnahme. Und so ist auch Gottes Frage an Kain (Gen. IV, 9) „Wo ist Abel, dein Bruder" nicht zu verstehen, als verlange ER Auskunft, sondern:

„ER (gebrauchte) sanfte Worte, um mit ihm ein Gespräch zu beginnen, vielleicht würde er bereuen und sagen: ich habe ihn getötet."

Wieder wirft diese Erklärung auf Kain ein besonders schlechtes Licht und harmonisiert durchaus mit Raschis Gesamtvorstellung von dessen Persönlichkeit.

Mehr als eine Schwierigkeit enthält der Vers in Gen. VI, 6: „Da reute es IHN, daß ER die Menschen gemacht hatte auf Erden, und es bekümmerte IHN in SEINEM Herzen." Diese Aussage ist weder mit dem biblischen noch mit dem rabbinischen Gottesbegriff zu vereinbaren. Sagt doch Bileam zu Balaq, dem König Moabs, in seinem Gleichnis: „Gott ist nicht ein Mensch, daß er lüge, noch ein Menschenkind, daß es ihn gereue" (Num. XXIII, 19). Raschi gibt zwei Erklärungen. Mit der ersten akzeptiert er die aramäische Übersetzung des Onkelos statt „gereuen" : „sich trösten"[41]:

„Es war IHM ein Trost, daß ER ihn unter den Irdischen erschaffen hatte, denn hätte ER ihn unter den Himmlischen erschaffen, hätte ER ihre Empörung verursacht"[42].

Doch hier kann sich Raschi nicht mit der von ihm sonst so respektierten Onkelos-Übersetzung begnügen, zu weit scheint ihm diese vom ein-

---

40. Ber. Rab. 19 S. 180. Und um zu erhärten, daß Gottes Fragen nicht Informationen verlangen, fügt er hinzu: ebenso fragte er Kain — ebenso fragte er Bileam: „wer sind diese Männer?" (Num. XX, 9), ebenso Jesaja wegen der Gesandten von Merodakh, König v. Babylon (Jes. XXXIX, 3).
41. Die in dem Vers enthaltene Verbform „jinahem" ist die Passivform der Stammbuchstaben n-h-m = trösten, also: er wird getröstet werden oder er ließ sich trösten.
42. In Anlehnung an Ber. Rab. 27, S. 258.

fachen Sinn entfernt zu sein, daher verbindet er mit seinem „davar aher"[43] eine zusätzliche Interpretation:

„ER änderte SEINEN Entschluß[44]. Der Gedanke des Ewigen verwandelte sich von Erbarmen zu Recht ... und so bedeutet ‚nhm' in der Schrift: Wiederbedenken, was geschehen solle mit dem Menschen, den ER erschaffen hatte, was zu tun sei."

Für die Rechtmäßigkeit seiner Auslegung zitiert Raschi Schriftstellen, die das Wort „*nhm*" nicht im Sinne von bereuen, sondern im Sinn von Wiederbedenken, einen neuen Entschluß fassen, enthalten[45]. Die andere, nicht weniger große Schwierigkeit dieses Textes liegt in dem Ausdruck: „ER war betrübt in seinem Herzen."

Raschi: „Der Mensch wurde betrübt in SEINEM Herzen, ER beschloß, ihn zu betrüben."

Auch dies sinngemäß der aramäischen Übersetzung, der zu folgen es Raschi schwer fällt. Daher versucht er, dem Text durch Ergänzung eine sinnvolle Interpretation zu geben.

„Er trauerte über den Untergang des Werkes SEINER Hände", wie „der König war betrübt über seinen Sohn" (II Sam. Cap. XIX, 3).

Wie sehr diese und ähnliche Schriftstellen die Gefahr der Mißverständnisse in sich bergen, bezeugt die Agadah, die Raschi seiner Interpretation hinzufügt, mit der er sich ausdrücklich gegen die Ungläubigen wendet:

„Ein Leugner fragt Rabbi Josua ben Korcha[46]: Ihr gebt doch zu, daß der Heilige die Zukunft sieht?"

Als der Rabbi bejahte, verwies ihn der Leugner auf unseren Bibelvers: ER ist betrübt in seinem Herzen. Darauf erinnert ihn der Rabbi an die Freude, die er, der Leugner, bei der Geburt seines Sohnes empfunden hatte,

„und wußtest Du nicht, daß er am Ende sterben würde? ... so auch der Ewige, obwohl er wußte, daß der Mensch einst sündigen würde, hat ER sich nicht daran hindern lassen, ihn zu erschaffen, wegen der Gerechten, die aus ihm erstehen werden."

Die Allgegenwärtigkeit Gottes könnte in den Schriftversen wie Gen. cap. XI, 5 angezweifelt werden: „und Gott stieg herab, um die Stadt und den Turm (zu Babel) zu sehen, die die Menschen erschaffen hatten."

---

43. Eine andere Erklärung.
44. Wörtlich: SEINEN Gedanken.
45. Num. XXIII, 19; Deut. XXXII, 36; Exod. XXXII, 14; I Sam. XV, 11; in allen *nhm* im Sinne von „wiederbedenken", hebr.: nimlakh.
46. Josua ben Korcha, Tannait aus der Mitte des 2. Jh.

Raschi: „ER hätte es nicht nötig gehabt (herabzusteigen), sondern ER wollte die Richter belehren, daß sie den Schuldigen nicht verurteilen sollten, bis sie nicht gesehen und verstanden haben."[47]

Ähnlich ibid. V. 7: „Laßt uns hinuntersteigen und verwirren wir ihre Sprache, daß einer die Sprache seines Nächsten nicht verstehe"; dazu bemerkt Raschi, in Ergänzung der obigen Interpretation:

„Mit SEINEM Gerichtshof beriet ER sich in seiner übergroßen Bescheidenheit"[48].

Gottes Gerichtshof dient nicht nur diesen Texten als Erklärung für die Pluralform, in welcher Gott seine Entschlüsse mitteilt. Zu Gen. I, 26 „schaffen WIR einen Menschen in UNSEREM Angesichte und in UN-SEREM Ebenbilde", ein Vers, der in der christlich-jüdischen Auseinandersetzung und Polemik von jeher eine zentrale Rolle gespielt hat, sagt Raschi, in Anlehnung an den Midrasch Agadah:

„Die Bescheidenheit des Heiligen, gelobt sei ER, lernen wir hier (kennen). Weil der Mensch den Engeln gleicht, könnten diese ihn beneiden, darum beriet er sich mit ihnen. Auch wenn ER die Könige richtet, berät ER sich mit SEINER Umgebung[49], so finden wir bei Ahab, daß Micha (der Prophet) zu ihm sagte ‚Ich schaute den Ewigen auf dem Thron sitzend und alles Heer des Himmels stand um IHN zu seiner Rechten und zu seiner Linken'[50], die zur Rechten, das sind die Verteidiger und die zur Linken, die Ankläger... Auch hier berät er sich mit seiner Umgebung und ließ sich ihre Zustimmung geben..."

Schwierigkeiten gibt es immer dann, wenn von „Elohim" (Gott?, Götter?) anderer Völker gesprochen wird. Dem Vers Exod. XII, 12 „und alle Götter Ägyptens werde ICH vernichten", fügt Raschi hinzu, um keinerlei Mißverständnisse aufkommen zu lassen:

„(Götter) aus verfaultem Holz und geschmolzenem Metall werden zur Erde gestürzt werden."

Damit wird die Existenz von ‚Göttern' anderer Völker verneint, in dem Vers wird demnach von Götzen gesprochen.

Das zweite Gebot: „Du sollst keine anderen Götter haben vor meinem Angesichte"[51], könnte dem unbefangenen Leser ebenfalls den Gedanken nahelegen, als bejahe man die Existenz ‚anderer Götter'. Raschi gibt zwei Erklärungen:

„Sie sind keine Götter, sondern andere haben sie als Götter über sich gesetzt[52]; es ist aber

47. Midrasch Tanchuma op. cit. S. 18.
48. „Maß für Maß; sie hatten gesagt ... wir wollen bauen, ... und ER sprach: wir wollen herabsteigen", ibid. Gott bediente sich der Sprache der Sünder.
49. Aus Midrasch Tanchuma, op. cit. S. 67.
50. II.Kön. Cap. XXII, 19.
51. Exod. XX, 3.
52. Mechilta, op. cit. VII, S. 223.

nicht richtig zu erklären, andere Götter außer MIR, denn das wäre eine Lästerung vor dem Ewigen, sie neben IHM als Götter zu bezeichnen."

Aus sprachlichen Gründen ist aber Raschi nicht völlig mit dieser seiner Erklärung einverstanden. Das Wort „andere" steht nicht als Genitivobjekt (Götter der Anderen), sondern als Adjektiv zu „Götter", dafür fügt er — wie oft — eine andere Erklärung hinzu:

„Die Götter sind ‚andere', denen, die sie anbeten. Diese rufen zu ihnen, aber diese erhören sie nicht und gleichen für sie Anderen, die sie nie gekannt haben"[53].

Hier „Andere" im Sinn von „Fremde".
Auch die sehr bildhafte Sprache der Sinaioffenbarung ist schlecht mit einem transzendenten Gottesbegriff zu vereinbaren. Zu Exod. XVIII, 18: „... und der Rauch stieg auf wie von einem Schmelzofen, und der ganze Berg bebte sehr...", bemerkt Raschi:

„... warum steht hier ‚Schmelzofen'?, um es dem Ohr verständlich zu machen, was es in der Lage ist zu verstehen. Ähnlich lesen wir in Hosea (XI, 10): Wenn ER wie ein Löwe ruft... Warum vergleicht IHN der Vers mit einem Löwen?[54] Wir beschreiben IHN und vergleichen IHN mit SEINEN Geschöpfen, um dem Ohr begreiflich zu machen, was es verstehen kann..."

Die Formel, mit welcher allzu konkrete und plastische Gottesoffenbarungen ihre Erklärung finden, ist bei Raschi und den Exegeten der folgenden Generationen: Es (die betreffende Schriftstelle) dem Ohr begreiflich zu machen[55].
Im Moseslied, Deut. XXXII, 27, sagt Gott: „Wenn ich (Gott) nicht den Zorn der Feinde fürchten müßte..." Raschi interpretiert die anstößige Redewendung „ich werde fürchten" — hebräisch „agur" — in einem

---

53. Einen anderen Weg bei der Interpretation dieser und ähnlicher Schriftstellen geht Ibn Esra: „Die Schrift spricht von ‚Elohim' (Götter) nach dem Verständnis der Anbetenden (diese denken, daß sie Götter sind)". Als Erhärtung für seine Auslegung zitiert er Schriftverse, die ebenfalls nicht die objektive Wahrheit, sondern den subjektiven Gedanken der Handelnden widerspiegeln. Beispiel, Jerem. XXVIII, 10: „Und es nahm Hananjah, der Prophet (das Joch von Jeremias Nacken)". Ibn Esra weist damit darauf hin, daß die Umstehenden glaubten, daß Hananjah, obwohl ein Lügenprophet, ein wahrer Prophet gewesen sei. — Ebenso Jos. II, 4: „die Leute (des Königs von Jericho) jagten den Männern nach (den Kundschaftern Josuas) auf dem Weg nach Norden." Doch glaubten die Leute irrtümlicherweise, daß sie ihnen nachjagten, in Wirklichkeit wurden sie von Rahab auf dem Dach ihres Hauses versteckt gehalten. — Obwohl es einen textimmanenten Beweis für die Bedeutung ‚Elohim' als Götzen und nicht als Götter gibt, das Adjektiv ‚andere' steht im Plural, was den Interpreten sicher nicht entgangen ist, liegt die Schwierigkeit in dem Terminus „Elohim" für ‚Götter'. Die Bibelsprache kennt für ‚Götzen' einen anderen Begriff: Elilim.
54. Vgl. den Angriff des Petrus Venerabilis auf die Methode der Schriftauslegung der Juden, s. S. 191.
55. Hebr.: Le śaber et ha osen.

gänzlich anderen Sinne. Er liest nicht die Stammbuchstaben *gur* (fürchten), sondern *agor* (einsammeln, sammeln)[56].

„Wenn nicht der Zorn der Feinde (gegen Israel) angesammelt (im Sinne von gehäuft, angewachsen) wäre...‟

Mit dieser sprachlichen Umdeutung des Schriftverses ist nicht mehr von einem fürchtenden Gott vor Israels Feinden die Rede, sondern von einem zürnenden Gott, der Israels Feinde vernichten wird, eine Gottesvorstellung, die durchaus dem Gott des Mosesliedes entspricht[57].

c. Tautologien oder scheinbar überflüssige Redewendungen, die keine zusätzlichen Informationen vermitteln

In jeder Redewendung der Schrift, die eine Mitteilung bereits bekannter Tatsachen enthält, sucht der Exeget einen tieferen Sinn, da es, nach seiner Auffassung, in der Schrift keine sinnlosen Wiederholungen gibt. Zu Gen. XXIX, 18: „Und Jacob liebte Rahel und sprach: ich werde dir (Laban) sieben Jahre dienen für Rahel, deine kleine Tochter...‟ stellt Raschi die Frage:

„Wozu all diese Bezeichnungen? Da er (Jacob) gewußt hatte, daß er (Laban) ein Betrüger war, sagte er zu ihm: Ich werde dir für *Rahel* dienen, damit du nicht behauptest, ,eine andere vom Marktplatz‘[58], aus diesem Grunde steht ,deine Tochter‘. Vielleicht wirst du aber sagen, ich werde den Namen von Lea umtauschen und sie Rahel nennen? Aus diesem Grunde steht ,die Jüngere‘.‟

Mit diesem Midrasch-Agadah hat Raschi seiner kompromißlosen Auffassung von Laban als unverbesserlichem Betrüger einen zusätzlichen Akzent verliehen, indem er hinzufügt: „Und dennoch half es ihm nicht, denn er betrog ihn doch‟[59].
Auch in der Erzählung über die Versuchung Abrahams, Gen. XXII, 2: „Nimm Deinen Sohn, Deinen einzigen, den Du liebst, den Isaak, und gehe in das Land...‟, verlangen die scheinbar überflüssigen Bezeichnungen für Isaak, von dem jeder weiß, daß er Abrahams einziger, geliebter Sohn ist, eine zusätzliche Erklärung. Die Appositionen werden nicht als rhetorisches Mittel verstanden, die die Schwere der Versuchung unterstreichen sollen; in ihnen verbirgt sich ein Dialog zwischen Abraham und Gott. Und hier Raschis Deraš, den er uneingeschränkt übernimmt, ohne ihm eine Auslegung nach dem „pešuto šel miqra‟ hinzuzufügen:

---

56. (a)gur: 1. Pers. Fut. „ich werde fürchten‟, ag(u)r: Part. Perf. „gesammelt‟.
57. Ibn Esra, dessen Sprachgefühl wohl dieser Uminterpretierung widersteht, bemerkt zu: ich werde fürchten: Die Schrift spricht in der Art der Menschen, so wie sie es verstehen. Entsprechend Raschis: „dem Ohre zu gefallen.‟
58. Im Sinne „von irgendwoher‟.
59. Ausführlicher über Laban in der Raschi-Interpretation s. S. 63.

„‚Deinen Sohn', da sagte IHM Abraham: Zwei Söhne habe ich. ER sagte zu ihm: Deinen Einzigen; (Abraham) erwiderte: dieser ist einzig seiner Mutter[60], und dieser ist einzig seiner Mutter. (Darauf) sagte Gott: Den Du liebst, Abraham antwortete: Beide liebe ich. Da sagte ihm Gott: Den Isaak!"[61]

Warum, so fragt der Midrasch, kündigte ER ihm nicht zu Beginn Seinen Willen an, wozu diese vielen Bezeichnungen, konnte ER nicht gleich befehlen: „Nimm den Isaak"? Der Midrasch gibt auf diese Frage zwei Antworten: „um ihn nicht durch die Plötzlichkeit zu verwirren, der Verstand hätte sich ihm verwirren können." Das durfte nicht sein, denn sonst hätten die späteren Generationen nicht das Maß der Gerechtigkeit und der Gottesfurcht Abrahams voll einschätzen können, sie hätten sagen können, der Ewige habe ihn verwirrt, und Abraham hat nicht gewußt, was er tat. Und die zweite Antwort: „Um das Gebot teuer zu machen, und ihm für jedes Wort einen Lohn zu geben."

In Gen. XXXVII, 24 heißt es: „Und sie (die Brüder) nahmen ihn (Josef) und warfen ihn in den Brunnen, und der Brunnen war leer, es war kein Wasser darin." Die Zufügung, es war kein Wasser darin, soll nicht die Leere des Brunnens betonen, denn schließlich wollten die Brüder den Josef nicht töten, sondern, ihn aufgrund Rubens Rat nur hart bestrafen. Die Zufügung soll Hinweis auf die Schrecklichkeit des Brunnens sein, daher Raschi:

„Und wenn wir hören, daß der Brunnen leer war, wissen wir denn nicht, daß kein Wasser drin war? Wasser war nicht in ihm, aber Schlangen und Skorpione"[62].

In Deut. I, 4 heißt es: „... Nachdem Sihon, der König der Amoriter, der in Heschbon herrschte, geschlagen wurde, sprach Mose (zum Volk Israel)..." Jeder der Zuhörer weiß genau, wer Sihon gewesen war, daher sind die Bezeichnungen für ihn überflüssig.

Raschi: „Wenn Sihon nicht stark gewesen wäre, wäre er stark gewesen, darum, daß er in Heschborn gelebt hatte, denn die Stadt war stark. Und hätte er in einer anderen Stadt gelebt, so wäre sie (die Stadt) dadurch stark gewesen, weil der König stark gewesen war. Um so mehr (ist die Stärke) als der König und auch die Stadt stark gewesen waren."[63]

Dieser Midrasch entspricht der Tendenz des Buches Deuteronomium. Die Bezeichnungen für Sihon unterstreichen die Bedeutung des von Israel besiegten Feindes. Gott hat ihnen zu diesem Sieg verholfen, und Mose erinnert das Volk daran, um ihm vor der Eroberung des westlichen Kanaans Mut zuzusprechen.

Viele derartige Beispiele lassen sich anführen. Die Midraschautoren wa-

---

60. Ismael der Hagar, Isaak der Sarah.
61. Ber. Rab. 55, op. cit. S. 590.
62. Ber. Rab. 94, S. 1020.
63. Sifre (Num.), Edit. H.S. Horovitz, Jerusalem 1966.

ren äußerst erfinderisch, wenn es galt, jeder einzelnen Redewendung der Schrift eine eigene Bedeutung zu geben. Raschi übernahm diese Schriftauffassung und wählte für seinen Kommentar den Midrasch aus, der sich nach seiner Meinung in den Textzusammenhang einfügt.

d. Disharmonien

Widersprüche im Text verlangen nach einer Erklärung. Die moderne Bibelwissenschaft erklärt einander widersprechende Aussagen innerhalb einer Erzählung oder der Schrift überhaupt mit Hilfe der Quellenforschung oder der Aufzeigung traditionsgeschichtlicher Zusammenhänge. Der Midraschautor und der Bibelexeget sahen die Textschwierigkeiten in dem gleichen Maße wie der moderne Wissenschaftler; da aber beide von der Voraussetzung ausgingen, daß die Bücher der Bibel und gewiß die Fünf Bücher Mose aus der Hand eines einzigen Autors stammten, mußten sie notgedrungen eine andere Methode anwenden, um die Widersprüche als nur scheinbare hinzustellen, die oft durch absichtliches Hinweglassen von Einzelheiten der Erzählungen entstanden sind. Mit Hilfe des Midrasch-Agadah wird der Versuch unternommen, das Fehlende auszufüllen, um somit die Unstimmigkeiten fortzuräumen und die Einheitlichkeit des Textes herzustellen.

Gen. XVIII, 2: Und er (Abraham) erhob seine Augen, und siehe, *drei* Männer standen vor ihm.

Gen. XIX, 1: Und es kamen die *zwei* Engel nach Sodom.

Gen. XVIII, 10: Und er (der Engel) sprach: Ich werde zurückkehren ... und Sarah wird einen Sohn haben.

Hier finden wir mehr als nur einen Widerspruch: drei Männer kamen zu Abraham und zwei gingen nach Sodom. Das eine Mal wird von Männern[64] gesprochen, das andere Mal von Engeln[65]. Das eine Mal wird von *den* Engeln (Plural), das andere Mal von *dem* Engel (Singular) berichtet.

Raschi identifiziert die Besucher Abrahams mit Engeln, von denen jeder eine besondere Aufgabe zu erfüllen hat. Einer, um Sarah den Sohn zu verkünden, einer um Sodom zu zerstören, einer um Abraham zu heilen. Die rabbinische Überlieferung lehrt, daß kein Engel mehr als eine Aufgabe übernehmen kann[66]. Im folgenden Raschis Erklärung, die nicht leicht zu verstehen ist:

„... und wisse, daß im ganzen Abschnitt in der Mehrzahl gesprochen wird, *sie* saßen, *sie* sagten ... nur bei der Verheißung heißt es, *er* sprach, ich werde zurückkehren ... und bei der Zerstörung von Sodom sagte *er:* ich kann nichts tun, ohne daß ich nicht zerstöre[67] ...

---

64. Männer = anašim.
66. Ber. Rab. 50, S. 516.

65. Engel = malakim.
67. Cap. XIX, V. 22.

und Rafael, der Abraham heilte[68], ging von dort nach Sodom, um Lot zu retten, darum heißt es, als *er* sie herausgeführt hatte, sagte *er:* Rette Dein Leben, daraus lernst Du, daß nur *Einer* ihn gerettet hatte."

Es stellt sich heraus, daß Raschis Deraš-Erklärung für die Schwierigkeit der Zahl der Engel — drei kamen zu Abraham, aber nur zwei nach Sodom — und für den Widerspruch zwischen dem Prinzip, daß nur ein Engel eine Aufgabe erfüllen kann, es aber vier Aufgaben waren, nämlich, Abraham zu heilen, Lot zu retten, Sarah zu verkünden und Sodom zu zerstören, eine zwar komplizierte aber harmonisierende Lösung bietet. Es kamen drei Engel, und es gab nur drei Aufgaben. Die Heilung Abrahams und die Rettung Lots galten als eine Aufgabe, beide wurden dem Leben wiedergegeben, und dies übernahm, wie sein Name sagte, Rafael. Nachdem der eine der drei Engel Sarah den Sohn verkündet hatte, konnte dieser fortgehen, so daß nur zwei Engel nach Sodom kamen, von denen der Eine — nicht Rafael — Sodom zerstörte.

Bleibt noch die Schwierigkeit für die Bezeichnung der Besucher ,Engel' (Cap. XIX) oder ,Männer' (Cap. XVIII):

Raschi: „Und vorher wurden sie (Cap. XVIII) Männer genannt, als die Gegenwart Gottes (šekinah) dort war... Eine andere Erklärung: Bei Abraham, dessen Kraft groß war, nennt er sie Männer, aber bei Lot — Engel."

Da Lot seinen Besuchern Brotfladen buk (V. 3) und er von ihnen als von Männern sprach (V. 8) ist bezeugt, daß er sie für ,Männer' und nicht für ,Engel' hielt.

Gott war gegenwärtig in Abrahams Zelt. Er erschien Abraham, als dieser vor seinem Zelt saß (XVIII, 1), blieb am Ort, als die Gäste kamen. — V. 13 lesen wir „und Gott sprach zu Abraham, warum hat Sarah gelacht?", und verweilte dort, auch, nachdem die Engel das Zelt verließen, während des langen Streitgespräches zwischen IHM und Abraham wegen der Zahl der Gerechten, deretwegen die sündigen Städte vor der Zerstörung bewahrt werden könnten.

Verwirrend geradezu sind die Bezeichnungen für die Wüstenhändler, die Josef von den Brüdern kauften.

Gen. XXXVII, 25: und sie (die Brüder) saßen, um zu essen und sie sahen eine Karawane von Ismaeliten von Gilead herkommen..."

V. 27: (die Brüder) sagten: verkaufen wir ihn an die Ismaeliten.

V. 28: Und es kamen Kaufleute, Midianiter, vorbei, zogen Josef aus dem Brunnen ... und verkauften ihn an die Ismaeliten.

V. 36: Und die *Medanim* verkauften ihn an die Ägypter.

Gen. XXXIX, 36: Und Josef wurde nach Ägypten geführt, und Potiphar kaufte ihn von den Ismaeliten.

---

68. Nach der Midraschtradition saß Abraham vor seinem Zelte, um nach der Beschneidung (Cap. XVIII) zu genesen. Rafael: rafah = heilen.

Raschi sieht zwei Hauptschwierigkeiten: Wer waren diejenigen, die Josef kauften und nach Ägypten führten, und welchen Anteil hatten die Brüder an der Entwicklung der Dinge? Die zweite Frage stellt sich durch den Satzbau von V. 28, dem man entnehmen könnte, es wäre alles das Werk der Midianiter gewesen: sie kamen ... zogen Josef aus dem Brunnen ... und verkauften; doch paßt eine solche Interpretation schlecht zu dem Vorhergegangenen V. 27: „verkaufen wir (die Brüder) ihn an die Ismaeliten" und zu dem Fortgang der Erzählung. Als Josef sich seinen Brüdern zu erkennen gibt, Cap. XLIV, 5, sagt er: „Ich bin Josef, Euer Bruder, den ihr nach Ägypten verkauft habt." Raschi in seiner Erklärung zu V. 28 versucht beide Schwierigkeiten zu überwinden:

„Dies (die Midianiter) ist eine andere Karawane, und die Schrift teilt Dir mit, daß er mehrere Male verkauft wurde..."

Und zu den Worten: „... sie zogen ihn heraus und verkauften ihn..."

„Die Söhne Jacobs zogen den Josef aus dem Brunnen und verkauften ihn an die Ismaeliter und die Ismaeliter an die Midianiter und die Midianiter an die Ägypter..."

Da das Subjekt in V. 28 nicht wiederholt wird, ist es Raschi möglich, mittels des Midrasch den Söhnen Jacobs die gesamte Verantwortung zuzuschieben und sie schwer zu belasten. Dem heutigen unbefangenen Leser des hebräischen Textes fällt es schwer, gemäß seinem modernen Sprachempfinden in den Tätern die Brüder Josefs zu sehen, da in diesem Vers nur die Midianiter als Subjekt genannt werden[69]. Allerdings hat Raschis Deraš den Verkauf Josefs mit der Erkennungsszene in Einklang gebracht[70].

Oft wird eine Aussage einer der handelnden Personen im Munde desjenigen geändert, der sie wiederholt. Gen. cap. XVIII, 12: Und Sarah lachte und sagte (nachdem ihr ein Sohn verheißen wurde), nachdem ich verblüht bin, soll mir noch Liebeslust werden und mein Herr ist auch alt? Hingegen fragt Gott den Abraham (V. 13): Warum hat Sarah gelacht und gesagt: „nachdem ich alt geworden bin, soll ich noch gebären?" Rührend und zugleich naiv versucht Raschis Deraš den Widerspruch zwischen Sarahs und Gottes Rede beizulegen:

„Die Schrift hat die Rede Gottes geändert um des häuslichen Friedens willen, denn, sie, Sarah, sagte doch ‚mein Herr ist alt'[71]."

---

69. Es heißt: ‚und es kamen die Midianiter ... und zogen ... und verkauften', ein zusammengesetzter Satz, kein Temporalsatz wie bei Luther: und da die Midianiter kamen ... kamen ... zogen sie ... und verkauften ... in Anlehnung an die griech. und lat. Versionen.
70. Eine rationale Erklärung bei Samuel ben Meir, dem Enkel Raschis; s. ausführlich über diesen Interpreten S. 143.
71. Ber. Rab. 98, S. 495.

Zwischen der Erzählung irgendeines Ereignisses und dessen Wiederholung durch die Rede einer der handelnden Personen entsteht oftmals ein Widerspruch. Mit psychologischem Feingefühl weist die Derašexegese auf feine Unterschiede hin, die natürlicherweise zwischen der Rezeption des Handelnden und dem objektiven Geschehen entstehen müssen, da der Handelnde seinem Publikum die Ereignisse eben in der Form nahebringen will, die ihm volles Verständnis für die von ihm gespielte Rolle einbringen soll.

Gen. cap. XXIV, 22: Abrahams Knecht, der nach Haran geschickt wurde, um eine Frau für Isaak nach Kanaan zu bringen, gab gemäß seinem Auftrag Rebekka Schmuck und Kostbarkeiten, nachdem diese ihn gelabt und die Kamele getränkt hatte; erst danach fragte er nach ihrem Namen und Herkommen. Hingegen stellt (V. 47) der Knecht den Eltern und Geschwistern Rebekkas das Vorgefallene in einer anderen Reihenfolge dar. „Und ich (der Knecht) fragte sie, ‚wessen Tochter bist Du‘, und sie sagte ‚die Tochter des Bethuel, Sohn des Nahor...‘ und ich legte den Reifen an ihre Stirn und die Armringe an ihre Hände." Hierzu Raschi:

„(hier) ist die Anordnung der Ereignisse geändert, hat er doch erst (die Geschenke) überreicht und dann (nach den Eltern) gefragt. Damit man ihn nicht bei seinen Worten nehmen würde und sagen: Wie konntest du ihr Geschenke überreichen, da du doch nicht gewußt hast, wer sie ist."

Demnach erinnerte sich der Knecht genau an alle Einzelheiten seines Auftrages und wollte verschweigen, daß er, überwältigt von Rebekkas Gutmütigkeit und Hilfsbereitschaft, in demselben Augenblick sich über einen Teil des Auftrages hinweggesetzt hatte[72]. Die Kundschaftergeschichte, Num. cap. XIII, 5, bietet der Quellenforschung reiches Material. Nicht nur innerhalb der Erzählung selber gibt es Widersprüche, die von der modernen Bibelwissenschaft als ein Konglomerat von Texten

---

72. Für die Diskrepanz zwischen tatsächlichem Geschehen und subjektivem Bericht gibt es zahlreiche Beispiele in der Schrift.
S. Gen. XXXIV, die Rache der Söhne Jacobs an Sichem. Vers 16 sagen die Söhne Jacobs: „... dann wollen wir unsere Töchter Euch geben, und Eure Töchter uns nehmen...", Vers 21 sagt Hamor zu den Einwohnern von Sichem: „Wir wollen uns ihre Töchter zu Frauen nehmen und ihnen unsere Töchter geben..." Den Ermessensentscheid der Söhne Jacobs, an welchen sie die Bedingung der Beschneidung knüpften, wird umgedreht, und so bemerkt auch Raschi: „sie drehten die Worte um ... um sie (die Einwohner Sichems) zu überreden, sich beschneiden zu lassen."
Vielfältig und subtil sind die Unterschiede zwischen dem Bericht der Schrift über den Verführungsversuch der Frau des Potiphar und den Worten der Frau selber an ihr Publikum, einmal an die Knechte des Hauses und zum anderen Mal an den Ehemann. Raschi und die Midraschautoren registrieren aufmerksam die Abweichungen in der Wiedergabe, die den Zweck hatten, erst die Knechte und darauf den Ehemann für die Frau und gegen Josef einzunehmen (Gen. cap. XXXIX).

oder als ein Zusammenfließen verschiedener Traditionsströmungen begriffen wird, sondern zwischen dem Bericht in Numeri XIII und dessen
Wiederholung durch Mose in seiner Rede an das Volk Israel vor dem
Übergang über den Jordan (Deut. I). Raschi kennt weder den Elohisten,
die Priester oder die Deuteronomiumquelle, ihm geht es allein darum,
mit Hilfe des Deraš, eine Harmonisierung aller mit diesem Ereignis zu-
sammenhängenden Berichte herzustellen.

Vers 28: „und sie (die Kundschafter) stiegen herauf von der Wüste Zin
bis nach Rehob in der Richtung nach Hamat"; und im Widerspruch dazu, Vers 22: „Und *sie* stiegen herauf von der Negevwüste und *er* kam bis
Hebron."

Was soll hier ,*er*', wo doch in der ersten Hälfte des Verses und in der Erzählung überhaupt von allen Kundschaftern gesprochen wird. Wer ist
dieser Eine? Hierzu Raschi:

> „Kalev allein ging dorthin und warf sich auf den Gräbern seiner Väter nieder, daß er sich
> nicht von seinen Gefährten verführen lasse, an ihren Plänen teilzunehmen."[73]

Mit diesem Deraš hat Raschi nicht nur die Singularform von Vers 22 erklärt, sondern auch den Widerspruch zu Deut. I, 36 behoben. Ausdrücklich fügt er seiner Erklärung hinzu:

> „So heißt es auch Deut. I, 30: Und ihm, Kalev, werde ich das Land geben, das er betreten
> hat."

Deut. I, 36: Nur Kalev ben Jefuneh, er wird es (das Land) sehen. Auf den
Widerspruch zu Num. XIV, 30: ... keiner außer Kalev ... und Josua ben
Nun (sollen das Land sehen), geht Raschi nicht ein. Es ist selbstverständlich, daß Josua das Land betreten wird. Noch vor Moses' Reden an
das Volk in den „aravot Moab" ist Josua von Gott als Moses' Nachfolger ernannt worden[74].

Als die Kundschafter zu Mose und dem Volk zurückkehrten, sagten sie:
„... Wir sind in das Land gekommen, in das ihr uns geschickt hattet, und
es fließt von Milch und Honig, und hier sind seine Früchte" (Num.
XIII, 27). Da die folgenden Worte der Kundschafter die Schrecknisse
und Gefahren des Landes beschreiben, mit dem Zweck, das Volk gegen
das Land und dessen Eroberung aufzuwiegeln, wodurch sie in Raschis
Augen zu verworfenen und bösen Menschen wurden, die Gottes Willen
zuwiderhandelten, paßt diese Aussage von der Fruchtbarkeit des Landes
nicht zu dem Charakter der Aufwiegler und Verleumder. Nicht um
dem Lande Gerechtigkeit widerfahren zu lassen, weisen sie auf die
Früchte, sondern aus rhetorisch-taktischen Gründen:

---

73. TB. Sotah 34 b.
74. Num. Cap. XXVII, 18.

„Jede Lüge, bei der man nicht am Anfang etwas Wahres sagt, wird zuletzt nicht geglaubt..."[75].

Daher bemerkt Raschi auch zu Vers 23: „Und sie trugen sie (die Früchte) auf einer Bahre zu zweien..."

„... acht nahmen die Trauben auf zwei Bahren, acht nahmen die Trauben, einer eine Feige, einer einen Granatapfel, Josua und Kalev nahmen nichts mit, weil Jener ganze Absicht war, böses Gerede zu verbreiten: (nämlich) ebenso, wie seine Früchte außergewöhnlich, ist auch sein Volk außergewöhnlich..."

Die Fortsetzung der Kundschaftererzählung könnte eine solche Deraš-Interpretation unterstützen. Gleich nach den Worten über die Fruchtbarkeit des Landes lesen wir: „Aber stark ist das Volk, das darin wohnt, und die Städte sind befestigt und sehr groß..." (V. 28). Schon an anderer Stelle bemerkte ich, daß sich für Raschi sowohl die Guten als auch die Bösen völlig eindeutig und kompromißlos darstellen. So wie die Kundschafter nicht in der Lage gewesen sein konnten, aus aufrichtigem Sinn etwas Gutes über das Land auszusagen, so war auch das Volk Israel, dem Mose in den Ebenen von Moab durch seine Reden seine Schlechtigkeiten in Erinnerung rufen wollte, um sie vor dem Übertritt über den Jordan in das Land Kanaan zu warnen, nicht einsichtig und nicht schuldbewußt. Es waren Scheltreden an ein störrisches Volk, das bisher keine Vernunft angenommen hat. Israels Erwiderung auf Moses' Aufforderung: „Bringet weise, verständige und einsichtige Männer her ... die will ich an Eure Spitze stellen"[76] — „Gut ist die Sache, von der Du gesprochen hast, sie zu tun", könnte vermuten lassen, daß sich das Volk gebessert hatte und einsichtig geworden war, zumindest, was die Befolgung dieser Anordnung betrifft. Doch für Raschi handelte es sich auch hier bei dieser Antwort um den Ausdruck von Verstocktheit und Uneinsichtigkeit:

„Ihr habt die Sache um Eures Vorteils wegen sofort beschlossen, Ihr hättet antworten sollen: Unser Lehrer Mose, von wem ist (es) schöner zu lernen, als von Dir oder Deinen Schülern? Doch von Dir, da Du um der Torah willen soviel Schmerzen gelitten hattest. Nur ich kannte Eure Gedanken. Ihr dachtet: jetzt werden viele Richter über uns eingesetzt werden, wenn uns einer nicht anerkennen will, dann bringen wir ihm ein Geschenk, daß er uns begünstige."[77]

e. Bruch in der Kontinuität des Handlungsablaufs

Oft wird innerhalb eines Kapitels der inhaltliche Zusammenhang oder der chronologische Ablauf der Ereignisse nicht klar. Für die rabbini-

75. TB. Sotah 35 a.
76. Deut. I, 14 in Anlehnung an Exod. cap. XVIII, 17; dort wird eine Erwiderung des Volkes nicht erwähnt.
77. sifre (Deut.) Edit. L. Finkelstein, Berlin 1969, cap. 14, S. 23.

schen Exegeten gilt folgendes Prinzip: es gibt kein ‚früher oder später'
in der Schrift. Der wirkliche Ablauf des Geschehens ist nicht durch den
Erzählungsablauf bestimmt, die Chronologie wird bestimmt durch inhaltliche Zusammenhänge.
Gen. Cap. III, 20: „Und Adam rief den Namen seiner Frau..." Es erhebt
sich die Frage, ob dies jetzt nach dem Sündenfall geschah? Sicher nicht,
lautet die Antwort des Midrasch, sondern gleich, nachdem sie erschaffen wurde,nur so ist die innere Logik der Erzählung herzustellen. Als
Adam den Tieren Namen gab, wurde ihm bewußt, daß es für ihn, als
Einzigem nicht seinesgleichen gab. Im Gegensatz zu den übrigen Lebe-
wesen, die paarweise vor ihm erschienen, „fand er sich gegenüber keinen Gehilfen"[78]. Darauf ließ Gott ihn in den Schlaf fallen „und baute
aus seinen Rippen ein Weib". Und so hören wir Raschi zu Gen. III, 20:

„Der Vers kehrt zu seinem ersten Gegenstand zurück, der Mensch gab Namen (Cap. II,
20), und der Text wurde nur deshalb unterbrochen, um dich zu lehren, daß infolge der
Namensgebung der Tiere ihm Hawa zur Gefährtin gegeben wurde, wie es dort heißt: ...
‚für den Menschen fand er keinen Gehilfen'."

Im Verlauf seiner Erklärung zu diesem Vers, stellt Raschi noch einen
zusätzlichen Sinnzusammenhang her. Cap. II endet: „Und der Mann
und die Frau waren nackt und schämten sich nicht"; Cap. III hingegen
beginnt: „Die Schlange war listig..." Was ist der Zusammenhang zwischen diesen beiden Aussagen über die Erkenntnis der beiden Menschen
und der List der Schlange? Hierüber Raschi:

„Dadurch, daß sie (die Schlange) ihre Blöße gesehen hatte, war sie lüstern geworden und
kam zu ihnen mit einem Plan und Hinterlist..."

Hier wird Raschis Einstellung zu Kontextfragen bereits klar. Für den
heutigen Leser ergibt sich aus der Tatsache, daß ein neues Kapitel mit einer neuen Angelegenheit beginnt, keinerlei Schwierigkeit, um so weniger, wenn, wie in diesem Fall, die Erzählung des vorhergegangenen Kapitels wieder aufgenommen und fortgeführt wird. Raschi ist aber daran
gelegen, im Einklang mit den Midrasch-Autoren, nicht den Textzusammenhang entsprechend dem Ablauf der Erzählung zu begreifen; er
sucht die inneren Zusammenhänge[79] für die Anordnung der Ereignisse.
Gen. Cap. XXXVIII, 1 lesen wir: „Es begab sich um diese Zeit, daß Judah hinabzog von seinen Brüdern..." Somit wird die Erzählung über
das Geschick Josefs abrupt unterbrochen; das letzte, was wir von ihm
hörten, war sein Verkauf nach Ägypten (Cap. XXXVII); sein Schicksal
in Ägypten imHause Potiphar erfahren wir erst nach dem Bericht über
Judah und Tamar. Der chronologische Zusammenhang zwischen dem

78. Gen. II, 20—23.
79. Hebr. Terminus: „Semikut ha parašah."

Geschick Josefs und Judahs ist durch die Redewendung hergestellt: „es begab sich zu dieser Zeit", doch für Raschi rechtfertigt dies noch nicht die Unterbrechung der Josefsgeschichte, da nur diese für die weiteren Geschicke des Volkes Israel weittragende Folgen haben sollte. Er sucht daher zwischen den beiden Kapiteln nach einem inhaltlichen oder inneren Zusammenhang. Diesen fand er in dem Midrasch über das beiden Geschehnissen gemeinsame Motiv des Niedergangs von der Höhe, im Sinne von Würde; Josef wurde von der Würde des Lieblingssohnes seines Vaters herabgestürzt und — so der Midrasch — desgleichen Judah[80]. Im hebräischen Text heißt es: und Judah ,stieg herab von seinen Brüdern'[81], eine Redewendung, die dem Midrasch-Autor die Assoziation für Judahs ,Abstieg' im Sinne von Degradierung lieferte. Als Jacob sich über den vermeintlichen Tod seines Lieblingssohnes nicht trösten lassen wollte, sagten sie (die Brüder) zu Judah:

„Du hast gesagt, ihn (Josef) zu verkaufen; hättest Du gesagt, ihn zurückzubringen, hätten wir dies getan."

Und so geschah es, daß Judah sich zu derselben Zeit, als Josef nach Ägypten verkauft wurde, mit einem Mann aus Adulam verbündete und sich, wie an Josef, auch an ihn ein unglückliches Geschick heftete[82]. Besonders deutlich wird Raschis Auffassung über die Zusammenhänge der biblischen Erzählungen in seinem Kommentar zu Exod. Cap. XVII, 8: „Und es kam Amalek und kämpfte mit Israel". Dies geschah, nachdem das Volk mit Mose haderte, wider ihn und Gott murrte und Mose im Auftrage Gottes Wasser aus dem Felsen schlug.

Raschi: „Dieser Abschnitt über Amalek folgt hier, Dir zu sagen: immer bin ich (Gott) unter Euch, sorge für alle Eure Bedürfnisse und Ihr sagt: ,Gibt es denn Gott in unserer Mitte oder nicht'[83]. Bei Eurem Leben, der Hund wird kommen und Euch beißen, dann werdet Ihr zu mir rufen und wissen, wo ich bin..."[84]

Die Kundschaftergeschichte (Cap. XIII) folgt auf die Erzählung über den Versuch Miriams, sich gemeinsam mit Aron gegen die Vorherrschaft ihres Bruders Moses aufzulehnen.

Raschi über die Frage der ,semikut haparašah': „Warum schließt sich der Abschnitt über die Kundschafter an den Abschnitt über Miriam an? Weil sie (Miriam) wegen der Worte,

80. Ber. Rab. 85, S. 1031.
81. wa jered Judah: und Judah stieg hinab; Luther, op. cit. ,hinab zoch'; lat.: ... descendens Judas a fratribus suis.
82. Deutlicher der spätere Sforno: Zu derselben Zeit, als Josef aufgrund des Ratschlages Judahs nach Ägypten verkauft wurde ... mußte Judah die Früchte seiner Taten ernten, er zeugte zwei Söhne, die des Todes waren und erfuhr, wie sein Vater Jacob, die Trauer — nicht nur über einen, sondern — über *zwei* Söhne.
83. Exod. XVII, 7.
84. Tanchuma, op. cit., S. 92.

die sie gegen ihren Bruder gesagt hatte, gestraft wurde, und diese Bösewichter (die Kundschafter) sahen dies und nahmen keine Zucht an."[85]

Es ist also nicht die Anordnung der Erzählungen, die über den zeitli-
chen Verlauf der Ereignisse etwas aussagen; es handelt sich immer dar-
um, den gedanklichen Zusammenhang zu suchen. Warum schickte
Gott den Amalekiter gerade in dem Augenblick gegen Israel? Darauf die
Antwort: Um die Gegenwart Gottes, die Israel angezweifelt hat, unter
Beweis zu stellen; nur durch Seine Hilfe kann Israel vor der sicheren
Vernichtung gerettet werden.

f. Vermeintliche Widersprüche in der biblischen Charakterdarstellung
   irgendeiner Person

Kains Schlechtigkeit ist immanent, und seine Schuld nicht das Ergebnis
einer plötzlichen Zornesaufwallung. Vom Beginn der Erzählung an, der
dem unbefangenen Leser in keiner Weise die kommende Katastrophe
ahnen läßt, sieht die rabbinische Exegese, und vor allem Raschi, im Text
Hinweise für die Sündhaftigkeit Kains, die ihn zum Brudermord treiben mußte.
Zu Vers 2: „Abel war ein Viehhirt", bemerkt Raschi:

„Als die Erde verflucht wurde[86], ließ er (Abel) ab, sie zu bebauen."

Er wandte sich also einer Gott wohlgefälligeren Beschäftigung zu, während der Bösewicht Kain sich durch den Fluch nicht vom Ackerbau abhalten ließ. Und zu Vers 3: „Und es begab sich am Ende der Tage, und
Kain brachte Gott eine Gabe von seinen Ackerfrüchten dar", sagt Raschi:

„von den Schlechten (Ackerfrüchten)"[87]

und die Agadah sagt, es waren Leinsamen[88]. Der Leser soll nicht glauben, daß wir es in diesem Fall mit uneigennütziger und wahrer Gottesliebe zu tun haben[89].
Ohne jeden Grund und Anlaß erschlug Kain seinen Bruder, so Raschi.
Nach seinem Verständnis wird Kain auch nicht einsichtig nach der Tat;
dies beweist seine Antwort auf Gottes Frage („wo ist Abel, dein

85. Tanchuma, op. cit., S. 67.
86. Gen. III, 5.
87. Ber. Rab. 22, S. 207.
88. Tanchuma Bereschit 9, S. 9.
89. Raschi fügt eine „andere Erklärung" hinzu: nicht von dem Schlechten und nicht von
dem Guten; das, was gerade zur Hand war. Das Wort „von" (seinen Ackerfrüchten) deutet auf Auswahl hin, doch steht auch bei Abel „von" den Erstgeborenen, und es wird
nicht erläutert, welche Auswahl er traf. (Vielleicht weil „Erstgeborene" immer als ausge-
zeichnet galten.)

Bruder") „bin ich der Hüter meines Bruders?" zur Genüge; trotzdem lesen wir in Vers 13: „und Kain sagte zu Gott: ‚zu groß ist meine Sünde, um sie zu tragen'." Raschi versteht diesen Vers nicht als Feststellung, sondern als Frage:

„in Erstaunen (sagt Kain dies) Du trägst den Himmel und die Erde und meine Sünde kannst Du nicht tragen?"[90]

Obwohl die Fortsetzung der Erzählung Raschis Derašinterpretation ermöglicht — V. 14 heißt es: „so vertreibst Du mich heute von der Ackererde und von Deinem Angesichte" —, interpretieren andere Exegeten Kains Ausspruch als Sündenbekenntnis eines reuigen Brudermörders. Doch ein bußfertiger Kain paßt nicht in Raschis Vorstellung[91]. Kains Abgang paßt zu dem Gesamtbild seiner Persönlichkeit: „Und Kain zog fort aus dem Angesichte Gottes."

Raschi: „In Demut als könnte er den Willen Gottes täuschen."[92]

Verstellung war demnach seine letzte Geste[93].

Jacob ist der vollkommen Gerechte; nichts wird zu seinem Unguten ausgelegt. Weder der Handel mit seinem Bruder um das Recht der Erstgeburt, noch seine List, die ihm den Segen seines Vaters verschaffte, der seinem Bruder Esau zugedacht war. Obwohl Gott der Rebekka vor der Geburt der Söhne verkündete: „... der Ältere wird dem Jüngeren dienen", ist für Raschi Jacob der eigentliche Erstgeborene. Bei der Schilderung der Geburt beider Knaben[94] stellt sich die Frage: warum hielt Esau die Ferse seines Bruders Jacob? Hierzu Raschi:

„weil Esau, obwohl als zweiter gezeugt, nicht dem älteren Bruder den Vortritt lassen wollte"[95].

Der Wechsel von der Pluralform zum Singular in Vers 26: „*sie* (Isaak und Rebekka) riefen seinen Namen Esau, aber *er* (Isaak?) rief seinen Namen Jacob, verlangte eine Erklärung.

---

90. Ber. Rab. 22, S. 217.
91. Sowohl Ibn Esra als auch Nachmanides interpretieren Kains Ausspruch als reuiges Sündenbekenntnis. Nachmanides (nachdem er Raschi zitiert hatte) „und die richtige (Auslegung) ist, daß Kain sagte: ‚wahrhaftig meine Sünde ist zu groß, um sie zu verzeihen (hier: nešo = tragen, im Sinn von verzeihen) und gerecht bist Du Gott und Deine Urteile. Obwohl Du mich hart gestraft hast, und mich von der Ackererde vertrieben hast...'" Ibn Esra: „Und die Erklärung ... daß er (Kain) seine Sünden bekannte, und „tragen" im Sinne von „verzeihen".
92. Ber. Rab. 22, S. 220.
93. Es erhebt sich die Frage, wie kann man von Gott ‚fortziehen'. ER ist doch allgegenwärtig. Kain aber glaubte, daß man von Gott fortziehen könne, also verstellte er sich, um Gott zu täuschen.
94. Gen. XXV, 26.
95. Ber. Rab. 63, S. 687.

Raschi: „Der Heilige, gelobt sei SEIN Name, nannte ihn Jacob. Er sprach zu Isaak und Rebekka: Ihr habt eurem Erstgeborenen einen Namen gegeben, ICH gebe meinem Erstgeborenen (Jacob) einen Namen..."[96]

Für seine Kommentierung der Jacobgeschichten wählt Raschi mit Bedacht die Agadah, die Jacobs Handlungen, welche auch immer, legitimiert, ihn als den Würdigen, den wahren Erstgeborenen, erscheinen läßt. Es heißt: Esau war kundig in der Jagd (Cap. XXVII, 27). Hierzu Raschi:

„Er konnte jagen und seinen Vater betrügen..."[97]

und zu der Fortsetzung des Verses: „ein Mann des Feldes"

„ein müßiger Mensch, der mit seinem Bogen Vögel und Tiere jagt..."

Das Wort „jagen" kann auch die Bedeutung von „jemandem eine Falle stellen, jemanden betrügen" haben. Raschi verwendet beide Bedeutungen. Jagd war in Raschis Augen, dem Bewohner von Troyes im 11. Jahrhundert, wohl kein ehrenwertes Handwerk, das man erlernen muß; für ihn war es gleichbedeutend mit Müßiggang und Herumtreiberei. Aber es gab wohl noch einen zusätzlichen Grund für Raschis Interpretation. In dem Vers hinkt in gewissem Sinne die Gegenüberstellung der Charaktere der beiden Brüder. Von Esau heißt es: ‚er war ein Mann des Feldes', dies paßt zu Jacob, der ein ‚Zeltbewohner' war. Der Bezeichnung ‚jagdkundig' für Esau wird ‚schlicht', für Jacob gegenübergestellt[98]. Man hätte erwarten können, ebenfalls etwas über Esaus Charakter zu erfahren, nicht aber etwas über seine Beschäftigung. Raschi hat also mit seiner Deraš-Erklärung nicht nur Esau in seinem Sinne charakterisiert, sondern darüberhinaus die Parallelisierung der Darstellungen der beiden Brüder hergestellt. Der Text betont ausdrücklich, daß Esau der Lieblingssohn seines Vaters ist, gerade wegen der Jagdbeute, die er nach Hause bringt: „Und Isaak liebte Esau, denn es war Jagdbeute in seinem Munde" (Cap. XXV, 28), eine Mitteilung, die Raschi sichtlich Schwierigkeiten bereitet. Obwohl er interpretiert: „(verstehe den Vers) gemäß der Übersetzung" (Onkelos), kann er es sich nicht versagen, einen Deraš hinzuzufügen: „Im Munde von *Esau* (also nicht von Isaak), der ihn jagte (ihn betrog)." Auch im weiteren Verlauf der Erzählung wird Jacob, trotz aller gegenteiligen Textaussagen, als der Würdige, und Esau als in jeder Beziehung Unwürdiger, sowohl des Erstgeburtsrechtes als auch des Segens, interpretiert[99].

96. Ber. Rab. 63, S. 692.
97. Tanchuma, op. cit., S. 35.
98. Esau war ein Jäger, ein Mann des Feldes, Jacob ein schlichter (tam) Mann, ein Zeltbewohner.
99. Der unbefangene Leser kann nicht umhin, von Isaaks Liebe zu Esau geradezu ergrif-

Raschis Auffassung von der Persönlichkeit des Laban bringt ihn ebenfalls in Schwierigkeiten mit dem Bibeltext, dem man durchaus entnehmen kann, daß sich Jacobs Schwiegervater gutherzig, ehrlich und gastfreundlich erwiesen hat. Cap. XXIX, 13 lesen wir: „Und es war, als Laban die Kundschaft über Jacob, den Sohn seiner Schwester hörte, lief er ihm entgegen, umarmte ihn und küßte ihn und brachte ihn in sein Haus, und er (Jacob) erzählte ihm die ganze Geschichte." Demnach offenbarte Laban verwandtschaftliche Gefühle gegenüber dem Ankömmling.

Doch für Raschi ist Laban der Betrüger par exellence, seine Freude war geheuchelt, seine Absichten unredlich: Er (Laban) lief ihm (Jacob) entgegen, weil „er überzeugt war, daß er Geld aufgeladen hatte, denn der Knecht des Hauses war mit zehn beladenen Kamelen angekommen"[100]. Nicht aus Freude umarmte er ihn, sondern: „als er sah, daß er nichts mitgebracht hatte, (da) sagte er sich, vielleicht hat er Goldstücke mitgebracht und diese sind in seiner Tasche". Auch der Kuß entsprang keiner uneigennützigen Absicht: „vielleicht hat er Perlen mitgebracht, und diese sind in seinem Munde." Labans Aufforderung, Jacob möge in seinem Hause wohnen, erfährt ebenfalls keine schmeichelhafte Deutung; zu dem Vers: „ja freilich, Du bist mein Bein und Fleisch, so blieb er bei ihm einen Monat lang", bemerkt Raschi:

„Nun habe ich keinen anderen Grund,Dich in mein Haus aufzunehmen — da Du nichts bei Dir hast — als um der Verwandtschaft willen, daher werde ich mich einen Monat lang um Dich kümmern[101]. Und so tat er, aber auch das nicht umsonst, denn Jacob weidete seine Schafe."

Er erfüllte also nur die elementarste Pflicht einer Gastfreundschaft, der er sich nicht entziehen konnte, da Jacob „von seinem Fleisch und Bein war" und — so die Hinzufügung Raschis — „auch das nicht umsonst".

---

fen zu werden. Man spürt die Angst des Vaters, er könnte betrogen werden; mehrere Male vergewissert er sich, ob er wirklich Esau vor sich hat (V. 21, 24), und dann: „bring mir heran, und ich werde von der Jagdbeute meines Sohnes essen...", und er (Jacob) trat heran, und Isaak küßte ihn und atmete den Geruch seiner Kleider ein, segnete ihn und sprach: „siehe der Geruch meines Sohnes ist wie der Geruch des Feldes, das Gott gesegnet hat". Und die Liebe des Vaters zu seinem Sohn verströmt in dem vollkommensten Segensspruch, den die Schrift kennt. Raschi merkt sehr wohl die Unstimmigkeiten zwischen seiner Auffassung und dem sinngemäßen Textverständnis, doch verführt ihn seine Parteinahme für Jacob zu textfremden Deraškommentaren. So erklärt er zu V. 27, als Isaak den Geruch von Esaus Kleidern, die Jacob angezogen hatte, einatmet: Es gibt ja keinen schlechteren Geruch als den von Ziegenschweiß (denn nur ein übler Geruch konnte von Esaus Kleidern ausströmen); der Vers aber lehrt uns, daß mit Jacob ein Geruch des Paradiesgartens eingetreten war, und dementsprechend zu „der Geruch meines Sohnes ist wie der Geruch des Feldes", „es wurde ihm (Jacob) ein guter Geruch gegeben, das ist der eines Apfelgartens".

100. Ber. Rab. 70, S. 813.
101. Ber. Rab. ibid.

Die Beispiele lassen sich beliebig vermehren. Abrahams Gerechtigkeit wird aus jeder seiner, auch noch so belanglosen Handlungen herausgelesen. Lots Neigung zum Bösen, sein zwiespältiger Charakter, sind immanent, seine Rettung hat er nicht seinen eigenen, sondern Abrahams Tugenden zu verdanken. Mittels Raschis Deraš-Interpretation stellt sich dem Leser ein widerspruchsloses Bild der handelnden Personen dar, so wie sie sich in seinen Augen manifestierten[102].

3. Hinweise auf Zeitverständnis aus Raschis Kommentaren und Rechtsentscheidungen

Es ist oft die Frage aufgeworfen worden, in welchem Maße Raschis Bibelkommentare als Spiegel für gesellschaftliche Verhältnisse, Stellung der Juden innerhalb der christlichen Gemeinschaft oder Zeitereignisse gelten können. Es ist gewiß, daß Raschi, der aktiv in die Rechtsprechung eingriff, in Fragen von Streitigkeiten Stellung nahm, unmittelbar mit den sozialen Problemen der Juden seiner Zeit konfrontiert wurde. In keiner Weise führte er das Leben eines von der Welt abgeschlossenen Gelehrten. Doch machen Raschis tief schürfendes Einfühlungsvermögen in die Bücher der Hebräischen Bibel und seine umfassende Kenntnis der Midraschliteratur es schwer, eindeutige Hinweise auf gesellschaftliche Verhältnisse der Juden Nordfrankreichs aus seinen Kommentaren herauszulesen. Zu stark bleibt er traditionellen Vorstellungen und Ausdrucksformen verhaftet.

Einen der wenigen mir bekannten Hinweise finden wir in Raschis Erklärung zu der Einkleidung und Ernennung Arons und seiner Söhne zu Priestern: „Und den Söhnen Arons sollst du Untergewänder, Gürtel und hohe Mützen machen, die herrlich und schön seien, und sollst sie

---

102. Hierfür einige Beispiele: Abraham saß am Eingang seines Zeltes, nur um zu sehen, ob nicht jemand käme, den er in sein Haus einladen könnte (Gen. XVIII, 1), und dies „Als der Tag am heißesten war". Gott ließ die Sonne scheinen, damit er nicht von Gästen gestört werden würde; als ER aber sah, daß Abraham sich darüber grämte, schickte er die „drei Männer". Alle seine Verrichtungen, um die Gäste zu bewirten, stellen seine außergewöhnliche Gastfreundschaft unter Beweis: Er nahm ‚feines' Mehl, ein ‚junges' Rind, er gab es dem Knaben Ismael, um ihn an die Gebote zu gewöhnen, etc.

Auf Lot hingegen fällt nur der Glanz der Gerechtigkeit Abrahams; zu ihm kamen „Engel", bei Abraham hießen diese „Männer", da bei ihm (dem Gerechten) die Engel so häufig verkehrten wie Männer. Auch Lot „sah", als er vor seinem Hause saß; dies hatte er von Abraham gelernt, sich um Wanderer zu bemühen. Die Engel erwiderten auf seine Einladung erst: „nein" (XIX, 2), aber zu Abraham sagten sie: „so sollst Du tun"; einem Kleineren gegenüber (Lot) weigert man sich zuerst. Die Engel sagten zu Lot: „schaue nicht hinter Dich" (V. 17) und warum? Die Antwort: „Du hast mit ihnen (den Bewohnern Sodoms) gefrevelt, nur durch Abrahams Gerechtigkeit wirst du gerettet werden, Du sollst deren Strafe nicht sehen..."

deinem Bruder Aron und samt seinen Söhnen anlegen und sollst sie salben und die Hände füllen"[103] (Exod. XXVIII, 40). Aus Raschis Erklärung wird klar, daß er einen Belehnungsakt seiner Tage, den er aus eigener Beobachtung oder aus Erzählungen wohl kannte, vor Augen gehabt hatte:

„Wo dieser Ausdruck ‚Hände füllen' vorkommt, bedeutet er, in ein Amt einsetzen. Wenn jemand ein Amt übernimmt, legt der Herr einen ledernen Handschuh, den man in anderer Sprache (lo'as) ‚gant' (Handschuh) nennt, in seine Hand, und damit räumt man ihm das Besitzrecht an der betreffenden Sache ein."

Ein Lehen, Feudum, muß nicht aus Land bestehen, es kann sich dabei ebenso um ein Amt, verbunden mit Geld, in unserem Falle um das Priesteramt, handeln. Die Übergabe eines Gegenstandes in die Hände des Vasallen, eines Ringes, eines Stabes, aber auch eines ledernen Handschuhs ist das Symbol der künftigen Lehnsabhängigkeit und bleibt in den Händen des Vasallen, so lange dieser im Genuß des Lehens ist[104]. Vielleicht könnte uns Raschis Erklärung zu Sprüche XXIV, 21 einen Hinweis auf mögliches Verhalten mancher geistlicher oder weltlicher Fürsten gegenüber Juden liefern: „Mein Sohn fürchte den Herrn und König..."

Raschi: „Er (der Fürst) soll Dich nicht von der Gottesfurcht ablenken, denn immer geht die Gottesfurcht vor."[105]

Es war sicher nicht der biblische König, sondern der Fürst seiner Zeit, an den Raschi bei dieser Erklärung dachte. Das Problem Zwangsgetaufter, die im Jahre 1016 der Vertreibung aus Mainz durch die Taufe entgehen wollten, spielte in Raschis Tagen eine große Rolle und trat an ihn selber in akuter Form heran[106].
Man hat auf die Rechtsentscheidungen (responsa) Raschis hingewiesen, die von Willkürakten weltlicher Fürsten berichten, und daraus geschlossen, daß fürstliche Gewaltmaßnahmen in Raschis Tagen gegenüber Juden häufiger als gegenüber Christen vorgekommen waren[107]. Doch läßt sich dies, da noch keine völlige Abgrenzung zwischen beiden Bevölkerungsgruppen zu dieser Zeit bestand, schwer beweisen. Es besteht die Möglichkeit, daß es sich in der Responsaliteratur weniger um

---

103. milui jadajim = Hände füllen.
104. S. F.L. Ganshof: Was ist Lehnswesen? Darmstadt 1970³, S. 135. Gerade in Flandern und Nordfrankreich handelte es sich oft um einen ledernen Handschuh. Eine entsprechende Erklärung Raschis zu Richter XVII, 5; auch dort handelt es sich um eine Priestereinkleidung. Auch der spätere Bechor Schor nimmt in seinen Kommentaren auf das Lehnswesen Bezug, s. S. 162.
105. Fs. „und mische Dich nicht unter die Aufrührer", hierüber s. S. 103.
106. S. S. 68.
107. J. Baer, Rashi and the historical Reality of his time (hebr.), in Tarbiz, 20, Jerusalem 1950, S. 322.

reine Willkürakte als um rücksichtslose Ausnutzung aller Feudalrechte gehandelt hatte, von denen gegebenenfalls Juden und Christen gleichermaßen betroffen wurden.

Aus einem Responsum erfahren wir, daß Simon gezwungen wurde, sein Haus zu verlassen und umherzufahren, da der Fürst sein Gut von ihm genommen hatte; doch den Grund für das fürstliche Vorgehen erfahren wir nicht. Vielleicht handelte es sich um die Nichtbegleichung einer Schuld[108].

Aus einem anderen Rechtsentscheid entnehmen wir, daß der Herr der Stadt Simon ins Gefängnis geworfen und ihm Weinberg und Steuerpacht fortgenommen hatte, weil — und diesmal erfahren wir den Grund — er seine Steuerpacht nicht bezahlen konnte. Die Mutter des Simon bat den Fürsten mit Erfolg um die Rückgabe des Weinbergs und der Steuerpacht als Lehen. Gerade diesem Fall können wir entnehmen, daß es sich um übliche Ausnutzung von Feudalrechten gehandelt hat. Nach ihrem — der Mutter — Tod fiel beides an den Herrn zurück, der die Lehen ein Jahr in seinen Händen hielt, vielleicht um selber den eigentlichen Wert derselben ermessen zu können, um erst dann wieder den Simon damit zu belehnen[109].

Allerdings besitzen wir auch Beweise für die Hilflosigkeit jüdischer Kaufleute und Geldverleiher gegenüber Schuldnern, die ihre Zinsen nicht zahlen wollten oder konnten. Aus einem Rechtsentscheid aus dem 11. Jahrhundert erfahren wir, daß ein Jude, der in Handelsgeschäften von einem Adligen zum anderen reiste, von nicht zahlungswilligen Gläubigern bedroht wurde, ins Gefängnis geworfen zu werden. Als sie seiner nicht habhaft werden konnten, ergriffen sie an seiner Stelle seine Söhne und andere Juden und setzten diese gefangen[110]. Willkürakte lassen sich gewiß nachweisen, es fragt sich nur, ob und in welchem Maße Juden im 11. Jahrhundert mehr als andere Kaufleute davon betroffen wurden[111].

---

108. Müller op. cit. Nr. 29.
109. Müller op. cit. Nr. 30.
110. Urb. Civil. S. 99, Nr. XXIII, aus einem Responsum des Gerschom ben Jehudah, um 1007. Doch aus diesem Responsum erfahren wir auch, daß dieselben Adligen die Bauern beraubten und das gestohlene Gut bei dem Juden, dem sie Geld schuldeten, in Zahlung gaben. Der Jude zog sich damit gleichermaßen den Zorn der Bauern zu.
111. Gregor VII. nennt Philipp I. von Frankreich in einem Brief an die Bischöfe Frankreichs nicht ‚rex‘, sondern ‚tyrannus‘, „... quin etiam mercatoribus, qui de multis terrarum partibus ad forum quoddam in Francia nuper convenerant... More predonis infinitam pecuniam abstulit“, Regest. Gregor VII., ed. Caspar, Berlin 1920, S. 129. Wahrscheinlich handelte es sich um erzwungene Abgaben für ausländische Kaufleute auf den großen Messen vor allem in der Champagne. So Caspar, ibid. S. 131. Ähnliche Beschwerden Gregors VII. gegen Philipp I., gerichtet an den Hg. von Aquitanien, S. 150 und an den Eb. von Reims, S. 168. Hier hätten wir einen Hinweis, daß nicht nur jüdische Kaufleute unter den Willkürakten zu leiden hatten.

Raschis Kommentar zu Ezechiel, Cap. XXVII, 3 — Das Klagelied über Tyrus — hat die Vermutung nahegelegt, daß er Handelsgebräuche seiner Zeit und seiner Umgebung auf Tyrus übertragen hatte[112].

Raschi: „Und es war Sitte, den Kaufleuten, die vom Süden und vom Norden kamen zu untersagen, Handel untereinander zu treiben. Die Einwohner der (Markt)stadt kauften von dem einen und verkauften an den anderen."

Zwar ist es schwer, für Handelrestriktionen fremder Kaufleute, insbesondere der Champagner Messen, Belege zu finden; es ist sogar anzunehmen, daß gerade bei den großen Jahresmessen absolute Handelsfreiheit geherrscht hatte. Doch geht aus der Responsaliteratur hervor, daß die jüdischen Gemeinden ihre Kaufleute durch Verordnungen zu unterstützen versuchten, indem sie fremden Händlern Restriktionen auferlegten[113]. Darüber hinaus ist anzunehmen, daß sich die konsolidierenden christlichen Gilden ebenfalls durch bestimmte Maßnahmen vor der Usurpierung des örtlichen Marktes durch fremde Kaufleute zu schützen suchten. Allerdings finden wir Belege für die Einführung des Stapelzwanges erst ab Mitte des 12. Jahrhunderts[114]. Wie dem auch sei,

Baer, op. cit. S. 323, schließt aus einem Responsum auf äußerst bedrückende Zustände der jüdischen Gemeinden bereits vor dem 1. Kreuzzug. Wir erfahren, daß ein Stadtherr höhere Steuern als gewöhnlich der Gemeinde auferlegt hatte. Die Rechtsanfrage handelt von der möglichen Befreiung von der höheren Steuerauflage eines einzelnen, der sich auf besondere Abmachungen, die zwischen ihm und dem Stadtherrn getroffen wurden, berufen konnte, aufgrund einer potentiellen Erhöhungen befreit werden sollte. (Die Rechtsanfrage bei Müller, op. cit., Nr. 33.)

Doch sollte man nicht vergessen, daß die Responsaliteratur Streitfälle und Übergriffe zu ihrem eigentlichen Thema hat, so daß sie über die Beziehungen zwischen Juden und Christen notgedrungen ein einseitiges Bild wiedergibt.

112. So A. Berliner, Aus der Geisteswerkstatt Raschis, Ffm. 1905, S. 6. — B. Weinryb: Rashi against the Background of his Epoch, in Rashi Anniversary Volume, NY. 1941, S. 40. Dagegen argumentiert S. Baron „Rashi and the Community of Troyes", ibid. S. 48, berücksichtigt aber nur die großen Jahresmessen. Belege dafür oder dagegen bei keinem dieser Historiker.

113. Es besteht eine Verordnung der Stadt Arles, daß keiner an eine Ware herantreten kann, bevor diese nicht die Stadt erreicht hatte. Es handelt sich hier um ein Gesetz der ‚Vorwegnahme'. — In dem Responsum wird von einem Juden berichtet, der aus der Stadt Arles hinauszog, und sich in einem Vorort ansiedelte, um an Waren, die in der Stadt auf dem Markt verkauft werden sollten, herankommen zu können (Urb. Civ. S. 215ff, nr. LXIV Resp. des Meschullam b. Kalonymus. Her. Age S. 86). Es bestand eine andere Verordnung — Teilkauf: Alle Einwohner einer Marktstadt hatten das Recht, eine Ware, die in die Stadt verbracht wurde, zu erwerben. Agus, Her. Age, S. 88, ebenso Urb. Civ. S. 256—59. (Beispiel: ein Jude brachte Waren aus Polen, alle vier Kaufleute dieser Stadt hatten das gleiche Anrecht auf die Ware, also teilten sie.) — Außerdem gab es das Gesetz ‚des ausschließlichen Kunden' (hebr.: ma'arifah); ausführlicher hierüber Agus, Her. Age, S. 79ff. Die jüdischen Gemeinden taten somit ein Übriges, um die Handelsinteressen ihrer Mitglieder zu schützen, und zweifellos sind wir berechtigt, ähnliches für die christlichen städtischen Kaufmannschaften vorauszusetzen.

ich glaube annehmen zu dürfen, daß Raschis Aussage, die er in sehr bestimmter Form vorbrachte, seinen eigenen Beobachtungen und Erfahrungen entsprechen könnte. Schließlich ist es bekannt, daß er Reisen sowohl in Nordfrankreich als auch in die rheinischen Städte unternommen hatte; außerdem bezeugen seine zahlreichen Rechtsentscheide auf allen Gebieten des persönlichen und beruflichen Lebens eine weltweite Erfahrung und Kenntnis von Vorkommnissen und Gebräuchen.

Krisen in den Beziehungen zwischen Juden und Christen, die sich in Katastrophen auswirkten, sind an Raschi alles andere als spurlos vorübergegangen. Feudalrechtliche Übergriffe, Enteignungen sind nicht die bittersten Probleme gewesen, mit denen sich Raschi auf dem Gebiet der Rechtsprechung konfrontiert sah. Es war die Existenz der Zwangsgetauften, welche Gerschom ben Jehudah bewog, eine Rechtsvorschrift zu erlassen, die es, unter Androhung des Bannes, verbot, den zum Judentum zurückgekehrten Zwangsgetauften — das Problem wurde aktuell nach der Vertreibung der Juden aus Mainz, der sie sich durch die Taufe entziehen konnten — mit Vorwürfen oder gar mit Verachtung begegnen. In einem Responsum stützt Raschi sich auf diese ‚Taqanah‘ des Gerschom ben Jehudah. Zwei Familien aus der Stadt ‚Kablon‘[115] lagen miteinander in heftigem Streit, in dessen Verlauf die eine Familie die andere beschuldigte, sie hätte in den Tagen der Verfolgungen sich durch die Taufe ‚verunreinigt‘. Raschi beruft sich auf die Verordnung des Gerschom und droht der Familie, die dem Gegner die Zwangstaufe vorgeworfen hatte, mit dem Bann[116]. Raschi war ein Schüler des Gerschom, der durch die Katastrophe besonders betroffen wurde — sein Sohn war unter den Zwangsgetauften — und in Bußliedern das Leid der Opfer beklagte[117]. Für Raschi bedeutete das tragische Dilemma der zwangsweise Abtrünnigen, die zum Judentum zurückkehrten, höchste Aktualität.

Es ist die Behauptung aufgestellt worden, daß Raschis Bibelkommentare nur auf dem Hintergrund der christlich-jüdischen Polemik zu verstehen sind. Eine rabbinische Bibelinterpretation der Gesamtschrift einer christologischen gegenüberzustellen, wäre sein Hauptanliegen gewesen.

---

114. Über die Einführung des Stapelzwanges und seine Entwicklung, ungefähr von der Mitte des 12. Jh. an in Köln (fremde Kaufleute wurden verpflichtet, ihre Waren für eine gewisse Zeit einzulagern, so daß die ortsansässigen Kaufleute ein Vorkaufsrecht hatten) bei O. Gönnenwein, Das Stapel- und Niederlassungsrecht, Weimar 1939, S. 18ff.

115. Chalons sur Saône, zwischen Troyes und Clermont, s. Gross, G.J., S. 591/592.

116. Müller, op. cit., Nr. 21, Agus, Urb. Civ. S. 499. Raschi fügt seiner Entscheidung hinzu: „Und Ihr richtet Euer Herz nach dem Frieden aus, und begreift, daß wegen unser (aller) Sünden, diese in der Nachbarschaft furchtbar geschlagen wurden ... und der Friede soll Euch Hilfe und Stütze sein, dann kann der Teufel nicht über Euch Herr werden." Müller Nr. 23.

117. Grätz, Bd. V, S. 543.

„Der große Exeget wollte eine ähnliche Aufgabe erfüllen wie die der Midraschautoren und der Poeten, die vor ihm gelebt hatten. Doch da er seine Ausdrucksmöglichkeiten nicht in der Poesie zu finden glaubte, und die Juden seiner Generation noch nicht den Weg zur Abfassung von Schriften über Glauben, Ethik und religiöse Auseinandersetzungen gefunden hatten, identifizierte er sich und seine Zeitgenossen mit dem Inhalt der Heiligen Schrift"[118].

Ich bin grundsätzlich bereit, eine solche These, wenn auch nicht in dieser Schärfe, zu übernehmen. Diejenigen Kommentare, die eine derartige Tendenz Raschis bezeugen könnten, sind, angesichts des Gesamtmaterials, nicht so zahlreich, so daß anzunehmen ist, daß noch andere Motivationen Raschis Entschluß, nachdem er sein Hauptwerk, die Kommentierung des Babylonischen Talmuds, abgeschlossen hatte, zugrunde gelegen haben. Es ist oft die Frage gestellt worden, für welches Publikum Raschi seine Bibelkommentare schreiben wollte, und häufig ist die Ansicht vertreten worden, daß Raschi ein Volkslehrer sein wollte, um die Bibel den breiten Massen zugänglich zu machen. Ich will mich der Meinung derjenigen anschließen, die Raschi vor allem als Lehrer begreifen, dessen Anliegen es gewesen war, ein Lehrbuch für seine Schüler zu schreiben. Der gemeine Mann, der der hebräischen Schriftsprache nicht mehr mächtig gewesen war, konnte sich schwerlich mittels Raschis Kommentaren, die sich vor allem durch gedrängten Stil und prägnante Kürze auszeichnen und gründliche Bibelkenntnis voraussetzen, zurechtfinden. Die Kommentare sind verständlich und nützlich für den gelehrten Schüler[119], dem die Raschikommentare das rechte Bibelverständnis vermitteln sollten. Diese Aufgabe erfüllen sie voll und ganz, wie die Aktivität der Raschischule der folgenden Generationen bewies, die ihren Einfluß auf die christlichen Gelehrten nicht verfehlte.

Daß Juden und Christen weit intensiver miteinander in Verbindung traten, als es die Geschichtsschreibung, die jüdische wie auch die nichtjüdische, berücksichtigt, habe ich bereits oben betont. Um nun die These zu untersuchen, in welchem Maße die Raschikommentare die Geschichte der Juden Nordfrankreichs und Deutschlands im 10. und 11. Jahrhundert widerspiegeln, in wie weit sich aus ihnen Zeitereignisse, Beziehungen und Einstellungen der Juden zur christlichen Umwelt herauslesen lassen, müssen wir uns mit Berichten über christlich-jüdische Begegnun-

---

118. J. Baer, op. cit. S. 325.
119. Lifschitz, op. cit. S. 174, gegen die Auffassung, die in Raschi den Lehrer des Volkes, das der Bibel nicht mehr kundig war, sieht. Raschi interpretierte die Bibel für den gelehrten Juden seiner Zeit. — Ebenso A. Berliner, Toldot Raschi (hebr.), 2. Aufl., Ffm., 1905, S. 9ff, der den Anteil der Schüler Raschis an der Bibelauslegung betont, und auf die Zufügungen oder Weglassungen des Rabbi Schemajah, einer der bekanntesten Schüler Raschis, zu den Raschikommentaren hinwies. Über die berühmtesten und einflußreichsten Repräsentanten der Raschischule s. ausführlich S. 129f.

gen, mit Äußerungen der Christen über Juden, mit dem Bild des Juden bei den christlichen Zeitgenossen, befassen.

Aus der Responsaliteratur tritt uns der nichtjüdische Machthaber meist als der Kontrahent, wenn nicht als Bedroher und Feind entgegen; das liegt zum großen Teil in der Natur dieser Literaturgattung, bei der es um Rechtsanfragen und Auskünfte geht, und der Mächtigere ist eben meist der Aggressor oder wird als solcher empfunden. Doch erstellt sich zuweilen aus Chroniken und Berichten ein differenzierteres Bild.

Wir erfahren, daß die Juden Kölns den Tod des Erzbischofs Anno im Jahre 1075 bitter beklagten[120], und daß die Juden der Stadt Metz noch zwanzig Jahre nach dem Ableben des Erzbischofs Adalbert, zur Wiederkehr seines Todestages, Trauerfeierlichkeiten abhielten[121]. Trauer und Klage äußerten auch die Juden von Mainz am Begräbnistage des Erzbischofs dieser Stadt[122].

Über Sigbert von Gembloux wird anläßlich seiner Reise nach Metz berichtet, daß er sich der Sympathien der Einwohner der Stadt erfreute, und ausdrücklich wird betont, auch der Juden. Interessant ist die Begründung: Er war imstande, die hebräische Version des Bibeltextes von den übrigen zu unterscheiden. Er war bereit, sich der Meinung seiner jüdischen Gesprächspartner anzuschließen, über die Bedeutung einer Bibelstelle, wenn diese mit der „Veritas Hebraica" übereinstimmte[123].

120. MGH SS, Vita Annonis, XI, S. 503, Regest. Nr. 165, S. 69.
121. Adalbert von Metz (984—1004), der Bericht von seinem Biographen Constantin aus dem Jahre 1015, MGH, SS, IV, S. 661, PL 139 col. 1556, Blkr. Auteurs, S. 244, Nr. 208, Regest. Nr. 148, S. 63.
122. Vita Bard. maior, vom Jahre 1051, c. 28, MGH, SS, XI 341, Regest. Nr. 155, S. 65/66.
123. Gest. Abb. Gembl. PL 160, col 641 B = MGH, SS VIII, S. 550, Regest. Nr. 161, S. 67 „nec solummodo christianis set et judeis in eadem urbe commanentibus erat carissimus, pro eo quod Hebraicam Veritatem a ceteris editionibus secernere erat peritus et in his quae secundum Hebraicam Veritatem dicebant, Judaeorum erat consentiens assertionibus".

IV. Die christliche Szene

1. Christen und die Veritas Hebraica

Seit den Tagen des Origines und Hieronymus spielten Juden zwecks
Auffindung der Veritas Hebraica als Gesprächspartner christlicher Gelehrter eine entscheidende und gleichzeitig beunruhigende Rolle[1]. Die
„Veritas Hebraica", auf welche sich die Bibelgelehrten des Mittelalters
beriefen, findet bei näherer Untersuchung ihren Ursprung entweder in
der Übersetzung des Hieronymus oder in den Belehrungen jüdischer
Gesprächspartner. Ein repräsentatives Beispiel ist der „hebreus modernis temporibus", dem Hrabanus Maurus, laut eigener Aussage, seine
Kenntnisse verdankte[2]. Ebenso darf man annehmen, daß die Kenntnisse
des anonymen Autors der „Quaestiones hebraicae in libros regum et Pa-
ralipomenon", eines Zeitgenossen des Hrabanus Maurus, nicht nur auf
Hieronymus, sondern gleichermaßen auf einen jüdischen Gesprächspartner zurückzuführen sind[3].
Die karolingische Ära ist reich an Begegnungen zwischen Juden und
Christen, und vielleicht verdanken die Juden ihre einmalige Stellung am
Hofe Karls des Großen und Ludwigs des Frommen nicht nur ihrer
wirtschaftlichen Bedeutung für die Konsolidierung eines Hofstaates,

---

1. Über Origines und Hieronymus hebräische Gesprächspartner s. S. 198f.
2. S. S. 204.
3. Eingeschoben in die Schriften des Hieronymus, PL 23, col. 1329ff. Man nimmt an, daß
der Verfasser ein Christ gewesen ist, der sich mit Juden beraten hatte; so Smalley op. cit.,
S. 43. Außer den Glossen zu einigen Schriften der Hebr. Bibel hinterließ er einen kurzen
Textvergleich zwischen dem hebr. Text und dessen lateinischer Übersetzung eines Verses
aus dem Deboralied (Richter V, 14), der eine gewisse Kenntnis der rabbinischen Tradition verraten könnte.
Die Lutherübersetzung entspricht dem hebr. Text: „Aus Efraim war ihre Wurzel wider
Amalek, und nach ihm Benjamin in deinen Völkern." Der Autor der „Quaestiones" fügt
hinzu: „quod ait o Amalek, in hebraeo non legitur sed latinus interpres sensus gratia hoc
addidit (ergo: Benjamin in Deinen Völkern, Oh Amalek). Raschi und nach ihm David
Kimchi interpretieren: Die Wurzel Efraims ist Josua, der als Erster gegen Amalek kämpfte (Exod. XVII, 13), nach ihm Benjamin. Saul war der Zweite, der gegen Amalek kämpfte
(I. Sam. XV). Wenn also die lateinische Version „oh Amalek" hinzufügt, so ist dies gemäß dem Sinn, wie der Autor sagt, aber auch gemäß der rabbinischen Tradition. Die
Glosse zu Richter V, 14 bei S. Berger: Quam notitiam Linguae Hebraicae habuerint Christiani Medii Aevi Temporibus in Gallia, Paris 1893, S. 4.

sondern in nicht geringem Maße der Tatsache, daß die karolingischen
Herrscher ihr Königtum in Anlehnung an biblische Vorbilder als ein
Gotteskönigtum und sich selber als die geistigen Nachfolger der Davidi-
den, der von Gott gesalbten Herrscher, verstanden. Zahlreich sind in
der zeitgenössischen Literatur die Hinweise auf biblische Vorbilder zu
dem Königtum Pippins oder Karls. Pippin wird nicht nur als neuer Mose, sondern als wiedererstandener David bezeichnet[4]. Karl der Große
wird mit Josia verglichen, der den Kultus reformierte und den Bund
zwischen Gott und seinem Volk erneuerte[5]. Das Volk der Franken
nannte sich „gens sancta, regale sacerdotium, populus adquisitionis"[6].
Karls des Großen Reich symbolisiert daher das biblische Jerusalem,
über das der Prophet[7] gesagt hat: „de Sion exibit Lex et verbum Domini
de Hierusalem."[8]. Auf diesem Hintergrund scheint es glaubwürdig, daß
man die Juden, wie sie sich, laut Agobard, in ihrer „Insolentia" vor den
Bürgern Lyons brüsteten, am Hof hoch schätzte, weil sie von den Pa-
triarchen abstammten[9].
Sowohl Alcuin wie auch Rodbertus Paschasius berichten über jüdische
Gesprächspartner, obwohl ihre „Veritas Hebraica" Hieronymus als
Quelle verraten. Wirkliche hebräische Sprachkenntnisse sind in dieser
Epoche schwer nachzuweisen[10]. Die Veritas Hebraica, überliefert durch
Hieronymus oder vermittelt durch zeitgenössische Juden, diente zur

---

4. MGH, Merow. et Karol. Aevi Epist. I, Nr. 11, S. 505: „Quid enim aliud quam novum
te dixerim Moysen et praefulgidum asseram David regem?" (Papst Stefan II. an Pippin
vom Jahre 757). „Novus quippe Moyses novusque David in omnibus operibus suis effec-
tus est christianissimus et a Deo protectus filius et spiritalis compater, dominus
Pippinus...", ibid. Nr. 39, S. 552. — Alcuin an Karl: „haec est o dulcissime David, gloria
laus et merces tua in judicio diei magnis in perpetuo sanctorum consortio", ibid. T. II, S.
176. — „Gloria et laus Deo omnipotente pro salute et prosperitate vestra dulcissime David...", ibid. S. 351.
5. MGH Capit. I ed. Boretius, S. 54: „Nam legimus in regnorum libris (II cap. XXIII) quomodo sanctus Josia regnum sibi a Deo datum circumeundo corrigendo ammonendo ad
cultum veri Dei studiit revocare."
6. Exod. XIX, 6 (Israel), MGH Merow. Karol. Aevi, Epist. I, Cod. Carol. Nr. 39, S. 252
(für die Franken).
7. Jes. II, 3.
8. MGH Epist. Merow. et Karol. Aevi II, S. 270. Weitere Belege bei W. Mohr, Karolingische Reichsidee, Münster 1962, S. 74ff. Ders., Alttestamentl. Gedankengut in der Entwicklung des Karolingischen Kaisertums, in „Miscellanea Medievalia 4" (Judentum im
MA), Berlin 1966, S. 382—410.
9. „Dum enim gloriantur mentientes simplicibus christianis, quod chari sint vobis propter patriarchas, quod honorabiliter ingrediantur in conspectu vestro et egrediantur; quod
excellentissimae personae cupiant eorum orationes et benedictiones, et fateantur talem se
legis auctorem habere velle, qualem ipsi habent..." (De Insol. PL 104, col. 74 B).
10. Wie sehr man die Berufung auf die Veritas Hebraica tatsächlichen hebräischen Sprachkenntnissen gleichsetzte, bezeugt Roger Bacons Aussage über Beda Venerabilis, er nannte
ihn: „litteratissimus in grammatica et linguis originalibus..." Roger Bacon, opera quaedam
hacteneus inedita RS 15, 1857, S. 332. Über Bedas Kenntnisse des Hebräischen s. S. 203.

Auffindung des „sensus historicus", einer Schriftstelle, der dem „pešuto šel miqra" der rabbinischen Auslegung entspricht[11]. Doch war es im 9. Jahrhundert weniger der „einfache Wortsinn" der jüdischen Tradition, von welchem sich die christlichen Geistlichen und Gelehrten beeindrucken ließen. Agobards und auch Amulos Kenntnisse nicht nur des jüdischen Religionsgesetzes, sondern vor allem auch mystischer Überlieferungen weisen auf weite Verbreitung dieser Gattung des Midrasch-Agadah hin[12].

Doch erkannte man wohl im karolingischen Zeitalter die Notwendigkeit hebräischer Sprachkenntnisse für das Bibelstudium, aber noch bezog man diese weniger durch linguistische Studien als durch Gespräche mit gelehrten Juden. Das Neue in den Bemühungen der karolingischen Bibelgelehrten manifestierte sich auf zwei Ebenen: man befragte die patristischen Autoritäten und — angeregt durch die Erkenntnisse, welche die „Veritas Hebraica" — des Hieronymus vermittelte — man bemühte sich, um selbst Textvergleiche anstellen zu können, um wenigstens elementarste hebräische Sprachkenntnisse.[13]

Bibelkorrektion wurde zur Beschäftigung einiger Zisterziensermönche. Den Anfang machte Stefan Harding. Der Abt von Citeaux korrigierte lateinische Versionen der Bibel aufgrund von Vergleichen mit dem hebräischen Text. Doch bezog auch er seine hebräischen Kenntnisse eher aus seinen Gesprächen mit Juden — von denen er selber berichtet — als aus eigenen linguistischen Studien[14].

2. Ein Beispiel für christliches Midraschverständnis: Nicolaus von Manjacoria

Aufschlußreich für die Begegnungen zwischen gelehrten Juden und Christen zu Gesprächen über Textversionen und Interpretationen ist die Aktivität des Nicolaus von Manjacoria in der ersten Hälfte des 12. Jahrhunderts[15]. Dieser, ein gelehrter Mönch aus Trois Fontaines, be-

11. Ausführlich s. S. 198f.
12. S. S. 181 n. 15.
13. B. Smalley, op. cit. S. 43 über Theodulf von Orléans (Zeitgenosse Alcuins) Korrekturen lateinischer Manuskripte aufgrund von Vergleichen mit dem hebr. Text. Man bemühte sich zumindest das hebräische Alphabet zu erlernen. Über linguistische Studien nicht nur der hebräischen, sondern vor allem der griechischen Sprache, siehe Smalley, ibid.
14. Unde nos de discordia nostrorum librorum quos ab uno interprete suscepimus, ammirantes, judeos quosdam in sua scriptura peritos adivimus, ac diligentissime lingua romana ab eis inquisivimus de omnibus illis scripturarum locis, in quibus illae partes et versus habebantur, quos in nostro praedicto exemplari inveniebamus..." (Berger, op. cit. S. 9); dort auch Stefan Hardings Textvergleiche zum Buch Hiob.
15. Berger, op. cit. S. 11, kommt zu dem Schluß, daß Nicolaus in der zweiten Hälfte des 12. Jahrhunderts gewirkt hatte, zur Zeit Inn. II. und Celest. II. Dagegen A. Wilmart: „Ni-

schäftigte sich intensiver als seine Vorgänger mit textkritischen Vergleichen der lateinischen Versionen, wobei auch bei ihm die Übereinstimmung mit der „Veritas Hebraica" die entscheidende Rolle spielte. Er be-
schäftigte sich vor allem mit den Psalmen und bevorzugte bei seiner Arbeit die Übersetzung des Hieronymus, da diese der „Veritas Hebraica"
entsprach[16]. Vor allem bemühte er sich, eine sinnvolle Methode bei seiner Arbeit der Textvergleiche und Verbesserungen anzuwenden und zu
formulieren. Einen tiefen Eindruck hinterließ bei ihm ein Mönch, den
er anläßlich eines Besuches in einem Ordenshause bei seinen Textstu-
dien beobachtete. Dieser schrieb in ein altes guterhaltenes Textexemplar
alles hinein, was er Unterschiedliches in neueren Versionen vorfand, in
der Annahme, daß der vollständigste Text auch der genaueste sei. Nach
dieser augenscheinlichen Erfahrung legte Nicolaus Regeln fest für kritische Überprüfung und Vergleich mit Textversionen[17].
Nicolaus erklärt, daß er mit einem Hebräer über die Psalmenüberset-
zung des Hieronymus diskutiert hätte[18]. Es wäre in ihm der Wunsch erweckt worden, die hebräische Sprache zu erlernen, da nämlich nur dann
die Zweifel und Unsicherheiten beseitigt werden könnten, wenn man
sich mit dem hebräischen Text konfrontiert sieht[19]. Es erheben sich je-

colaus von Manjacoria, Cistercien a Trois Fontaines", in Rev. Benedict. 33, S. 136—143,
datiert überzeugend in die erste Hälfte des 12. Jahrhunderts. Demnach wirkte er im Kloster des St. Anastasius von Trois Fontaines unter dem Abt Bernhard, dem späteren Papst
Eugen III., d.h. unter dem Pontificat von Lucius II., desgl. V. Peri, „Correctores Immo
Corruptores, Un Saggio Di Critica Testuale Nella Roma Del XII secolo", in: Italia Me-
dioevale E Umanistica, Vol. XX (1977). Seine Werke: „Libellus de correctione psalmorum et aliarum quarundum scripturarum", außerdem sein Werk „De Ecclesiasticis Offici-
is secundum ordinem ecclesiae Romanae" und eine Einführung in die Textkritik des AT:
„Suffraganeus Bibliothecae". Wilmart, op. cit. S. 139.
16. „... curiose notare et occasiones singularum corruptionum quanta possum cura dete-
gere, adhibitis michi ad hoc undecunque suffragiis et maxime fonte veritatis Hebraicae, de
quo me scis etsi modicum degustasse...", Correctores Immo Curruptores, cit. nach Edit.
Peri, op. cit. S. 88 (144 r).
17. „Ego autem multa investigans volumina, in novis tantum haec superflua deprehendi,
seu etiam in his veteribus, quae novorum aemulatio corrupisset. Dixi quoque in corde
meo de adiunctionibus istis, ut omnes de tota Bibliotheca exciperem et dictiones inter
quas continentur notarem." Peri, S. 122 (158 r) — und in seinem Vorwort zum Suffraganeus: „Hoc ergo modo studui in quantum potui superflua resecare, transformata reforma-
re et ea readdere que a presumptoribus tamquam superflua fuerant amputata: tribus enim
modis solent exemplaria depravari: apponendo, commutando et suptrahendo", Suffraganeus zit. Berger op. cit. S. 13.
18. Er berichtet über einen „quidam Hebraeus, mecum disputans et paene singula quae ei
opponebam de psalmis aliter habere se asserens..." Peri, op. cit. S. 91 (145 r).
19. Seine Arbeitsmethode stellt er selber ausführlich dar: „Tunc primum ad Hebraeae linguae scientiam aspiravi. Et cum postmodum Bibliothecam studiose conscriberem multis-
que superfluitatibus expiarem, huic editioni diligenter discussae locum psalteri deputavi.
Cui et praefatiunculam addidi de diversis translationibus disserentem, numerum psalmorum iuxta Hebraicum sed et versuum indicantem, quot psalmi titulis careant, quot alpha-

doch Zweifel, ob seine Studien der hebräischen Sprache es ihm ermöglicht hatten, sich selbständig mit den Vergleichen zur hebräischen Bibel auseinanderzusetzen. Bestimmte Kommentare zum Inhalt einiger Verse aus Genesis, Könige und Jeremias verraten wohl den jüdischen Gesprächspartner, nicht aber unbedingt selbständige hebräische Sprachkenntnisse. Außerdem — und darauf kommt es mir in diesem Zusammenhang an — bleibt es mehr als unklar, ob er nur die rabbinische Tradition kannte oder darüberhinaus auch die Textschwierigkeiten begriffen hatte, die die Motivation zur rabbinischen Deraš-Exegese geliefert hatte. Im folgenden will ich mich kurz mit einigen seiner Auslegungen zu Texten der hebräischen Bibel befassen, denen zweifelsohne rabbinische Traditionen zugrunde liegen[19a].

Gen. XI, 29: „Nomen Sororis Abraham Sarai, haec est Jesca."[20] Dies ist eine Simplifizierung des Midrasch. Es heißt: „Jesca, das ist Sarah." Die Umdrehung, die Nicolaus vorgenommen hat, ist sicher nicht sinnentstellend, aber auch nicht zufällig. Er übernimmt den Midrasch, ohne daß es dem Leser klar wird, ob er die Textschwierigkeit erkannt hat, die der Midrasch zu lösen versucht. Es heißt in diesem Vers: „Und es nahmen sich Abraham und Nahor Frauen, der Name der Frau Abrahams (war) Sarai und der Name der Frau Nahors (war) Milkah, die Tochter des Haran. Dieser war der Vater von Milkah und Jeskah." Der Name Jeskah erscheint hier zum ersten Mal als Name der Tochter des Haran. Nachdem man nun den Namen von Milkahs Vater erfahren hatte, müßte man erwarten, auch den Namen des Vaters von Sarai zu erfahren, stattdessen hören wir von Jeskah, die später auch nicht mehr erwähnt wird. Daher der Midrasch des Raschi: „Jeskah, das ist Sarai, weil sie unter dem Geist des Heiligen ‚weilt'[21] und weil alle unter ihrer Schönheit ‚weilen'." Doch ist die Textschwierigkeit so groß, daß Raschi noch einen anderen Midrasch hinzufügt: „Jeskah, das heißt ‚nešikah'"[22].

Nicolaus zu Gen. XLI, 45: „tradunt Hebraei emptum ab hoc (Potifera) ob nimiam pulchritudinem in turpe ministerium, et a domino virilibus ejus arefactis, postea electum esse in pontificatum Elipoleos, et hujus fi-

---

beto texantur quotiens repetatur in psalterio diapsalma, quotiens alleluia et quid utrumque significet. Cuius quidem comparatione alia psalmorum volumina vix sunt psalteria nominanda. Veruntamen haec translatio plus veritati propinqua est quam Romana, etsi haec et illa et quam edisserit Origines et quam exponit Augustinus et de qua tractat Ambrosius, sed et aliae quascumque vidisse me recolo multum dissideant ab Hebraica veritate", Peri, S. 91 (145 r).

19a. Beispiele bei Berger, op. cit. S. 13/14.

20. Gemeint ist nicht die Schwester, sondern die Frau Abrahams, entweder handelt es sich um einen Fehler des Kopisten oder um einen Irrtum Nicolaus, da Abraham Sarai, als sie nach Ägypten kamen, aus Furcht vor Pharao als seine Schwester ausgab.

21. Jeskah enthält die Radikalen *skh* = weilen.

22. Sarah und nešikah haben die gleiche Bedeutung = Fürstin.

liam esse Aszenesz, uxorem Josef." Doch wieder erfahren wir nicht, ob
der Text eine Deraš-Erklärung verlangte. Potiphar, welcher Josef gekauft hatte, wird in diesem Kapitel ohne zusätzliche Erklärung Poti-fera
genannt, und der Midrasch will darauf hinweisen, daß es sich um dieselbe Person handelt; Potiphar hat, nachdem er seine Männlichkeit durch
eigene Schuld verlor, jetzt den Namen Poti fera (Pera = verödet)[23].
Deutlich wird Nicolaus sehr ungefähres Midraschverständnis in seiner
Bemerkung zu Jeremias VII, 32: „Ennon vel hominis nomen vel gratiae.
Tradunt Hebraei, ex hoc appellatum Gehennam, quod scilicet, omnis
populus Judaeroum ibi perierit." Das Tal heißt ‚gai ben Hinnom' und
mit Recht sagt Nicolaus, daß dies der Name eines Menschen sein kann,
aber auch Gnade (hen = Gnade) bedeuten kann. Doch dem zweiten
Teil seiner Erklärung liegt keine rabbinische Tradition zugrunde. Die
Schrift selber sagt, daß das Volk Judah dort erschlagen werden wird,
„darum siehe es kommt die Zeit ... daß man es nicht mehr nennen wird
Tophet und Tal ‚ben Hinnom' sondern Würgetal[24], und man wird im
Tophet begraben müssen, weil sonst kein Raum mehr sein wird[25].
Seine Wiedergabe der rabbinischen Erklärung zu Gen. IV, 24 „einen
Mann erschlug ich (Lemech) für meine Wunde und ein Kind für meine
Striemen" läßt nicht erkennen, ob ihm klar war, warum die Hebraei zu
dieser Textstelle einen merkwürdigen und umständlichen Midrasch erzählen. Die Worte Lemechs verraten nicht, welchen Mann und welches
Kind er erschlagen hatte, nur die Fortsetzung des Textes „dann wird
Kain siebenmal gerächt" könnte einen gewissen Zusammenhang verraten. Daher identifiziert der Midrasch diejenigen, die von Lemech erschlagen wurden, und erklärt außerdem, aus welchem Grunde Lemech
seine Frauen derart feierlich anrief, fast beschwor: „Ada und Zilla, hört
meine Rede, ihr Weiber Lamechs, vernehmt meinen Spruch."

„Lemech rief seine Frauen an, die sich von ihm entfernt hatten, weil er Kain und seinen
Sohn Tuval Kain getötet hatte, denn Lemech war blind und sein Sohn führte ihn, da sah
dieser Kain, von dem er glaubte, daß er ein wildes Tier sei, und er veranlaßte seinen Vater,

---

23. Raschi, aus Sota 13 b: „Potifere das ist Potiphar, weil er von selbst entmannt wurde,
als er danach verlangte, Josef zu mißbrauchen."
24. gai ha haregah (hebr.).
25. Jeremias, VII, 31—33. Dies zur Strafe, weil Judah im Tofet seine Söhne und Töchter
als Brandopfer dargebracht hatte.
Doch wird auch in seiner Erklärung zu I Reg. cap. XXI klar, daß er jüdische Gesprächspartner gehabt hatte, die ihn über die rabbinische Tradition belehrten. Seine Erklärung
(tradunt Hebraei de eis — de panibus propositionis — non comedisse) entspricht den
Worten des Levi ben Gerson und des David Kimchi zu diesem Vers. Kimchi betont ausdrücklich, daß er diese Erklärung von seinem Vater Josef gehört hatte, was auf ihre Verbreitung hinweist. Eine rabbinische Tradition über Gen. 49,10 (Segen Judahs) ist ihm nur
in sehr partieller und oberflächlicher Weise vermittelt worden. Sein Zeitgenosse Hugo
von St. Victor war informierter, s. S. 222. Nicolaus wußte nur, daß die Juden dies auf den
Messias bezogen.

seinen Bogen zu spannen und ihn zu töten. Als Lemech dann erkannte, daß er Kain getötet hatte, schlug er (vor Verzweiflung) die Hände zusammen und traf mit voller Kraft seinen Sohn (das Kind) und tötete ihn."[26]

Nicolaus sagt zu dieser Textstelle: „Lamech ... septimus ab Adam occidit Cain, et ut Hebrei tradunt adolescentulum quem secum ducebat vel
quia ejus ortatu homicidium fecerat vel ut res occultaretur."
Es ist anzunehmen, daß es für christliche Interpreten die Erzählung als
solche war, die dem rabbinischen Midrasch seine Anziehungskraft verlieh und weniger das Bemühen um eine Textschwierigkeit, für die es
galt, eine Lösung zu finden. Die gleiche Anziehungskraft bewirkte
auch, so lange dies noch möglich war, daß ungelehrte Christen es vorzo-
gen, am jüdischen und nicht am christlichen Gottesdienst teilzunehmen, da die erzählerische Auslegung eines Textabschnittes imstande
war, den Gottesdienst lebendiger und für die Gemeinde interessanter zu
gestalten. Wie wenig die Kenntnis der Christen des Midrasch-Agadah
rabbinisches Textverständnis vermittelte, bezeugen in gewissem Maße
die steten Angriffe christlicher Gelehrter auf die „unnützen Fabeln" der
Juden, mit denen wir uns in einem späteren Zusammenhang intensiver
befassen werden[27].

3. Zum Bild des Juden bei den Christen
(Berichte und Meinungen)

Jede Begegnung eines christlichen Bibelgelehrten mit einem ‚Hebraeus'
beinhaltet nicht nur Unterweisung in der „Veritas Hebraica", sondern
notgedrungen religiöse Gespräche, die zu Auseinandersetzungen und zu
Streitgesprächen werden konnten. Disputationen zwischen Juden und
Christen sind so alt wie das Christentum selbst. Mit dem Anspruch auf
eine neue, eine Erlösungsreligion, die glaubte, wie jede neue Lehre ihre
Legitimation in altem Schrifttum suchen zu müssen, und diese — mit
Judaea als Ursprungsland und einer Urgemeinde von Judenchristen —
zwangsläufig in der hebräischen Bibel fand, entstand gleichzeitig die
Notwendigkeit einer neuen Schriftinterpretation, die die Juden als
„Volk des Buches" mehr noch „als Volk des Bundes mit Gott" enteig-
nete und verwarf. Vom Beginn des 2. Jahrhunderts, provoziert durch
die stete Gefahr der Judaisierung, mehrten sich die Schriften contra
oder adversus Judaeos, Traktate gegen das Judentum, antijüdische Pole-

26. Tanchuma, op. cit. S. 10; Raschi hat diesen Midrasch übernommen und mit Variationen ebenfalls der spätere Sforno. — Über Raschis Anwendung dieses Midrasch (im Vergleich zu Hugo v. St. Victor) s. S. 221.
27. S. S. 181.

mik innerhalb der christlichen und vor allem der christologischen
Bibelauslegung[28] und Disputationen zwischen Juden und Christen[29].
Das Studium der Hebräischen Bibel, des „Alten Testamentes", erzwang
stete Auseinandersetzungen zwischen Israel und dem Volk des Neuen
Bundes, dem Verus Israel. Dieses Volk des Alten Bundes mit seinem vehementen Anspruch auf genuines Textverständnis stellt das Schriftverständnis der Christen stets erneut in Frage[30]. Diese Spannung bewirkte
es wohl auch, daß bereits in der Antike ein Vorwurf anklang, der aber
erst im Mittelalter eindeutig formuliert wurde, der Vorwurf des Abfalls
von der eigenen Lehre, also in gewissem Sinne, obwohl das Wort selber
nicht fällt, der Vorwurf der Häresie. Häresie nicht im Verhältnis zum
Christentum — das Judentum wurde niemals als Häresie verstanden —
immer unterschied man ausdrücklich zwischen Heiden, Juden und Häretikern, sondern Häresie im Verhältnis zur eigenen Urreligion. Die Juden sind demnach verworfen, nicht nur, weil sie den Schritt zum Neuen
Bund nicht mitvollzogen haben, sondern weil sie sogar ihrem Bund mit
Gott, so wie sie ihn selber verstanden und wie er sich in der Torah manifestierte, untreu geworden sind. Der Schritt von dem antiken Vorwurf der Verstocktheit und der Blindheit des von Gott verworfenen
Volkes bis zur Beschuldigung der Abweichung von der eigenen, ihnen
von Gott auferlegten, Lehre ist naturgemäß nicht weit. Der christliche
Anspruch auf das allein rechtmäßige Bibelverständnis könnte in hinrei-
chendem Maße eine solchen Vorwurf motivieren, da damit das stete
Unbehagen gegenüber dem literalen Schriftverständnis der Juden[31], mit
welchem man sich immer wieder auseinanderzusetzen hatte, beseitigt
werden konnte. Die Juden sind demnach nicht nur unfähig, den eigentlichen, den verborgenen Schriftsinn zu erkennen, sie sind bereits ihrem
eigenen, buchstäblichen Schriftverständnis untreu geworden. Man

28. Für antijüdische Polemik in der Bibelinterpretation s. Marcel Simon, Verus Israel, Paris 1964, insbes. Cap. VI, S. 188—207: La polemique antijuive, son argumentation, und
Cap. VII: L'antisémitisme Chrestien, S. 239—274. — Vollständige Quellenhinweise auf
antiken Anti-Judaismus, eingeteilt nach Kategorien bei J. Juster, Les Juifs dans L'Empire
Romain, leur condition juridique, économique und sociale, Paris 1914, S. 45 Anm.
29. Disputationen zwischen Juden und Christen in den ersten nachchristl. Jahrhunderten
s.: E. Le Blant, La Controverse des Chrestiens et Des Juifs aux premiers siècles de
L'èglise", in Mem. de la Societée nat. des Antiquaires de France, VI, 7, Paris 1898; P. Berard, Saint Augustin et les Juifs, Lyon 1913; M. Freimann, Die Wortführer des Judentums
in den ältesten Kontroversen zwischen Juden und Christen, in MGWJ, 1911, S. 555—585,
1912, S. 49—64, 164—180; A.B. Hulen, Dialogues with the Jews as Sources for the early
Jewish Argument against Christianity, JBL, 51, 1932; B. Blumenkranz, die Judenpredigt
Augustins, Basel 1946; Williams A. Lukyn, Adversus Judaeos, a Birds Eye View of Christian Apologiae until the Renaissance, Cambridge 1935; B. Blumenkranz, Juifs et Chrestiens; M. Friedländer, Patristische und Talmudische Studien, Wien 1878.
30. Friedländer, op. cit. S. 60ff, Über Äußerungen der Tanaiten über das Christentum
und Beziehungen zwischen Juden und Christen im 2.—3. Jh.
31. S. S. 181.

braucht nicht mehr mit ihnen zu disputieren, man kann sich auf Angriff und Abwertung beschränken. Ihre Gottesvorstellungen haben ihren Ursprung nicht in der Hebräischen Bibel. Dies ist der Hauptvorwurf Agobards von Lyon gegen die Juden in seiner Schrift „De Superstitionibus Judaeorum"[32]. Die Juden — so behauptet er vehement — sind schlimmer als die Häretiker. Diese wichen nur in einigen Punkten von der rechten Lehre ab, während jene alles ableugnen, alles blasphemieren[33]. Agobard versichert die Glaubwürdigkeit seiner Ausführungen, da er sie zahlreichen Gesprächen mit Juden entnommen hat[34]. Die Juden glaubten an einen durchaus körperhaften Gott, der gleich einem irdischen König auf einem Thron, flankiert von wilden Tieren, in einem Palast regiert. Er kann hören, sehen und sprechen gleich den Menschen. Seine Gedanken sind oft überflüssig und eitel, und diejenigen, die sich nicht verwirklichen, verwandeln sich in Dämonen[35]. Dies ist das Bild Gottes — ruft Agobard aus —, das die Juden verehren, anstelle des wahren und unveränderlichen Gottes[36]. Agobard war nicht der erste, der derartige Beschuldigungen gegen die Juden erhob[37], er hat sie allerdings zum ersten Mal scharf formuliert und ausführlich dargelegt. In einem späteren Zusammenhang werden wir diesem Vorwurf erneut und in vehementer Form begegnen. Im 12. Jahr-

32. MGH Epist. 5, 185/99, PL 104, col. 77—100.

33. Re etenim vera proprium est hereticorum in aliquibus communiter sentire cum ecclesia, in aliquibus dissentire ab ea, hoc est, ex parte blasphemare ex parte veritati consonare, Judaeorum autem ex totum mentiri, ex toto blasphemare dominum et deum nostrum Jesum Christum et ecclesiam eius ... super omnes infideles, incredulos vel hereticos detestandi sunt. Judei, quia nullum genus hominum invenitur, cui ita libeat maledicere Dominum. MGH, S. 189, PL 104, col. 85 BC.

34. „Quod nobis non minime notum est, qui cotidie pene cum eis loquentes mysteria erroris ispsorum audimus", ibid. Da er von ‚häufigen' Unterredungen mit Juden spricht, ist kaum anzunehmen, daß diese sehr unfreundlich verlaufen sind, der Jude hätte sich schwerlich mehr als einmal bei ihm eingefunden; auch hier läßt sich eine gewisse Ambivalenz beobachten, die wir bei einem späteren vehementen Gegner der Juden, bei Petrus Venerabilis wiederfinden werden.

35. Quellen der Agobard bekannten mystischen Traditionen der Juden bei H. Grätz, Die mystische Literatur in der gaonäischen Epoche, MGJW, 1859, S. 110/111; J. Loeb, La controverse religieuse entre les Chrestiens et les Juifs du Moyen Age, Paris 1888, S. 21. L.I. Newman, Jewish Influence on Christian Reform Movement, NY 1966, S. 176/177. Es handelt sich vor allem um Elemente der sog. Thronmystik (merkabah) der Tana'iten, aus dem „sefer hekalot", „šiur qumah", und „otijot de rabbi Akiba" (auf welche sich wohl Agobard bezieht, wenn er im Verlauf seiner weiteren Ausführungen von dem Alphabeth der Juden spricht, von dem sie glauben, daß es Ewigkeitswert hat, und bereits vor der Schöpfung bestanden hat), ibid.

36. Sed et innumera infanda de Deo ut diximus, suo predicant ac tale colunt simulachrum, quod ipsi sibi in cordium suorum simulacra finxerunt et statuerunt, non verum inconvertibilem atque incommutabilem Deum, quem penitus ignorant, op. cit. MGH, Epist. V, S. 189, PL 104, col. 87 A.

37. S. S. 181.

hundert werden die Juden nicht der Abweichung in mystische Vorstellungen, sondern in eine neue, von ihnen selbst erschaffene Gesetzeslehre beschuldigt[38].
Theologische Abgrenzung und Polemik lassen das Bild des Andersgläubigen als solchen niemals unberührt. Dieser manifestiert sich in dem Bewußtsein des „Rechtgläubigen" als abweichend, nicht nur in seinen Glaubenserkenntnissen, sondern als feindlich Außenstehender überhaupt.
Obwohl trotz wiederholter Behauptung nicht erwiesen werden konnte, daß sich viele Juden dem Arztberuf zuwandten, spielt in nicht wenigen Berichten der Jude als Arzt keine geringe Rolle. Es erhebt sich aber die Frage, ob diesen Berichten nicht eher typologische Vorstellungen zugrunde liegen, die sich, besonders im Mittelalter, an die geheimnisvolle und unheimliche Arztkunst knüpfen, besonders, wenn sie von Juden oder Arabern ausgeübt wurde, und somit subjektive Eindrücke der Zeitgenossen und des Chronisten widerspiegeln, und nicht über tatsächliche Vorfälle Auskunft geben. Der jüdische Arzt, dessen Heilkunst gegenüber derjenigen eines christlichen Heiligen versagte[39], oder der jüdische Arzt am Königshofe, dem die Schuld für den tödlichen Ausgang

---

38. S. S. 183.
39. Adso Dervensis Abbas (2. Hälfte des 10. Jh.) berichtet in seiner „Vita S. Mansueti" (2, 20), über einen jüdischen Arzt, der dem Vater eines gelähmten Kindes seine Hilfe anbot mit dem höhnischen Hinweis, daß man von einem lebenden Arzt eher Hilfe erwarten könne als von einem verstorbenen Heiligen. Der anwesende Bischof bat den Heiligen um ein Wunder, das trat ein, und der Knabe wurde geheilt. PL 137, col. 640, MGH SS 4, S. 512. Greg. v. Tours erzählt eine ähnliche Geschichte: Ein Christ wandte sich an einen jüdischen Arzt statt an einen Heiligen um Hilfe und wurde deswegen bestraft (Hist. Franc. 5, 6) (PL 71, col. 325, MGH Scr. rer. Merow. I, 1, S. 203).
Doch vermochte die Heilkraft der Heiligen zuweilen Juden und Christen gleichermaßen zu beschäftigen. Aus dem Beginn des 11. Jh. ist eine Diskussion überliefert über die Frage, wer den hilfesuchenden Kranken die Heilung brachte, Gott — so die Juden — oder wie die Christen behaupteten, der Heilige der Kirche, St. Emeran v. Regensburg. Arnoldus, De Mirac. St. Emerani, 1, 15, PL 141 col. 1013/1014.
Eine jüdische Überlieferung verrät auch die Unruhe der Juden, die, beeindruckt durch die zahlreichen wundersamen Heilungen, die Behauptung aufstellten, daß St. Emeran eigentlich ein „Sabbatarius" gewesen sei (Jude oder Judaisant?) und daß sein Name eigentlich Amram (Emeram), der Name von Moses' Vater gewesen sei. Quellenhinweise für diese Version bei B. Blumenkranz, Auteurs, S. 254.
In welchem Maße noch im 12. Jh. derartige Legenden umliefen, bezeugt die Chronik des Bernold von Constanz, in welche er einen Bericht über eine Diskussion einfügt, die z.Zt. Bonifacius IV. (608—615) stattgefunden haben soll: Ein Jude verhöhnt einen Christen mit der Frage, warum die Heilige Jungfrau, der er mit eifervollem Glauben anhängt, ihn nicht von seinem Gebrechen heile. „Warte drei Tage", antwortet der Blinde, „und ihr Juden werdet am Tage der Purificatio Christi Zeugen eines Wunders sein". Der Papst hatte zu diesem Tage Juden und Christen der Stadt in der Kirche zusammengerufen. Das Wunder trat tatsächlich ein: Während der Christ sein ‚Gaude Maria' sang, ward er geheilt (PL 148, col. 1333/34).

einer Erkrankung gegeben wird, werden zur typischen Erscheinung in Berichten und Chroniken[40].

Für die Verunglimpfung des Juden als Individuum eignet sich der jüdische Arzt wahrscheinlich in besonderem Maße, da der Jude als solcher in dieser Zeit keiner Berufsgruppe, wie später als Händler oder Geldverleiher, als repräsentative Erscheinung für die Gesamtjudenheit vertreten war. Noch werden die Juden als soziale Gruppe, vor allem von der Geistlichkeit, nicht zuletzt wegen der Judaisierungsgefahr, eher gefürchtet als verachtet.

Der Kardinal Humbert, in seiner Schrift „Adversos Graecorum calumnias", erwähnt die gegenseitige Beschuldigung der griechischen und der römischen Kirche der Judaisierung im Gebrauch der Hostien bei der Zelebrierung des Abendmahles. Entrüstet weist er diese Beschuldigung für die römische Kirche zurück, für die griechische Kirche allerdings beweist er sie[41].

Ambivalent ist im Mittelalter, anders als in der Antike, die Beurteilung von Juden und Häretikern als Feinde des Christentums. Während in der Antike die Häresie oft als die größere Gefahr und die Häretiker als die eigentlichen Feinde empfunden wurden, ist man sich in den Jahrhunderten, in denen die großen Ketzerbewegungen noch nicht wirksam waren, nicht einig, von welcher Gruppe die eigentliche Gefahr drohte, von den Juden oder von den Häretikern.

Humbert verurteilt Juden, Heiden und Häretiker gleichermaßen[42]; Agobard, wie wir erfahren haben, verurteilt die Juden bei weitem mehr

---

40. Hincmar von Reims legt den Tod Karls des Kahlen im Jahre 877 dem Juden Zedekiah zur Last: „pulverem bibit (Carolus), quem sibi nimium dilectus ac credulus medicus suus Judaeus, nomine Sedechias, transmisit, ut ea potione a febre liberaretur insanabili veneno hausto ... et undecimo die post venenum haustum ... mortuus est" (PL 125, col. 1283 BC = MGH, SS. 1, S. 504). Andere Quellen hingegen wissen nichts von einer Schuld des jüdischen Arztes, sondern berichten, daß der König einer tödlichen Krankheit erlegen war. Doch wurde der Arzt Zedekiah zum Prototyp eines jüdischen Zauberers und Magiers, dem die Legende späterer Jahrhunderte unheimliche Taten andichtete; s. J.Trachtenberg, The Devil and the Jew, NY 1960, S. 65ff.

Wazzo von Lüttich berichtet über eine Diskussion zwischen ihm und einem jüdischen Arzt, der am Hofe Konrads II. wirkte. Der Jude wettete um einen Finger seiner Hand, der Bischof um einen Krug Wein, für die Richtigkeit ihrer Argumente. Der Jude verlor selbstverständlich die Wette, doch ließ ihm der Bischof gnädig ‚sein Eigentum' bis es ihm gefallen würde, dieses einzuziehen. Gest. Episcop. Leodiens. PL 142, col. 735, MGH, SS, 7, S. 216.

41. Advers. Graecor. calumn. 4, 6 PL 143, col. 934—936 aus dem Jahre 1054 (zit. von Blumenkranz, Auteurs, S. 262, Nr. 226). Vehement verteidigt Humbert die Römische Kirche, indem er auf den Unterschied in dem Gebrauch des ungesäuerten Brotes der Juden beim Passahmahl und der Christen beim Abendmahl hinweist.

42. Humbert, Adv. Simon. PL 143, col. 1130 B MGH, lib. de lite, l 191, Blumenkranz, Auteurs, ibid. Nr. 226 B. Doch bevorzugt er bezeichnenderweise an anderer Stelle die Juden vor den Simonisten, da bei jenen noch die Hoffnung besteht, daß sie sich zum rechten Glauben bekennen, ibid. col. 1028/29.

als die Häretiker, und Odilo von St. Emeran spricht von der „perfidia", nicht der Juden, sondern der Häretiker; diese und die Heiden sind für ihn die „infideles"[43]. Für die noch im 11. Jahrhundert empfundene Gefahr, die in einem zu harmonischen Zusammenleben von Juden und Christen enthalten ist, gibt uns wiederum Humbert einen Hinweis, wenn er mißbilligend berichtet, daß die Juden sich nicht scheuen, die Kirchen zu besuchen[44].

Den Juden zum Christentum zu bekehren, blieb ein akutes Anliegen eifervoller Mönche und Bischöfe und vielleicht führte der geringe Erfolg zur Legendenbildung, den Juden zur Warnung und den Christen zur Bestärkung in ihrem wahren Glauben.

In den uns überlieferten legendären Berichten steht der Jude, der auf ungewöhnliche und wunderbare Weise zum Christentum bekehrt wurde, im Mittelpunkt.

Radbertus Paschasius erzählt die Geschichte eines Juden, der in unfrommer Absicht die Hostie in der Kirche des St. Syrus empfangen wollte. Die Hostie löste in seinem Munde unsägliche Schmerzen aus, als hätte sie sich in Feuer verwandelt. Erst der herbeigeeilte Bischof Syrus erlöst ihn von seinen Qualen. Der Jude verspricht, zum Christentum überzutreten, empfängt die Taufe und zahlreiche Juden folgen seinem Beispiel[45].

Die Gleichsetzung der Hostie mit dem wirklichen Leib Jesu in der Abendmahlslehre des 9. Jahrhunderts wurde zur Motivation einer der folgenträchtigsten Beschuldigungen der Juden, die während vieler Jahrhunderte nicht mehr verstummen sollte. Es bildete sich die Vorstellung, daß die Juden sich bemühten, sich in den Besitz geweihter Hostien zu setzen, um an dieser, in demselben Augenblick in dem sie sich in den wirklichen Leib Christi verwandelte, die Passionsgeschichte zu

---

43. Othon de Emeran, PL 146, col. 327, liber proverb. 16.
44. Adv. Simoniac. 3, 41 PL 143 col. 1205 C, MGH lib. de lite, 249: „Nonne Judaei et Pagani aliquando videntur intra materiales ecclesiae parietes?" Doch hat Humberts Eifer gegen Simonisten und Simonie ihn dazu verleitet, die Juden höher als diese zu beurteilen; jene wären „sceleratiores Judaeis arbitramur istos", MGH, S. 164, PL 143, col. 1093 C; Blumenkranz, S. 262, Nr. 226c, n. 3.
45. Radbert. Paschas. „de corpore et sanguine Domini", 6, 3 PL, 120, col. 1283/84. Über seine Abendmahlslehre, s. F. Vernet in: Dictionaire de Theologie Catholique, Paris 1903: Eucharistie du IX. à la fin du X. siècle. Radb. Paschas., der seinen Traktat im Auftrage Karls des Kahlen schrieb, stellte die Fundamentalthese der Identität des historischen mit dem eucharistischen Leib Jesu auf. Die Eucharistie ist gleichzeitig Wahrheit und Figur, weil sie wahrhaftig den Leib Jesu enthält. Figur, weil sie an das Kreuzesopfer erinnert. Figürlich in allem was „exterius sentitur", Wahrheit an dem, was „recte intelligitur aut creditur". Doch bleibt sie als Speise den Erwählten vorbehalten, nur denjenigen, die dem mystischen Leib Christi angehören. Der Unwürdige genießt nichts als Brot und Wein, so daß die symbolische Vorstellung Augustins über das Abendmahl gewissermaßen nicht vollends aufgehoben wurde.

wiederholen[46]. Diese Anschuldigung klingt in der Erzählung des Radbertus Paschasius bereits durch. Im 10. Jahrhundert kommt Geson de Tortone in seinem Traktat über die Eucharistie auf dieselbe Legende zurück und warnt bei dieser Gelegenheit, in Gegenwart von Juden das Heilige Abendmahl zu zelebrieren, um den Juden nicht Gelegenheit zu geben, sich an den geweihten Hostien zu vergehen[47].

Doch fehlt es nicht, wie bereits ausgeführt, an drastischen Versuchen, die Wunschvorstellungen der Legende, den Juden zur Taufe zu bewegen, in die Tat umzusetzen. Zuweilen scheute man davor zurück, bloße Gewaltakte zu begehen, da der Wunsch, die Juden vom rechten Glauben zu überzeugen, stärker war. So zwang der Bischof der Stadt Limoges die Juden seiner Stadt im Jahre 1012, in demselben Jahr, in dem das Heilige Grab in Jerusalem zerstört wurde, sich der Taufe zu unterziehen, anderenfalls sie aus der Stadt vertrieben werden würden, doch gab er gleichzeitig Anweisung an die christlichen Gelehrten, Disputationen mit den Juden zu führen, in der Hoffnung, sie zu dem neuen Glauben nicht zu zwingen, sondern zu bekehren[48].

Taufe oder Vertreibung war auch die Alternative, vor der die Juden im Jahre 1066 standen. Die Taufhandlung konnte nicht stattfinden, da der Bischof Eberhard v. Trier an demselben Tag, an einem Sabbath, plötzlich erkrankte und starb. Man beschuldigte die Juden, den Tod des Bischofs verursacht zu haben, in dem sie eine dem Bischof nachgebildete Wachsfigur angefertigt und diese öffentlich verbrannt hatten[49].

Vor dem ersten Kreuzzug fehlt es auch nicht an lokalen, äußerst bruta-

---

46. Über Hostienbeschuldigungen im Mittelalter, bei H. Löwe, die Juden in der katholischen Legende, Berlin 1912.
47. Gezon de Tortone, libre de Corpore et Sanguine Christi, PL CIIIVII, col. 376/387. Seine Schrift enthält die Erzählung über einen Juden, der den Bischof seiner Stadt bittet, ihm so schnell wie möglich den Übertritt zum Christentum zu ermöglichen. Doch als er Ostern zur Taufe erscheint, beginnt er Widerstand zu leisten, zu heulen und ein Wutgeschrei auszustoßen. Es stellt sich heraus, daß der Jude nicht mehr Herr seiner selbst im Augenblick der Vollziehung der Taufe gewesen war. Er sah sich von zwei Gruppen Dämonen umgeben, von denen die eine ihn hindern, die andere ihm helfen wollte, das Sakrament zu empfangen. Beim erneuten Versuch, ihn zu taufen, erging es dem Juden nicht besser, erst der dritte Versuch sollte gelingen. Auch hier die Assoziation des Unheimlich-Dämonischen mit den Juden, das zu einer beherrschenden Komponente in dem Bild des Juden bei seinen christlichen Zeitgenossen werden sollte.
48. Chron. Adémar von Chabannes, Chron. ed. J. Chavanon, Paris 1897, S. 169: „... eo anno (1012) episcopus Judeos Lemovicae ad baptismum compulit, lege prolata, ut aut christiani essent, aut de civitate recederent, et per unum mensem doctores divinos jussit disputare cum Judeis, ut eos ad fidem cogerent, et tres vel quatuor Judei christiani facti sunt."
49. Über die Authentizität dieses Berichtes bei Blumenkranz, Juifs et Chrétiens, S. 104, n. 15. Er wirft die Frage auf, ob dieser Bericht nicht eine Zufügung nach dem 1. Kreuzzug wäre, der Bischof stellte sich in den Tagen der Verfolgung auf die Seite der Juden (s. Dümmler, Kaiser Otto I., in: Jahrbuch d. dtsch. Geschichte I, Leipzig 1890, S. 498, n. 17 und erste Redaktion der Gesta (1101) in MGH, SS, 8, S. 172).

len Diffamierungen des Juden, welche für das Maß an Provokation und
Beunruhigung zeugen, die eine geschlossene jüdische Gemeinschaft auf
weltliche und geistliche Machthaber auszuüben imstande war. Ein Graf
von Toulouse führte die öffentliche Colaphisation eines hochgestellten
Juden der Stadt an drei christlichen Feiertagen, Weihnachten, Ostern
und Himmelfahrt, ein. Es geschah, daß ein Kanzler, Himerie von Ro-
chestouart, die ihm übertragene Vollziehung dieses Brauches derartig
gründlich ausführte, daß der betroffene Jude an den Folgen starb[50].

Hohe geistliche Machthaber, die fern von den aktuellen wirtschaftlichen oder sozialen Problemen, die das Zusammenleben zwischen Juden
und Christen erschweren und problematisieren, ihren Wirkungskreis
hatten, wichen, obwohl variiert durch entsprechende politische Konstellation, kaum von den traditionellen theologischen Maximen in ihrer
Einstellung zu Juden und Judentum ab.

Gestützt auf das Beispiel Gregors des Großen, der den Juden gegenüber
ein gewisses Maß an Toleranz bewahrte, indem er sich gegen Gewalt-

---

50. Adémar von Chabannes war der erste, der die Colaphisation erwähnte, bei ihm auch
der Bericht über den tödlichen Ausgang. Chron., ed. Chavanon, cap. 52, S. 175. Blumenkranz, Auteurs, S. 251, nr. 11.
Einer nicht zuverlässigen Nachricht aus der Biographie des Hl. Theobald von Narbonne
zufolge, hätten Karl der Große und Ludwig der Fromme diesen Brauch eingeführt, als
Strafe wegen der Hilfe, die die Juden den Sarazenen bei ihren Einfällen in die Stadt Toulouse geleistet hätten. „Quorum praeceptorum sententia, ut ibi quidem refertur, haec est,
Judaeos Tolosae degentes, quod AbderamSaracenorum regem in Gallias evocassent, a Ca-
rolo Magno vitam emptitasse haec conditione..." Mansi XVIII, S. 565/66. Hefele, Leclerc,
Konziliengeschichte, Bd. IV, S. 523/24; dort auch die unkritisch übernommene Mitteilung über die Hilfe der Juden bei den feindlichen Überfällen auf französische Städte.
Im Jahre 883 beschwerten sich die Juden bitter bei Karlmann (Bouquet, IX, 115 ex Vita
Theobaldi, dort ohne Angabe des Grundes für diese Verordnung). Das Konzil von Toulouse, das auf Geheiß des Karlmann zusammenkam, bestätigte nicht nur, sondern ver-
schärfte noch die alte Verordnung, da die Juden im Verlauf einer Diskussion Christus ge-
lästert hätten. Der gezüchtigte Jude mußte nun dreimal ausrufen: „bene quidem et satis
juste decretum est, ut cervices Judaeorum pugnis subjicantur Christianorum, eo quod no-
luerint subjici Jesu Christo Nazareno Deo Deorum ac Domino Dominorum" (Mansi,
ibid.).
Es scheint, daß der Colaphisation ursprünglich eine religiöse Motivation zugrundegelegen
hatte, in Anlehnung an die Colaphisation Jesu durch die Juden („Da spien sie aus, in sein
Angesicht und schlugen ihn mit Fäusten. Etliche aber schlugen ihm ins Angesicht" (Mt
26, 67). Über Colaphisation s.: Theolog. Wörterbuch zum NT, Bd. III, S. 818, K.L.
Schmidt. Es ist interessant, daß dieser Brauch politisch begründet wurde, um so mehr, als
die Basis hierfür nicht vorhanden war. Toulouse ist von den Sarazenen niemals heimgesucht worden, ebenso scheint die Anschuldigung, die Juden hätten den Normannen bei
der Belagerung der Stadt Bordeaux Hilfe geleistet, unbegründet, s. Ann. Bert., publ. par
Felix Grat et al., Paris (Librairie C. Klincksieck) 1964, S. 15; Gross, G.J., S. 111 (Bordeaux) und S. 213 (Toulouse) ebenso S. Baron, A Social and Religious History of the
Jews, NY 1957, Bd. IV, S. 55; Illoyalität gegen eine christliche städtische Gemeinschaft
scheint zur typologischen Anschuldigung geworden zu sein, gegen eine Gemeinschaft, deren exklusives Eigenleben Mißtrauen und Furcht produzieren kann.

maßnahmen stellte, sprach auch Alexander II. seine Genugtuung darüber aus, daß die spanischen Bischöfe, Adressaten dieses Schriftstückes, die Juden vor den Ausschreitungen christlicher Sarazenenbekämpfer geschützt hatten[51], mit der Begründung, daß sie diejenigen gerettet hätten, die durch die göttliche Vorsehung am Leben geblieben wären, damit sie erlöst werden könnten[52]. Er betonte die Notwendigkeit einer unterschiedlichen Behandlung von Juden und Sarazenen. Man sollte nur diejenigen verfolgen, die ihrerseits die Christen bekämpfen, und nicht diejenigen, die im Gegenteil immer bereit gewesen wären, ihnen zu dienen. Nur Unkenntnis über die tatsächliche Bestimmung der Juden oder Gewinnsucht sind die Motive derjenigen, die die Juden verfolgen[53]. In seinem Brief an Landulphe VIII., Fürst von Benevent, beruft er sich ausdrücklich auf Gregor den Großen, als er sich gegen die vom Fürsten beabsichtigten Zwangstaufen der Juden wandte. „Jeder soll nur aufgrund des freien Willens Christus dienen"[54].

Theologische Maximen lagen auch Lanfrancs Äußerungen über die Juden zugrunde. Es lag ihm nichts daran, die Juden als Gottesmörder zu brandmarken, der Kreuzigungstod hatte ja einen tiefen Sinn, und diese Sünde der Juden hatte die Welt bereichert. Ohne sie gäbe es nicht das Kreuz Christi, nicht die Auferstehung und nicht die Himmelfahrt[55]. Man könnte sagen, daß die hohe repräsentative Geistlichkeit, die sich mit den Gefahren, die eine exklusive jüdische Gemeinde für die christliche Umwelt darstellen konnte, in weit geringerem Maße als mancher Bischof oder weltlicher Fürst unmittelbar konfrontiert sah, unbeirrt die Existenz der Juden gemäß der Tradition als Bestandteil des christlichen Weltbildes und der christlichen Gottesvorstellungen begriff, frei von jener Polemik, die bereits in der Antike Gefahr lief, die Grenzen zwischen theologischem Angriff und menschlicher Diffamierung zu

---

51. PL 146, col. 1386/87 Epist. CI, Mansi XIX, 964; der Brief ist an die Bischöfe von Spanien und Gallien gerichtet (Blumenkranz, Auteurs, S. 263, Nr. 227 meint Narbonne, für Datierung ibid.).
52. Eine bemerkenswert humane Erklärung für die jüdische Existenz von seiten eines hohen Repräsentanten der Kirche, für andere s. S. 86.
53. Alex. II. hat den ersten Kreuzzug nicht mehr miterlebt (gest. 1073); religiösen Eifer hätte er demnach nicht als Motivation für die Judenverfolgungen gesehen. PL 146, ibid.
54. Ibid. Bibl. über Greg. I. und seine Beziehungen zu den Juden, S. Katz, Pope Greg. I. and the Jews, in JQR, N. S. 24, S. 113/117, 1933, der vor allem den kirchenrechtl. Standpunkt Gregros betont, der richtunggebend auch für andere „tolerante" Päpste wurde. Hauptthemen der Briefe Greg. an Fürsten, vor allem in Sizilien, Italien und Frankreich, gegen Verfolgungen, Ep. 1, 234, PL 77 col. 489; gegen Zwangstaufen Ep. 1, 45, PL 77, col. 509/11; gegen Beschlagnahme und Zerstörungen von Synagogen col. 457, 933/34, 944/45 etc., selbstverst. gegen den Besitz christl. Sklaven Ep. 3/37 col. 635; Ep. 4,9 col. 676/7 etc. und gegen Judaisierung (die Bürger Roms feierten den Sabbath), Ep. 13,3 col. 1253.
55. In ep. ad. rom. 11,5 PL 150, col. 141 B, Blkr.Auteurs, S. 264, Nr. 231a: „Delictum Judaeorum ditavit mundum, quia nisi ipsi Dominum crucifixissent, crux Christi, et resurrectio, et ascensio ejus praedicata et credita in mundo non esset."

verwischen[56]. Die Juden sind nicht, laut Lanfranc, auf alle Ewigkeit verworfen, im Gegenteil: sie werden durch ihre Bekehrung am Ende der
Tage den endgültigen Sieg des Christentums bestätigen[57].

4. Das christologische Arsenal bei einigen Autoren christlicher Streitschriften im 11. Jahrhundert

a) Die Auseinandersetzung mit dem Abtrünnigen Wezelin

Religiöse Disputationen zwischen Juden und Christen oder Traktate gegen Juden nehmen im 11. Jahrhundert im allgemeinen noch nicht die
feindlich-unversöhnliche Form an, wie wir ihr im 12. Jahrhundert begegnen werden[58]. Sogar der von Heinrich II. veranlaßte Briefwechsel
zwischen seinem Ministerialen Heinrich und dem Abtrünnigen
Wezelin[59] basiert auf theologischer Argumentation und geht über das

---

56. Beispielhaft ist die Schrift von Anselm von Canterbury, cur Deus homo, für rein theologische Argumentation, frei von menschlicher Diffamierung des Juden, die wohl seiner
„Satisfactionstheorie" immanent ist. Da diese die Täuschungstheorie, die von Origines
über Augustin bis Greg. d. Großen verfochten wurde, ablöste, und da Teufel und Jude oft
gleichgesetzt wurden, hat Anselms Theorie den Kreuzigungstod und seine Ursachen in
gewissem Sinne entantijudaisiert. (Der Teufel hätte sich durch den Sündenfall ein Anrecht auf das Menschengeschlecht erworben, die Erlösung konnte nur durch des Teufels
Verlust auf dieses Recht erfolgen; dies geschah, als er sich an der schuldlosen Person Jesu
vergriff, da er über seine Person getäuscht wurde.) Nach Anselm konnte der erste Sündenfall nur durch des menschgewordenen Gottes Kreuzestod gesühnt werden. Demnach
war die Kreuzigung Jesu ein immanentes Erfordernis für das Heil des Menschengeschlech-
tes, und die Juden konnten nur einen sehr mittelbaren Anteil daran gehabt haben. Anselms Theorie hat aber die Verteufelung des Juden nur in der Dogmengeschichte aufgehoben, der Jude als Christusmörder, ebenso die Verteufelung des Juden, lebten in dem Bewußtsein der christl. Völker fort.
57. Plenitudo judaeorum qui in fine mundi credituri sunt, maxime ditavit gentes, quia
exemplo eorum provocatae convertentur ad Christum (col. 142).
Es läßt sich eine gewisse Achtung vor den Juden aus seinen folgenden Worten heraushö-
ren: „... gentes autem quasi stulti reputabantur et mobiles, quia tam cito credebant, quod
illis (Judaeis) non exprobraretur, si Judaei crederent, qui stabiles et sapientes esse putaban-
tur" (col. 142).
58. Eine Ausnahme bilden die Psalmenkommentare, die man dem Bischof Bruno von
Würzburg (Mitte des 11. Jh.) zuschreibt. PL 142, col. 148ff. Blumenkranz, Auteurs, S.
255, Nr. 219; dort über die Auffassung von van der Eynde, daß der Verfasser Mitte des 12.
Jh. gelebt hätte. (In: Franciscan Studies, 14, 1954: Note on the earliest scholastic commen-
tarii in Psalmos.) Bei diesem Autor finden wir mehrmals die Gleichsetzung des Juden mit
dem Teufel (col. 79, ps. XVI, 13; col. 220, ps. LII, 2; col. 239, ps. LXI, 1) und vermissen
jegliche versöhnliche Note. Auch am Ende der Tage werden die Juden nicht erlöst werden, da Christus ihnen nicht verzeihen wird (col. 98, ps. XVII, 45).
59. PL 140, col. 57 C, MGH SS, 4, S. 704: „... illius (Heinrich II.) jussione unus discipulo-
rum suorum nomini Heinricus, aequivocus regis, praedictum apostatum (Wezelin) vera-

übliche Maß an polemischen Angriffen, die, man möchte fast sagen, zur Umgangssprache bei dieser Literaturgattung gehören, kaum hinaus[60]. Die Argumentation des Wezelin wird in summarischer Form vorgebracht. Sie konzentriert sich auf einige Hauptargumente der Juden gegen die christologische Auslegung der Hebräischen Bibel: Gott ist unveränderlich, nach den Worten des Propheten Maleachi: „Ich bin Gott und verändere mich nicht."[61] Es ist nicht wahr, wie die Christen behaupten, daß Gott sich mit einer Frau verbunden hat; es steht geschrieben: „Non enim videbit me homo et vivere potest."[62] Niemals habe Gott versprochen, einen Menschensohn zu schicken[63]. Die Schrift spricht nur von dem Gott Israels und nicht von dem Gott der Völker. Das Bündnis, das Gott mit Abraham geschlossen hat, und das Versprechen, das er Isaak gab, haben ewige Geltung[64].

Es ist typisch für die Art der Wiedergabe einer derartigen Auseinandersetzung, daß die christlichen Erwiderungen bei weitem wortreicher sind, da sie ein doppeltes Anliegen erfüllen sollen. Einmal die Argumentation des Juden zu entkräften und zum anderen die Christen in ihrem Glauben zu stärken. In breiter Ausführlichkeit geht Heinrich auf die Behauptungen des Wezelin ein.

Die Menschwerdung Gottes wird nach alter Tradition aus Jesaja, Cap. VII — sein Sühnetod aus Jesaja, Cap. LIII, abgeleitet. Gott wäre zwar Mensch geworden in dem Körper einer Frau, doch ohne daß die Göttlichkeit Fleisch, noch die Menschlichkeit Gott geworden wäre[65]. Ausführlich argumentiert er gegen den Einwand der Juden, daß der Mensch nicht Gott sehen und leben kann. Auch hier, wie in jedem Fall, folgen die Juden der „Litteram occidentem" und erkennen nicht den

---

cissimis sacrae Scripturae testimoniis, ut eius epistula affirmat falsa verba in Christum ejusque sanctos dixisse devicit..." (Albert von Metz: De diversitate Temporum).
60. Doch kann der christliche Kontrahent seinen Zorn nicht völlig zurückhalten. Als er die Argumentation des Abtrünnigen wiedergibt, ruft er aus: „Quid contra hiscis animal!" (col. 485 A). Auch spart er nicht mit den üblichen Ausdrücken: ‚O Judee incredule', erzürnt sich über die Verstocktheit und Blindheit der Juden, etc.
Aus folgenden Traktaten und Disputationen verzeichne ich die Hauptargumente christologischer Bibelinterpretation, wie sie zu Raschis Zeiten verbreitet war, und mit welcher dieser sich konfrontiert sah.
61. Maleachi, III, 6, col. 486 C. Im Text ist dieser Vers Habakuk zugeschrieben, an anderer Stelle wird ein Jeremiasvers im Namen des Propheten Ezechiel zitiert, ob nun dies die Schuld des Wezelin oder des Kopisten ist, bleibt dahingestellt.
62. Exod. XXXIII, 20, col. 488 A.
63. Wezelin beruft sich auf Ps. CXLV, 3 „nolite confidere ... in filiis hominum, in quibus non est salus",col. 490 A.
64. Col. 490 B.
65. „... qualiter Deus sine ulla sui commutatione mulieri, non ut tu, perfide, garris commisceretur, set de carne mulieris corpus sibi fabricaret, quoniam divinitas verbi Dei in unitatem sibi personae assumeret, ita ut nec divinitas in carnis passibilitatem nec humanitas in divinitatem transiret..." (col. 487 B C).

„spiritum vivificantem". Weder die Propheten noch die Patriarchen haben wahrhaftig Gott gesehen, sondern dasselbe Licht, von welchem Jesaja gesprochen hat: „habitantibus in regione umbrae mortis, lux orta est eis"[66], und dieses Licht haben sie nicht mit ihrem leiblichen, sondern mit ihrem geistigen Auge gesehen[67]. Die Juden werden in ihrer Blindheit die Wahrheit niemals begreifen, doch liegt sie dem gläubigen Christen klar zu Tage: Der Mensch, der sterblich ist, kann Gott nicht sehen und leben; denn er lebt wie ein Sterblicher und kann daher den wahrhaft lebenden Gott nicht sehen und nicht erforschen, wenn dieser nicht barmherzigerweise zu den Sterblichen hinuntergestiegen wäre[68]. Gott ist nicht der Gott Israels allein, hat ER doch Abraham verkündet: „In semine tuo benedicentur omnes tribus terrae."[69]

b) Petrus Damiani

Auch der Traktat des Petrus Damiani bewegt[70] sich auf theologischer Ebene, und bedient sich antijüdischer Polemik nicht mehr, als es einem derartigen Schriftstück immanent ist. Derjenige, der die Schrift nicht als Hinweis und Sinnbild für das Kommen Jesus begreift, ist eben ein Lästerer, ein verstockter Leugner. Als merkwürdig wirklichkeitsfremd erweist sich der Autor mit der Behauptung, daß die Juden fast vollständig von der Welt verschwunden wären, doch erkennt er, so widersprüchlich dies klingt, die Gefahr, die in den Angriffen der Juden auf das christliche Schriftverständnis enthalten ist; daher sollte jeder Christ in der Lage sein, durch gründliche Kenntnisse der christlichen Bibelauslegung sich derartiger Angriffe auf das rechte Glaubensverständnis zu erwehren[71]. Aus diesem Grunde entschloß er sich, seinen Adressaten[72] mit dem traditionellen Arsenal christologischer Textauslegungen zu versorgen, von denen ich hier einige, mit denen sich die jüdischen Exegeten in ihren Gesprächen mit Christen sicher konfrontiert sahen —

---

66. Jes. IX, 2, col. 489 B.
67. Col. 489 B.
68. „Et ideo homo Deum non potest videre et vivere, quousque secundum hominem vivit et secundum Deum minime, et sibi non moritur, ut vivat Deo. Set quomodo in regione mortis ... mortaliter vivens, Deum, qui vera vita est, et homo videret aut quaereret, nisi misericorditer inclinata vita ad mortuos descendisset?" (col. 489 A).
69. Gen. XXI, 18, col. 490 B.
70. Antilogos contra Judaeos, (et) Dialogus inter Judaeum requirentem et Christianum e contrario respondentem (PL 145, col. 41—68).
71. „Inhonestum quippe est, ut ecclesiasticus vir his, qui foris sunt, calumniantibus, per ignorantiam conticescat: et Christianus de Christo reddere rationem nesciens, inimicis insultantibus victus et confusus abscedat" (col. 41 B).
72. Petrus verfaßte seine Schrift auf die Bitte eines gewissen Honestus. Nach Williams Meinung, Advers. Jud., op. cit. S. 366, ein Kaufmann, der sich in geschäftlichen Angelegenheiten mit Juden getroffen hatte; doch weist vielmehr Petrus Ausspruch, daß es einem

Petrus Damiani ist ein Zeitgenosse Raschis und seinen Traktat adressierte er an einen Christen, der anscheinend in Gespräche mit Juden verwickelt wurde — zusammenfassend anführen werde.

Zahlreich — so Petrus Damiani — sind die Hinweise der Schrift auf die Trinität. Gott spricht im Plural: „faciamus hominem ad imaginem...“[73]. Wäre ER einzig, hätte ER im Singular gesprochen, wäre er dreifach in seiner Substanz, würde es nicht heißen „nach *unserem*“ Ebenbilde, „dum igitur ,faciamus‘ asserat trinum, imaginem nostram declaret unum, constat evidentissime Deum essentialiter unum tribus constare personis“[74]. Die Juden haben nicht verstanden, daß Gott den Menschen nach seinem Angesicht geschaffen hat, um zu unterscheiden zwischen der Person des Vaters und des Sohnes[75]. In Jesajas Vision riefen die Engel dreimal „sanctus“[76], drei Engel sah Abraham im Hain von Mamreh[77], und warum sagt Gott zu Mose, daß er der Gott Abrahams, Isaaks und Jacobs ist, warum erwähnt er drei Patriarchen[78]? Zweimal wird an einer Stelle von „Gott“ gesprochen: „pluit igitur Dominus super Sodomam et Gomorrham ... et a ignem Domino e coelo.“ Dafür gibt es nur eine Erklärung „quia utraque Patris videlicet et Filii, persona signatur“[79]. All die Hinweise wollen die Juden nicht sehen und nicht begreifen, „ecce o Judaee, dum cuncta pene legis tuae volumina revolvendo percurrimus, unitatem divinae essentiae, et Trinitatem personarum aptissime reperimus“[80].

Eine Beweisführung, daß Christus der Sohn Gottes ist, beruht auf der Interpretation der Worte des Jesaja: „Si erit verbum quod egredietur de ore meo: non revertetur ad me vacuum, sed faciet quaecumque volui et prosperabitur in his ad quae misi illud.“[81] Durch die Kraft dieses Wortes sind die Himmel geschaffen worden[82], es wird nicht zu IHM zurückkehren und von der Inkarnation des Wortes sprachen auch die Propheten Habakuk, Jesaja und Michah[83]. Nach antiker Tradition zitiert Pe-

---

„vir ecclesiasticus“ nicht ansteht, die Schrift nicht gegen jüdische Angriffe verteidigen zu können, darauf hin, daß besagter Honestus zum Clerus gehört hatte; so auch Blumenkranz, op. cit. S. 266 n. 3.

73. Gen. I, 24.

74. Col. 42 c.

75. „Sed Deus creavit hominem ad imaginem Dei, nisi ut perspicue distinguatur persona Patris et Filius“?, ibid.

76. „... ut enim personarum trinitas monstraretur, tertio sanctus dicitur“, col. 43 c.

77. Gen. XVIII, 2.   78. Exod. Cap. III, 15.

79. Col. 43 B.   80. Col. 44 B.

81. Jes. cap. LV, 11; PL 145, col. 44 D.

82. „Verbo Domini coeli firmati sunt“ (Ps. XXX, 6). Williams, op. cit. S. 367ff, weist auf Parallelen zu dieser Beweisführung bei pseud. August. (6. Jh.) hin. („De altercatione Synagogae et Ecclesiae dialogus“, PL 42, col. 1131—1140, und „Contra Judaeos, Paganos et Arianos“ (sermo de Symbolo), PL 42, col. 1115—1130).

83. Der Habakukvers III, 5 beruht auf einer falschen Lesart des Petrus Damiani. „Ante fa-

trus Damiani all diejenigen Scheltreden Gottes oder der Propheten, welche die Verstockheit und Blindheit der Juden unter Beweis stellen. Doch wie bei seinen Vorgängern wird auch bei ihm die Metapher verselbständigt, indem sie aus dem Textzusammenhang herausgerissen wird, so daß nicht mehr über eine situationsbedingte und gebundene, sondern über eine permanente Verstocktheit gesprochen wird. „Und du wirst tappen am Mittag, wie ein Blinder tappt im Dunkeln, und wirst auf deinem Wege kein Glück haben und wirst Gewalt und Unglück leiden dein Leben lang und niemand wird dir helfen", sagt Mose und meinte damit die Strafe, die das Volk ereilen wird, wenn es die Gesetze nicht erfüllen wird, nicht aber eine ewige Verdammnis. Auch der Auftrag des Jesaja, „excaeca cor populi hujus, et aures ejus aggrava et oculos ejus claude, ne forte videat oculis et auribus suis audiat et corde suo intelligat", wohl der schwerste und auch unverständlichste Auftrag, den ein Prophet jemals erhalten hat, wird für die ewige, nicht zeitgebundene Verblendung und Verstocktheit der Juden angeführt[84], die den Sinn des Lebens und des Martyriums Jesu nicht begriffen haben. Wortreich weist er die „Errores Judaeorum" zurück und beweist aus zahlreichen Schriftversen die Gottessohnschaft Jesu. Über wen spricht der Prophet, wenn nicht über die Passion Christi „quis credidit auditui nostro et brachium Domini cui revelatum est"[85], oder Jeremias[86] oder Hiob „Gott hat mich übergeben den Ungerechten und hat mich in die Hände der Gottlosen kommen lassen[87]. Sogar der verstockte Bileam, der „homo cujus obturatus est oculos" verkündigte das Kommen Jesu: orietur stella ex Jacob et consurget virga de Israel[88].

ciem ejus iit *verbum.*" Es heißt aber im hebr. Text nicht „Wort" sondern „Pest". Die gleichen Radikalen: *dvr* (davar = Wort, dever = Pest).
LXX: πρὸ προσώπου αὐτοῦ πορεύσται λόγος, Vulg.: Ante faciem ejus iit *mors...* Abweichend vom hebr. Text liest Petrus mit Pseud. August. in leichter Abänderung von LXX: „ego autem in Dominum gloriabur et gaudebo in Deo *Jesu*" (v. 18).
Im hebr. Text: jošei = mein Heil.
LXX: θεῷ τῷ σωτῆρι μου, woraus dann die Vulgata entnahm: „in *Jesu* meo". Micha IV und Jes. II, die doppelte Weissagung: „de Sion exibit lex et verbum Domini de Hierusalem", beweist: „quod per ora duorum prophetarum Spiritus Sanctus voluit geminare", col. 45 C.
84. Die rabbinische Exegese versucht, das Problem sprachlich zu lösen. Jesaja bekam nicht den Auftrag, die Juden blind, taub und stumm zu machen, sondern Gott beschreibt den Zustand des Volkes: es *ist* blind, taub etc. „hašmen" ist nicht Imperativ, sondern Infinit. absolut.
85. Jes. LIII, 1; col. 55 c.
86. Klagelieder IV, 20/21: spiritus inquit oris nostri Christus Dominus captus est in peccatis nostris, cui diximus: in umbra tua vivemus in gentibus", col. 56 B.
87. Hiob XVI, 11; col. 56 D.
88. Num. XXIV, col. 58 A.
Andere Schriftverse als Beweise für die Menschwerdung Gottes bei Petrus Damiani: Jes. XXXVIII: ecce ego mittam in fundamento Sion lapidem probatum, angularem..." Ergän-

Petrus Damiani verfaßte für denselben Honestus noch eine zweite Schrift[89] in der Form eines Dialoges zwischen einem Christen und einem Juden[90]. Hier handelt es sich um die unterschiedliche Auffassung zwischen Juden und Christen über das Gesetz und die Gesetzeserfüllung. Der jüdische Gesprächspartner stellt zehn dezidierte Fragen über die Aufhebung der Beschneidung, des Opferkults, der ungesäuerten Brote des Passahmahls, das Passah-Opfer, über die Einhaltung der Festtage, vor allem des Laubhüttenfestes. Petrus gibt die traditionellen Antworten: Beschneidung ist durch die Taufe ungültig gemacht worden. Christus habe durch den Kreuzigungstod, seine Selbst-Aufopferung, den Opferdienst aufgehoben, die ecclesia wäre „tabernaculum Dei, societas populi christiani". Er fügt einen Epilog hinzu, in dem er alle Beweise zur besseren Einsicht und Belehrung gruppiert. Diese Schrift schließt mit einem Gebet, Gott möge, gemäß seinem Versprechen, die Juden endlich erleuchten, und sie zum wahren Glauben, zu Christus führen: „si fuerit numerus filiorum Israel velut arena maris, reliquiae Israel salve fient"[91].

c) Gilbert Crispin

Einzigartig aus den verschiedensten Gründen ist die Disputatio Judaei et Christiani des Gilbert Crispin[92]. Sie ist wohl die einzige uns überlie-

---

zend Ps. CXVIII: „lapidem quem reprobaverunt aedificantes hic factur est in caput mundi", Jes. XI, 1: „egredietur virga de radice Jesse...". Ps. II: „filius meus es tu, ego hodie genui te."
Petrus weist die Möglichkeit, diese Verse auf David zu deuten, vehement zurück, col. 49 CD. Aus Raschis Erklärungen zu diesen und anderen Schriftstellen erweist sich seine Kenntnis dieser christologischen Auslegungen. Petrus Damiani war ein Zeitgenosse Raschis, und wollte in dieser Schrift für die Verbreitung christologischer Argumentation sorgen, um jüdischen Angriffen begegnen zu können.
89. Dialogus inter Judaeum requirentem et Christianum e contrario respondentem, PL 145, col. 57—68.
90. Es erhebt sich der Eindruck, daß diese Schrift als Lehrbuch für den Christen verfaßt wurde, um in der Diskussion mit den Juden nicht den kürzeren zu ziehen. Über das Unbehagen mancher Christen bei Diskussionen mit Juden s. S. 193.
91. (Jes. X, 22) col. 66 D.
92. Disputatio Judaei cum Christiano de Fide Christiana, PL 159, col. 1006—1036. B. Blumenkranz, edit. Utrecht 1956, in „Stromata patristica et medievalia", Fasc. 3.
Bibliographie: J.A. Robinson, Gilbert Crispin, Abbot of Westminster, Cambridge 1911.
J. Levy: Controverse entre un Juif et un Chrestien au XI. siècle, REJ, V, S. 238ff.
Z. Werblowsky: Crispins Disputation, Journ. Jew. Stud. XI, 1960.
Von Beginn des 12. Jahrhunderts fanden häufig Disputationen zwischen Juden und Christen statt; hier führe ich nur einige auf: De Incarnatione adv. Judaeos. Guibert, Abt v. Nogent, PL 156, col. 489—528. Rupert, Tuit. Annulus, seu Dialogus Christiani et Judaei de fide sacramentis. PL 170, col. 559—609. Petrus Venerabilis, Adv. Jud. PL 189, s. S. 177ff; Altercatio Judaei cum Christiano de fide Christiana, adressiert an den Bischof von Lincoln, fälschlich Wilhelm von Champeaux zugesprochen; s. S. 177, PL 163 col.

ferte Auseinandersetzung zwischen einem Juden und einem Christen, die tatsächlich stattgefunden hatte. Sie überrascht den Leser vor allem wegen des gemäßigten Tons beider Kontrahenten, und vermittelt ihm wichtige Mitteilungen über mögliche Beziehungen zwischen Juden und Christen Ende des 11. Jahrhunderts. Gilbert, der Abt von Westminster, berichtet Anselm von Canterbury über den Verlauf der Disputation. Über den Juden erfahren wir, daß er aus der Gegend von Mainz stammte, sehr belesen wäre, auch in der christlichen Literatur, und außerordentlich bewandert in der Argumentation gegen christologische Auslegungen der Hebräischen Bibel[93]. Weiterhin berichtet der Abt, daß der Jude häufig, sei es aus geschäftlichen Gründen, sei es aus freundlicher Absicht, nur um ihn zu treffen, zu ihm gekommen wäre[94]. Jedes Mal hätten sie sich in freundschaftlicher Art und Weise über die heiligen Schriften und über Glaubensfragen unterhalten. Einige der Anwesenden bei diesen Unterhaltungen hätten ihm nun geraten, diese niederzuschreiben. Hiermit hätte er dies nun getan, doch habe er die Namen der Disputierenden fortgelassen und sich mit den Bezeichnungen ,Christ' und ,Jude' begnügt. Er beendet seine einleitenden Worte mit der Mitteilung, daß einer der in London anwesenden Juden sich zum Christentum bekehrt hätte und sich in Westminster haben taufen lassen[95].
Der Ton beider Disputierenden ist außergewöhnlich gemäßigt. Man hört auf beiden Seiten keinerlei Anklagen, Beleidigungen oder gar Drohungen[96]. Die Auseinandersetzung endet nicht mit einem triumphalen Sieg oder mit der totalen Niederlage irgendeiner Seite. Sieben

1045–1072; Liber contra Perfidiam Judaeorum, Petr. v. Blois, PL 207, s. S. 193; Disputatio ecclesia et Synagoga von einem gewissen Gilbertus, Martène et Durand, Thes. Nov. Anecdot. T.V., S. 1510.
93. Der Jude ist anscheinend ein Kaufmann aus Mainz, der ältesten Stadt jüdischer Gelehrsamkeit in Deutschland. Aus der Diskussion erweist sich, daß er selber sehr gebildet ist „nescio unde ortus (so der Abt von Westminster) sed apud Maguntiam litteris educatus, legis et litterarum etiam nostrarum bene sciens erat et exercitatum Scripturis atque disputationibus contra nos ingenium habebat." Col. 1005, AB, edit.Blumenkranz, S. 27.
94. Plurimum mihi familiaris saepe ad me veniebat, tum negotii sui causa, tum me videndi gratia, quoniam in aliquibus illi multum necessarius eram, et quotiens conveniebamus mox de Scripturis, ac de fide nostra sermonem amico animo habebamus, ibid.
95. Tamen quidam ex Judaeis qui tunc Londoniae erant ... ad fidem Christianam se convertit apud Westmonasterium, coram omnibus fidem Christi professus baptismum petiit, accepit ... et monachus factus nobiscum remansit. Col. 1006 B, edit. Blumenkranz, S. 28.
96. Aufgrund des Traktates des Gilbert wurde die Altercatio, adressiert an den Bischof von Lincoln, verfaßt, der anscheinend mit Gilberts Toleranz und Gleichmut gegenüber der jüd. Argumentation nicht zufrieden war. Da dieser Traktat in einem ,Codex Catalaunensis' erschienen war, wurde er William v. Champeaux zugeschrieben; doch es ist unwahrscheinlich, daß dieser, ein Lehrer des Abaelard und späterer Bischof v. Chalons sur Marne, der Verfasser gewesen war; schon aus Gründen der Datierung muß er als solcher ausscheiden. Siehe Robinson, op. cit. S. 61. Daß er Gilberts Disputatio gut kannte, beweist die auffallende Ähnlichkeit seines einleitenden Briefes an Alexander v. Lincoln. Gilberts Einleitungsbrief an Anselm, s. PL 159, 1036.

Male kommt jeder zu Worte, wobei die Entgegnungen der Christen bei weitem wortreicher sind als die Fragen der Juden, doch ergibt sich dies eher aus der Notwendigkeit, so umfassend wie möglich auf die von dem Juden formulierten Fragen einzugehen, wohl den anwesenden Christen zur Belehrung mehr, als um den Versuch, den Gegner zu überzeugen, oder ihn, wie es so häufig in späteren Auseinandersetzungen geschieht, mit Zitaten christologischer Bibelauslegung mundtot zu machen.
Als erstes weist der Jude auf den Widerspruch in der Haltung der Christen hin, die einerseits behaupten, daß das Gesetz gut ist, und andererseits den Juden den Vorwurf machen, dieses Gesetz nicht zu befolgen. Das Gesetz bilde eine Einheit, und kein Mensch hätte das Recht, einiges als verpflichtend, anderes als aufgehoben zu betrachten[97].
Gilbert weist in seiner Erwiderung auf die Tatsache hin, daß die Schrift voll solcher sogenannter Widersprüche ist, und daß es in Allem eben darauf ankäme, nicht den Buchstaben, sondern den Sinn zu begreifen. Als Gott die Kreatur geschaffen hatte, sagte ER, daß es gut sei[98], doch später unterschied er zwischen reinen und unreinen Tieren. Alle Früchte der Erde waren dem ersten Menschen zur Nahrung gegeben, doch dann verbot ihm Gott, von dem Baum der Erkenntnis zu essen[99]. Nach Anführung weiterer Beispiele für die scheinbare Widersprüchlichkeit der Schrift, zieht Gilbert die Schlußfolgerung: das gesamte Gesetz muß befolgt werden, (aber) ein Teil dem Worte und der andere dem Geiste nach[100].
Heftig verneint der Jude die Möglichkeit, einen „Sinn" im Gesetz finden zu müssen. Gott hat es gegeben, daher muß es beachtet werden. Abgesehen davon, schlösse das Eine das Andere nicht aus. Es wäre niemandem untersagt, trotz strikter Befolgung des Gesetzes dem Worte nach, einen tieferen Sinn in ihm zu begreifen und gemäß diesem zu leben[101]. Doch im eigentlichen dreht sich die Auseinandersetzung um die Person und das ‚Wesen Jesu', denn „eum (Christum) novi cultus novarum institutionem ac legis prorsus immutatae dicitis vos habere auctores, in quem dici quia oportet, credere", fährt der Jude fort, und bekennt, daß er Christus glaube als einem außerordentlichen Propheten, aber *an* Christus könnte er nicht glauben, er glaube einzig und allein an den

---

97. „Legislator nil excipit sed universaliter ea omnia mandat observari. Vos autem ad vestrum arbitrium legis et mandatorum observantiam determinatis", col. 1007 B. Edit. Blumenkranz, S. 28.
98. Gen. I, 31.
99. Gen. II, 29 und II, 17.
100. „... omnia legis mandata debita observatione observare poterimus, quaedam ad litteram, et sine ullo figurarum profundo, quaedam figurarum velamine adumbrata esse intelligo...", col. 1010 A, edit. Blumenkranz, S. 31.
101. Als Beispiel führt er an: „Abstineamus a porco quia lex jubet, abstineamus et ab eo si quod est quod per porcum significatur, peccato", col. 1011 A, edit. Blumenkranz, S. 33.

Einzigen Gott, und zur Bekräftigung zitiert er die einleitenden Worte
des Glaubensbekenntnisses: „Audi, Israel, Deus tuus est unus", und er
fügt hinzu: „unus non triplex sicut vos Christiani et negando dicitis et
dicende negatis"[102].
Wenn man aber sich damit begnügen will, daß Christus der Messias gewesen ist, muß man feststellen, daß dies nicht wahr sein kann, alle An-
zeichen sprechen dagegen. Die Worte des Propheten Jesaja, daß am Ende der Tage alle Völker zum Berge Zion eilen und ausrufen werden: ve-
nite, ascendamus ad montem Domini, et ad Domum Dei Jacob"[103], haben sich nicht erfüllt. Ihr Christen sagt hingegen „eamus ad domum Petri et domum Pauli", und keiner sagt: „gehen wir zum Hause Jacob!"
Auch das Friedensreich, in dem die Schwerter zu Pflugscharen werden,
hat sich nicht verwirklicht, im Gegenteil, die Waffenschmiede können
gar nicht genug Waffen herstellen, da man sie von allen Seiten
anfordert[104].
Der Christ geht auf die Gesetzesinterpretation ein. Christus hat das Gesetz nicht aufgehoben, sondern erfüllt. Seine Forderungen gehen weitaus über das Gesetz hinaus. Er verbietet nicht nur den Totschlag, sondern auch dessen Wurzeln, den Zorn und den Haß als seine Ursachen.
An weiteren Beispielen will er zeigen, daß es Christus nicht um den
Buchstaben, sondern um den tieferen, verborgenen Sinn gegangen
war[105].
Die Christen weihen ihre Kirchen nicht den Aposteln oder den Heiligen, sondern Gott, allerdings zu Ehren von Peter, Paul und Martin[106],
belehrt Gilbert.
Die von Jesaja prophezeiten paradiesischen Zeiten sind tatsächlich ein-
getroffen. Auch hier hätten die Juden den tieferen Sinn nicht verstanden. Es wäre schließlich nicht schwer, Schwerter und Lanzen zu Pflugscharen und zu Sensen zu machen, aber unvergleichlich schwerer, einen
stolzen Menschen demütig und einen Freien zum Sklaven zu machen.
Dies wäre aber durch das Christentum verwirklicht worden[107]. Das Ge-

---

102. Der Subtilität dieses Ausspruches wird man in der Übersetzung kaum gerecht:
„Christum credo prophetam cuidem omni virtutem praerogativa excellentissimum, et
Christo credam, sed *in* Christum neque credo neque credam quia nec credo nisi in Deum
et unum...", col. 1011 B, edit. Blumenkranz, S. 33.
103. Jes. II, 6.
104. Col. 1012 A, edit. Blkr., S. 34.
105. Col. 1013, edit. Blkr., S. 35.
106. „Nullam quippe domum Petro seu Paulo facimus, sed in honorem atque memoriam
Petri seu Pauli Deo eam condimus, nec ulli pontificum fas est dicere in consecrationibus
ecclesiarum: tibi Petro seu Paulo hanc domum vel hoc altare consecramus...", col. 1014 =
S. 35.
107. Eine Anspielung auf Kloster und Mönchswesen: „multo quippe facilius est conflare
gladium suum in vomerem et lanceam suam in falcem, quam tumore cordis submisso, hu-
milem fieri ex superbo, servum ex libero, abnegare uxorem, filios, domum, arma, agros,

setz, das vom Berge Zion gehen soll, ist das ‚novum testamentum', das alte Gesetz ist von Mose am Berge Sinai gegeben worden[108]. Emphatisch wendet sich der Jude gegen den christlichen Glauben der Menschwerdung Gottes. Unsinnig wäre die Berufung der Christen auf die Prophezeiung des Jesaja: „Ecce virgo concipiet et pariet filium et vocabitur nomen ejus Emanuel"[109]. Sogar, wenn man annehmen will, daß hier von Christus die Rede sein soll, hat doch der Prophet niemals gesagt, daß durch Gott eine Frau empfangen und daß ihre Jungfräulichkeit auch nach der Geburt erhalten bleiben würde[110]. Langatmig widerlegt der Christ die Worte des Juden. Gott hat den ersten Menschen „ex nihilo" geschaffen, eine jungfräuliche Geburt wäre demgemäß nichts Außergewöhnliches[111]. Für das Wohl aller hat Gott die Gestalt eines Menschen angenommen, da wegen der Sünde des ersten Menschen die gesamte Menschheit verdammt worden sei. Der Mensch konnte sich nicht selbst befreien, der Schöpfer selber mußte Kreatur werden, um die Menschheit zu entsühnen[112]. Die Erlösung war den Menschen seit den Tagen Abrahams verkündet worden, als Gott zu diesem gesagt hatte „in semine tuo benedicentur omnes gentes terrae"[113].

equos et omnia cuae possidet, adhuc autem ut semetipsum abneget...", col. 1015 A = S. 38.

108. Lex quae per Moysen data est, non ex monte Sion exiit, quia non in Monte Sion data est, sed in Monte Sinai. Quae igitur lex exiit de Sion, nisi lex Novi Testamenti que per Christum data, que ab eis locis per totum orbem terrarum annunciatur diffusa? Col. 1015 D = S. 39.

109. Jes. VII, 14.

110. „Qua ergo temeritatis presumptione quisquam hominum audet scribere quod propheta nullo modo fuit ausus dicere, quod de eo femina conciperet et conceptum de eo filium pareret... Vox ex vestro sensu conicitis et commentatum usque quaque divulgatis: et post partum virgo permansit quod nusquam a propheta dictum accipitis", col. 1019 B = S. 44.

111. „Qui enim sine viri semine ex nihilo primum creavit hominem, sine viri semine ex aliquo id est ex matris carne hominum Christum creare potuit", col. 1020 B.

112. In der „Entsühnungstheorie" des Gilbert finden wir sowohl Parallelen zu Anselms „Satisfactionstheorie" — die Menschheit kann nicht durch einen Engel und nicht durch einen Menschen erlöst werden, daher „necesse fuit, ut Creator creaturae subveniret, creaturem Creator subiret, ut per ipsum Creatorem homo restitutus", aber, und hier kehrt er zur traditionellen Täuschungstheorie zurück: „soli creatori ad serviendum obnoxius remaneret, et hostis jure ditionem super genus humanum habitam amitteret. Nihil enim in Christo suum hostis invenerat ... quia igitur praesumptione iniusta mors in eum feriendo deliquit, in quo nihil suum reppererat, nil omnino juris habebat. Jure amisit eam juris dictionem, quam peccato primi hominis in hominem primum eiusque posteritatem obtinuerat...", col. 1023 AB, edit. Blumenkranz 49/50. Die Datierung von Blumenkranz 1093/96 findet hier eine Stütze (edit. S. 12). Anselm beendet seine Schrift im Jahre 1098 in seinem Exil in Capua; es erhebt sich die Frage, ob Gilbert, ein Schüler Anselms, nach diesem Jahre, den Sinn der Menschwerdung Gottes in dieser Weise formuliert hätte? (Über einen früheren terminus a quo der Schrift Gilberts s. Werblowsky, op. cit. S. 76/77.)

113. Gen. XXII, 18.

Der Jude beschuldigte den Christen der Mißinterpretation und der Widersprüche, fälschlicherweise weise er auf Schriftverse hin, die die Menschwerdung Gottes unter Beweis stellen sollen. Der Prophet Ezechiel
hat nur von einem Tor gesprochen, nichts weist darauf hin, daß hier
von einer Frau die Rede ist: „et dixit Dominus ad me: porta haec clausa
erit, et non aperietur, et vir non transibit per eam"[114]. Wenn Gott sagt,
daß Christus aus dem Samen Abrahams stammt, wie kannst Du dann
behaupten, daß er aus keinem menschlichen Samen entstanden ist?
Ausführlich weist Gilbert auf den figürlichen Sinn zahlreicher Textstellen hin, die die jungfräuliche Geburt Christi und Gott als Vater und
Sohn bezeugen. Allerdings können nur die Gläubigen die Einzigkeit der
Gottheit und die in ihr enthaltene Dreiheit begreifen, ohne daß ihnen
daraus Gefahr für die Rechtmäßigkeit ihres Glaubens entsteht. Aber, so
sagt er, will ich Dir noch auf deinen letzten Einwurf antworten „postea
ad haec prout poterimus, discutienda revertemur"[115]. Jesus, obwohl er
von keinem Mann gezeugt wurde, stammte jedoch durch seine Mutter
von Abraham ab[116].
Gilbert macht sich das Leben nicht leicht. Er bemüht sich, objektiv
über die nicht leichtwiegenden Einwürfe seines jüdischen Gesprächspartners zu berichten, wahrscheinlich um seiner Zuhörerschaft zu beweisen, daß auch die schärfsten Argumentationen des Juden zu entkräften sind. Der Jude mokiert sich nicht wenig über die Schriftinterpretation des Christen. Auf diese Weise könnte man noch viel mehr Textstellen aufzeigen, die auf Christus hinweisen. Außerdem müsse er den Vorwurf erheben, daß hier Prophetenaussagen zitiert werden, die in der Bibel nicht aufzufinden sind, „quae non scripta in lege et prophetis"[117].
Die Worte, die Ihr Christen dem Propheten Jeremias zuschreibt —
„post haec in terris Deus visus est et cum hominibus conservatus est" —
sind niemals von ihm gesagt worden. Hier ist es nicht der Christ, sondern der Jude, der einen scharfen polemischen Ton anschlägt: „erubesce
contra nos adinventam falsitatem et agnosce primam apud nos permane-
re in lege et prophetis veritatem!"[118] Niemals hätte Jesaja prophezeit
„ecce *virgo* concipiet et pariet filium", sondern „ab *scondita* concipiet et
pariet..."[119].
Diese Interpretation hat Gilberts Gesprächspartner nicht erfunden, bereits Hieronymus belehrt uns, daß das hebräische Wort „almah": „verbum ambiguum est: dicitur enim et adolescentula et abscondita..."[120]
doch hatte Hieronymus einen guten Grund für diese etwas abwegige

---

114. Ezech. XLIV, 2, col. 1024 B.
116. Ibid. C.
118. Col. 1027 A.
119. Almah = junge Frau; (ne) almah = die Verborgene, letzteres gebräuchlich in der Passivform (und nicht aktiv = almah).
120. Hier. in Jes. CCL, LXXIII, III, S. 103.

115. Col. 1026 B = S. 57.
117. Col. 1026 C = S. 57.

Etymologie, weil er dadurch den Angriffen der Juden auf die christliche Interpretation almah = virgo auswich[121]: Es ist aber merkwürdig, daß der Mainzer Jude, der, wie wir gehört haben, „litteris educatus" war, sich dieses Argumentes bediente und als jüdische Interpretation deklarierte. Sollte man annehmen, daß ihm der Unterschied in der sprachlichen Bedeutung von almah und virgo nicht bekannt gewesen ist? Oder war es seine Absicht, durch diese zwar grammatikalisch mögliche, aber unübliche und darüber hinaus unjüdische Interpretation den endlosen Diskussionen über „almah — betulah — virgo" auszuweichen? Mir scheint letzteres zutreffender zu sein. Auch andere Entgegnungen des Juden könnten eine ähnliche Taktik verraten.

Der Christ erweist sich als gebildet. Die Kirche hat es nicht nötig, irgend etwas zu erfinden. Alles ist in den Schriften der Juden, nämlich der siebzig Gelehrten, die zu Zeiten des Ptolemäus den hebräischen Text ins Griechische übersetzt hatten, zu finden. Auch wenn sich genanntes Zitat nicht im Buche Jeremias befindet, so ist es dem Propheten Jeremias dennoch zuzuschreiben, denn Baruch, als sein Schreiber, hat es uns überliefert[122].

Wieder klingt es merkwürdig, wenn der Jude „litteris educatus" behauptet, die siebzig Gelehrten der griechischen Übersetzung nicht zu kennen. Er kennt — so seine Worte — nur die siebzig weisen Männer, die Mose als Richter ausgewählt hatte, und diese haben nichts Schriftliches hinterlassen. Lange Zeit danach haben David und die Propheten vieles ausgesagt und vieles geschrieben, doch alles in hebräischer Sprache und für uns. Alle anderen Gesetze und Prophetentexte sind demnach eine Fälschung[123].

Wenn wir nicht annehmen wollen, daß der Jude entgegen Gilberts Behauptung erstaunlich ungebildet gewesen war, kann man nur zu dem Schluß kommen, daß er versucht hatte, sich durch diese Art der Argu-

---

121. „Et revera cum Judaeis conferamus pedem et nequaquam contentiose praebeamus eis risum nostrae imperitiae, virgo Hebraice bethula apellatur...", ibid. An anderer Stelle gibt Hieronymus eine Erklärung für die Erklärung almah-abscondita: „Quid est igitur quod significat ‚alma‘? Absconditam virginem id est non solum virginem sed cum ἐπιτάσει virginem, quia non omnis virgo abscondita est ... in Hebraico scriptum ‚alma‘ id est virgo secreta." Hier. Adv. Jovin. PL 23, 266 B. Die Übernahme dieser Interpretation durch einen Juden erweist sich als ein zweischneidiges Schwert, wie Gilberts Antwort bezeugt: „abscondita ... hoc est ab amore viri, et omni contagione peccati conservata, concipit...", col. 1030 A = S. 59.

122. „Temporibus Ptolomei regis Aegypti septuaginta interpretes vestrae gentis tunc eruditissimi doctores legem et prophetas ex Hebraeo in Graecum interpretati sunt...", col. 1027 B = S. 55.

123. „Procedente vero temporum atque rerum serie, apud nos postea fuerunt David et prophetae, qui multa dixerunt, multa scripserunt... Hebraea lingua... Hebraeo stylo ... et apud nos. Quicquid ergo aliud in lege et prophetis quam apud nos habetur et aliter quam primum exemplar continet, aliquis interpretatus est, falso interpretatus est, nec alicuius auctoritatis esse potest", col. 1028 A = S. 56.

mentation endlose Diskussionen über Abweichungen griechischer und
lateinischer Versionen von dem Text der Hebräischen Bibel zu erspa-
ren. Seine Autoritäten sind Mose, David und die Propheten, andere Gelehrte kennt er nicht.
Der Christ antwortet überlegt und vernünftig. Die siebzig Gelehrten
haben lange Zeit vor der Geburt Christi gelebt und die Bibel in die griechische Sprache übersetzt. Wenn sich daher der griechische vom hebräischen Text unterscheidet, sind nicht die Christen deshalb zu tadeln.
Nicht nur Baruch, der Schüler Jeremias, hat über das Kommen Christi
gesprochen, andere Propheten haben mit anderen Worten über dasselbe
Ereignis gesprochen[124]. In seinen folgenden Ausführungen übergeht Gilbert kaum eine der traditionellen christologischen Auslegungen von
Psalmen und Prophetenworten, er läßt nichts unversucht, um seinen
Gesprächspartner und sein Publikum zu überzeugen. Diejenigen, die
nicht begriffen haben, daß in der Schrift zahlreiche Hinweise auf das
Kommen, Leben und Martyrium Christi enthalten sind, haben den
Sinn der Schrift nicht begriffen: „obscurentur oculi eorum, qui ne vide-
ant, et dorsum eorum semper incurva"[125]. An denjenigen, die Christo
glauben, erfüllt sich das Jesajawort „qui ergo crediderunt in eum, non
confundentur..."[126]. Hingegen gilt für die Ungläubigen das andere Bibelwort: „confundantur omnes, qui adorant sculptillia et qui gloriantur in
simulacris suis"[127].
Diese letzte Argumentation hat dem Juden ein gutes Stichwort gegeben.
Nicht die Ungläubigen sind es, die Bilder verehren, sondern die Christen selber, ihre Kathedralen und Klöster legen Zeugnis hierfür ab. Wieder bedient sich der Jude in stärkerem Maße einer polemischeren Ausdrucksweise als der Christ, was den Eindruck erwecken könnte, daß
Gilbert aus rhetorischen Gründen die Reden des Juden verschärft, um
seinen endlichen Sieg in der Disputation um so glorreicher erscheinen
zu lassen. Auf jeden Fall entbehrt die Beschreibung des Juden eines Hei-
ligenbildes, das er vielleicht in der Abtei von Westminster Gelegenheit
zu betrachten hatte, und das auch seinem Gesprächspartner wohl bekannt sein mußte, nicht eines sarkastischen Untertons. Es handelt sich
um ein Abbild von Jesus am Kreuz[128]: „quod ipso visu horrendum est
idque adoratis", umgeben von einer erschreckt fliehenden Sonne und einem trauernden Mond, der sein Licht verdunkelt. Auch Gott ist auf diesem Bild abgebildet, inmitten eines grandiosen Blendwerks, umgeben

---

124. Hier nur einige Hinweise: Jesaja, IX, 2; Ps. 87, 5; Jes. VII, 14; Ps. II, 7: „ego hodie genui te"; mit besonderer Ausführlichkeit Jes. LIII, col. 1o31/32 etc.
125. Ps. LXVIII, 24, col. 1033.
126. Jes. XXVIII, 16, ibid.
127. Ps. XCVI, col. 1034 A.
128. „effigiatis ... [Deum] miserum pendentem in patibulo cruci clavis affixum...", col.
1034 = S. 65.

von einem Adler, Löwen und Widder. Solche Bildwerke fertigen die
Christen an, wann und wo immer sie können, beten sie an und verehren sie, obwohl das Gesetz Gottes solches unter Androhung furchtbarer
Strafen untersagt: „non facies tibi sculptile, neque omnem similitudinem quae est in coelo desuper et quae in terra deorsum, nec eos quae
sunt in aquis..."[129]
Wieder ist des Christen Antwort trotz des Angriffes ruhig und überlegt.
Er weist auf das Stiftzelt Moses hin und die Anordnungen Gottes bei
dessen Errichtung[130], auf die Cherubine im Jerusalemer Tempel[131] und
die Seraphine in Jesajas Offenbarungsvision[132]. Auch wenn man Bilder
oder Skulpturen anfertigt, betet man diese nicht an, sondern errichtet
sie allein zu Ehren Gottes. Das Kreuz wird nicht als göttlich verehrt
oder angebetet, sondern zum Gedenken an die Passion Christi
errichtet[133].
Am Schluß seiner Ausführungen fordert Gilbert seinen Gesprächspartner auf, erneut die Schrift zu lesen, dann würde auch er sich überzeugen,
daß alle von ihm angeführten Schriftstellen tatsächlich auf Christus hinweisen: „nam qui promittebatur mittendus venit jam missus, sicut attestantur signa quibus praenuntiabantur Jesus Christus expectatio gentium, cui honor et imperium per omnia saecula saeculorum, amen!"[134]
Disputationen zwischen Juden und Christen besaßen gerade in England, trotz erst kurzer Ansässigkeit der Juden in diesem Lande, einige
Aktualität. Von Wilhelm von Malmesbury[135] erfahren wir, daß die Juden im Gefolge Wilhelms des Eroberers von Rouen nach London gekommen waren und anscheinend bei Wilhelm Rufus einige Achtung
genossen hatten. Auf jeden Fall erregte dessen Haltung gegenüber den
Juden, die er mit „insolentia" bezeichnet, den Zorn des Memoiren-
schreibers. Wir hören, daß die Juden Londons Wilhelm Rufus feierlich
entgegengingen und ihm Geschenke darboten, da hätte dieser es gewagt,
wohl bestochen durch die Gaben, die Juden zum Streit gegen die christlichen Geistlichen aufzuwiegeln. Es wäre sein Wille, erklärte er unver-
froren, zum Judentum überzutreten, wenn die Juden in dem Streitgespräch siegen würden[136].

---

129. Exod. XX, 4 col. 1034 B = S. 65.
130. Ibid., col. 1035 A = S. 66.
131. Ibid.
132. Ibid.
133. „Non Deum esse dicimus, ullamque in se, aut ex se virtutem habere eam dicimus...",
col. 1035 C = S. 66.
134. Col. 1036 B = S. 68.
135. Wilhelm von Malmesbury, Gesta Regum Anglorum RS II. Bd. 90, 1857, Neudruck
1964, S. 371. Anm. aus dem MSS der A-Rezension.
136. „Per vultum ait, de Luca, pronuntians, quod si vicissent in eorum sectam
transiret...", ibid.

In einem späteren Bericht kehrt Wilhelm von Malmesbury im wesentlichen auf diese Ereignisse zurück, doch zeigt er sich diesmal in seinem Ton gegenüber Wilhelm Rufus eher gemäßigter. Diesmal erweisen sich die Juden als die Unverschämten, da diese in Rouen den König bewegt hätten, und zwar durch Bestechungen, die zum Christentum konvertierten Juden aus der Kirche auszuschließen, damit diese gezwungen sein würden, zum Judentum zurückzukehren[137]; auch das vom König initiierte Streitgespräch in London zwischen Juden undChristen erhält in diesem Gespräch einen anderen Akzent. Nicht die Unverfrorenheit des Königs wird angeprangert, sondern die Angst der Bischöfe vor der Auseinandersetzung mit den Juden, ist es, über die sich der Autor mokiert[138]. Wir sind vielleicht berechtigt, in diesen Berichten eine Stütze für die Annahme zu finden, daß Gilberts Disputatio den Christen die Furcht vor Auseinandersetzungen mit Juden nehmen sollte, und aus diesem Grunde sich der Abt von Westminster nicht gescheut hatte, sich der scharfen Argumentation des Juden, den er als gebildet bezeichnete und zu welchem er freundliche Beziehungen — wie er behauptete — unterhielt, rückhaltlos, coram publico, zu stellen.

---

137. Wilhelm v. Malmesbury äußert sich nicht über das Vorgehen des Königs, der die Juden zwang, zu ihrem alten Glauben zurückzukehren, hingegen geht Eadmer auf diese Angelegenheit ein. Hist. Nov. in Anglia RS, Bd. 81, 1857, Neudruck 1965, S. 99.
138. Im ersten Bericht: Insolentiae vel potius inscientiae contra Deum hoc (Rufus) fuit signum, im zweiten Bericht (wahrscheinlich zehn Jahre später, etwa 1135): Insolentiae in Deum Judaei ... dedere judicium, ibid. Die Bischöfe fürchteten sich vor dem Streitgespräch, in welchem die Juden, obwohl sie sich brüsteten, nicht auf Grund ihrer Vernunft, sondern ihres Zusammenhaltes überlegen waren: „magno igitur timore episcoporum et clericorum res acta est, pia sollicitudine fidei Christianae timentium. De hoc quidem certamine nihil Judaei praeter confusionem retulerunt, quamvis multotiens jactarint se non ratione sed factione superatos", ibid.

V. Antichristliche Polemik in den Kommentaren des Salomo ben Isaak (Raschi)

Auf dem Hintergrund von Zeitereignissen und Auseinanersetzungen zwischen Juden und Christen will ich den Versuch unternehmen, aus Raschis Interpretationen seine Einstellung zur christlichen Umgebung und seine Antwort auf christologische Bibelauslegung herauszulesen. Raschi verwendet in seinen Kommentaren für Christen den talmudischen Begriff „Min" (Sing.) — „Minim" (Plur.). Eine Auslegung, die er als Entgegnung auf christliche Polemik gegen jüdische Bibelinterpretation verstehen will, eröffnet er mit den Worten „le tešuvat ha minim". Zur Entgegnung für die „Minim".

Auf zwei Ebenen möchte ich meine Untersuchungen über den Begriff „Minim", im Sinne von Christen und den Begriff „le tešuvat ha minim", „zur Erwiderung für die Christen", der Raschikommentare vornehmen. Den Begriff „Minim" in dem Kontext, in dem Raschi ihn angewandt hat, zu verfolgen, und „le tešuvat ..." dort zu suchen, wo die christologische Schriftinterpretation, wie wir ihr in den Traktaten des Zeitalters Raschis begegnet sind, Provokation für die Juden bedeuten muß[1].

---

1. Die Bedeutung von „Min — Minim" ist Art, (genos) im Sinne von „alle Arten von Andersgläubigen". Andere Definitionen von „Min" wie: Ma'amin, Glauben an zwei Gottesvorstellungen, als Abkürzung von „Ma-amin be Jesu ha — nozri" (Glauben an Jesus, den Nazarener), oder abgeleitet von Mani, dem Begründer des Manichäismus, sind nicht aufrechtzuerhalten, da sie mit den talmudischen Kontexten, in denen „Min" verwendet wird, nicht übereinstimmen. Ausführlich hierüber Travers Herford, Christianity in Talmud and Midrash, London 1903, Reprint 1972, S. 374.
Travers Herford, op. cit. S. 368ff identifiziert „Minim" mit Judenchristen (gegen M. Friedländer, Der vorchristliche jüdische Gnostizismus, Göttingen 1898, der unter „Minim" ausschließlich Gnostiker versteht). Doch sind wohl Gnostiker als „Minim" nicht auszuschließen, so W. Bacher in „Le Mot Minim dans le Talmud designe-t-il quelquefois des chrestiens?", in REJ 38, 1899, S. 38—46.
Für Minim als Judenchristen finden wir eine Stütze bei Hieronymus:
„Usque hodie per totas orientis synagogas inter Judaeos haeresis est quae dicitur Minaeorum et a pharasaeis nunc usque damnatur, quos vulgo Nazaraeos nuncupant, qui credunt in Christum filium Dei natum de virgine Maria et eum dicunt esse qui sub Pontio Pilato passus est et resurrexit, in quem et nos credimus, sed, dum volunt et Judaei esse et christiani nec Judaei sunt nec Christiani" (Zit. von Travers Herford, op. cit. S. 378), Epist. 89 ad Augustin.
Raschi bezeichnet mit „Min-Minim" seine realen Widersacher, die Christen seiner Zeit.

Zwangstaufen, Vertreibungen, aber sicher auch Übertritte zum Christentum bildeten die Motivationen für zahlreiche Interpretationen Raschis zu dem Buch „Sprüche". Aus einem doppelten Anliegen heraus will er die Juden sowohl vor Disputationen wie auch vor Umgang mit den Christen warnen: einmal wegen der Nutzlosigkeit jeglicher Argumentation und zum anderen wegen der Gefahr, die dem gläubigen Juden daraus für das eigene seelische Wohl entstehen kann.

Es ist sicher kein Zufall, daß gerade das Buch „Sprüche" mehr Hinweise auf Raschis Einstellung zu Christen und Christentum enthält als andere Bücher der Hebräischen Bibel. Ist er doch bei dieser Literaturgattung in keiner Weise an irgendeinen erzählerischen oder geschichtlichen Kontext gebunden, und somit frei, seinen Assoziationen zur eigenen Wirklichkeit und Existenz freien Lauf zu lassen.

Die häufigen Erwähnungen im Text der Spötter, der Toren, der Gottlosen, der Bösewichter und gegenüber diesen, der Gerechten, fordern ihn geradezu heraus, diese mit Gruppen seiner eigenen Umgebung zu identifizieren.

Zu dem Vers: „Wer den Spötter belehrt, der trägt Schande davon, und wer den Gottlosen zurechtweist, holt sich Schmach"[2] bemerkt Raschi:

„Dies ist eine Warnung, nicht zu sprechen mit den Aufwieglern (Mesitim), sie nicht anzugreifen und sie nicht nahekommen zu lassen."

In seiner Erklärung zu dem Vers „besser einer Bärin zu begegnen, der die Jungen geraubt sind, als einem Toren in seiner Torheit"[3], setzt Raschi Toren den „minim" und „m^esitim" gleich:

„Es ist besser für den Menschen, einer von ihren Jungen beraubten Bärin zu begegnen als einem der törichten ‚Minim‘, die ihn aufwiegeln, Gott und seine Lehre zu verlassen."

Und seine Erklärung zu: „denn das Gebot ist eine Leuchte und die Weisung ein Licht, und die Vermahnung ist der Weg des Lebens, auf daß du bewahrt werdest vor der Frau Deines Nächsten"[4], legt die Vermutung nahe, daß christliche Einflußnahme auf Juden eine akute Gefahr und Übertritt zum Christentum eine reale Erfahrung für ihn bedeuten:

Eindeutig definiert er „Minim" in seinen Talmudkommentaren: „Dies sind die Schüler Jesu, die den Worten des wahren Gottes abtrünnig geworden sind..." und „das Königtum, das über die Welt herrscht, wird zur ‚Minut‘." TB. Roš Hašanah 17a.
In demselben Sinne Raschis Kommentar zu Jes. 1, 22: („Ich (Gott) will mit Lauge ausschmelzen, was Schlacke ist") „das sind die Minim, die Hasser Israels, sie werden ausgeschieden sein vor Gott durch ihre Lügen und ihre Eilfertigkeiten." TB. Sabb. 139; und zu Deut. XXII, 21: („und durch ein verworfen Volk werde ich sie erzürnen") „dies sind die ‚Minim‘, Israel zu vernichten", zit. von J. Rosenthal, Die antichristliche Polemik in den Raschikommentaren aus „Rashi, his Teachings and Personality", Hg. S. Federbusch, NY, 1958, S. 48 [hebr], derselbe auch in JQR, 57, 1956, S. 162.
2. Cap. II, 12.
3. Sprüche XVII, 12.   4. Cap. VI, 23/24.

„Salomo sprach (in diesem Vers) zwangsläufig von der ‚Minut'[5], die eine schwerwiegendere Sünde ist als alle anderen ... es ist (doch) nicht der einzige Vorzug der Torah, daß sie vor der sittenlosen Frau schützen soll? Sondern weil dies zwangsläufig Götzendienst bedeutet, und dies ist bei weitem schlimmer als alles andere."

Eine ungewöhnliche, allegorische Deutung erfährt bei Raschi die „fremde Frau"[6], die glatte Worte spricht:

„Von der Gemeinde der Ketzer (Epiqoršin) spricht die Schrift, es ist nicht möglich, dies nur auf die Ehebrecherin zu deuten. Was wäre denn die Torah, wenn sie dich nur vor der fremden Frau warnen wollte, und nicht vor einem Vergehen, wie vor der ‚Minut', welches Abwerfen jeglicher Pflichten (und Gebote) beinhaltet?"

Merkwürdig klingt Raschis Auslegung des Verses „Ein Tor ist, wer in die Hand gelobt..."

„Den Ungläubigen, in ihren Wegen zu wandeln..."

Anscheinend bekommt dieser Vers für Raschi nur durch diese Auslegung einen Sinn, warum sollte sonst ein Handgelöbnis zu tadeln sein? Raschis Erläuterung zur Fortsetzung dieses Verses, „und Bürge sein für seinen Nächsten", scheint mir deshalb etwas weit hergeholt:

„Er hat doch schon dem Heiligen, gelobt sei Sein Name, Bürgschaft geleistet, in Seinen Wegen zu wandeln..."[7]

Die Unverständigen sind, laut Raschis Interpretation, diejenigen, die sich von den „minim" und „mesitim" dumm machen lassen[8], die Falschredner sind ebenfalls „Minim" oder „Epiqoršin", die das Volk Israel vom Glauben abbringen wollen und die Torah verfälschen, eine Auffassung, die einer Stellungnahme zur christologischen Bibelauslegung gleichkommt.
An anderer Stelle ist Raschis Interpretation des Wortes „mesitim" sehr aufschlußreich, zu „menge Dich nicht unter die Aufrührer"[9] erklärt er:

„die behaupten, daß es zwei Gewalten gibt"[10].

5. Zitiert nach Rosenthal, op. cit. S. 49 und S. 57, n. 20; dort „minim", nach einer wissenschaftlichen, noch nicht gedruckten Ausgabe; in den gewöhnlichen Ausgaben „Epiqoršin"; die Juden haben aus Furcht vor Zensur in den meisten Ausgaben den Begriff „Minim" durch andere, nicht bekannte in dem Sinne, bei den Christen, ersetzt. So Rosenthal, ibid.
6. Cap. II, 16.
7. Cap. XVII, 18.
8. Ebenso Cap. II, 12: „daß du nicht geratest auf den Weg der Bösen, noch unter Leute, die falsch reden." Hierzu Raschi: „Diese sind die Minim (in der gewöhnlichen Ausgabe Epiqoršin), die Israel verleiten wollen zum Götzendienst und die Torah verfälschen" (wörtl. zum Bösen auslegen).
9. Hier für die Aufrührer der hebr. Begriff „šonim", eigentlich „die vom Glauben abweichen".
10. In der rabbinischen Literatur handelt es sich bei den beiden göttlichen Gewalten um

Es wird deutlich, daß die „Aufrührer" die Christen sind. Es ist mir klar, daß man bei Versuchen in Raschis Interpretationen Entgegnungen auf christliche antijüdische Polemik zu finden, Vorsicht walten lassen sollte. Die Gefahr liegt nahe, bei gewissen Auslegungen Zusammenhänge zu konstruieren, bei denen es sich in Wahrheit um rabbinische Aussprüche allgemein gültiger Lebenserfahrung handelt, die nicht in jedem Fall auf Situationen oder Existenzprobleme des Zeitalters Raschis beruhen müssen, doch ermöglichen auch die „Sprüche" oft andere Auslegungskategorien als die von Raschi gewählten, so daß sich zuweilen doch der Eindruck erhebt, daß manche seiner Auslegungen von Texten, die nichts über Toren, Bösewichter oder Gerechte aussagen, Lebensweisheiten seines eigenen Erfahrungsbereiches beinhalten. So beinhaltet Raschis Auslegung des Verses „Es ist Gottes Ehre, eine Sache zu verbergen, aber der Könige Sache hast du zu erforschen"[11] zweifellos eine Antwort auf die christliche Polemik gegen die buchstäbliche Gesetzesbefolgung der Juden:

„Verborgen sind ‚Gottes Thron' und das ‚Schöpfungsgeschehen'[12], (aber) wenn du erklären willst, die Herrlichkeit der Könige oder der Weisen, die einen Zaun um die Lehre schufen, und (erklären willst) die Verordnungen, die sie erließen, sollst du diese erforschen und den Grund der Sache erfragen, aber wenn du erklären willst die geschriebenen Gesetze der Torah ... die der Teufel angreift und ihnen Erwiderungen entgegenhält, wie (gegen) das Verbot des Genusses von Schweinefleisch, des Säens von zweierlei Samen[13], das Anziehen einer Verbindung von Wolle und Leinen[14], dann sollst du dies nicht erforschen, sondern im Verborgenen lassen und sagen: dies ist eine Verordnung des Königs (Gott)[15].

Man wird an die Einstellung zum Gesetz des jüdischen Gesprächspartners von Gilbert Crispin erinnert: das Gesetz ist zu befolgen. Es ist nach diesem Midrasch der Teufel, der in Gestalt des Christen die Gesetzesbefolgung angreift. Teuflisch ist auch der „nichtwürdige Mensch"[16], der

---

den Glauben der Gnostiker und Christen. Raschi, gemäß seiner Realität, wandte diesen Begriff auf Christen, auf den Glauben an den Vater und den Sohn, an.

11. Cap. XXV, 2.

12. ‚Thronmystik' und ‚Schöpfungsgeschehen', Hauptelemente der jüdischen Mystik im Zeitalter der Tana'iten, s. G. Scholem, Die Jüdische Mystik in ihren Hauptströmungen, Zürich 1952, S. 43—86.

13. Hebr. Terminus: kil'e kerem.

14. Hebr. Terminus: ša'atnez.

15. So auch Raschis Erklärung zu Gen. XXVI, 5: „meine Gebote (die Abraham befolgt hat): „die Dinge, gegen die der böse Trieb und die Völker der Welt Einwendungen erheben, wie (gegen) den Genuß von Schweinefleisch und das Anziehen einer Verbindung von Wolle und Leinen, für die uns keine Begründung bekannt ist, sondern die eine Verordnung des Königs und seine Satzungen für seine Knechte sind..." (aus Joma, 67 B, dort ist aber bezeichnender Weise nur von dem bösen Trieb und nicht von den Völkern die Rede. Letztere sind, und ich möchte behaupten, nicht ohne Grund, eine Hinzufügung von Raschi).

16. Hebr.: adam belija 'al.

„einhergeht mit trügerischem Munde, (der) winkt mit den Augen, Zeichen gibt mit den Füßen, zeigt mit den Fingern, (der) trachtet nach Bösem und Verkehrtem in seinem Herzen und allerlei Unheil anrichtet"[17]. Er ist stellvertretend für die „Minim" — so Raschi —, „die die Menschen zum Aberglauben verführen".
Ungewöhnlich scharfe antichristliche Auslegung finden wir in Sprüche XXX, 4: „... wer hat den Wind in seine Hände gefaßt ... wer hat alle Enden der Welt bestimmt ... und wie heißt sein Sohn?"

Raschi: „Wenn Du sagst: es ist schon Einer gewesen wie dieser, dann sage: welcher ist der Name seines Sohnes, welche Familie ging aus ihm hervor, und wir werden wissen, wer er ist!"

Hier haben wir wohl eine der wenigen Raschi-Auslegungen vor uns, die sich deutlich gegen den Glauben an die Menschwerdung Gottes und an die Gottessohnschaft Jesu von Nazareth wendet[18].
Eine Antwort an die Ungläubigen (tešuvat ha-minim) enthält Raschis Kommentar zu dem Genesisvers: „wir wollen einen Menschen erschaffen..."[19]:

„Obwohl sie (die Engel) IHM bei der Erschaffung nicht halfen, und der Ausdruck *(wir)* den Minim eine Gelegenheit zum Angriff bietet, hielt sich die Schrift doch nicht zurück, Anstand und Demut zu lehren, auch der Große berate sich mit dem Geringen, und lasse sich von diesem Zustimmung erteilen. Würde stehen *ICH* will einen Menschen erschaffen, so könnten wir nicht daraus erfahren, daß ER zu Seinem Gerichtshof[20] gesprochen hat, sondern zu sich selbst und als „Antwort für die Ungläubigen" steht gleich danach: GOTT ERSCHUF den Menschen, und es steht nicht SIE ERSCHUFEN!"[21]

Die Minim sind die christlichen Interpreten, die zwar in vielen, aber vor allem in diesem Vers einen der deutlichsten Hinweise auf die Trinität des Gottesbegriffes sehen. Dies tat auch Petrus Damiani, ein Zeitgenosse Raschis, der seine Instruktionen — denn als solche hatte er seinen Traktat verstanden — für einen in der christologischen Bibelauslegung wenig bewanderten Geistlichen geschrieben, damit dieser in Disputationen mit Juden nicht den kürzeren ziehe. Raschi mußte demnach nicht belesen gewesen sein in der patristischen Literatur, um die christliche

---

17. Cap. VI, 12ff.
18. Wie schon erwähnt, interpretiert Raschi das Hohe Lied als Allegorie auf die Beziehung zwischen Gott und Israel. Trotz aller Verführungsversuche und Aufwiegeleien (pitui we hasatah) der „Völker der Welt" bleibt Israel Gott treu. Zu Cap. II, 2 sagt Raschi (wie eine Lilie unter den Dornen, so ist meine Freundin unter den Mädchen): „(die Mädchen) verführen Israel, ihnen nachzufolgen und wie sie, anderen Göttern zu dienen, Israel aber bleibt seinem Glauben treu"; und zu VIII, 7 (viele Wasser können die Liebe nicht auslöschen): „durch Zwang, Furcht, Verführung und Aufwiegelung".
19. Gen. I, 26; über diesen Text s. S. 48.
20. Über Gottes Gerichtshof s. S. 48.
21. Interpretation der Raschi-Schule zu diesem Vers s. S. 154.

Interpretation zu kennen[22]. Schon die Ausführlichkeit seiner Erklärung und die Tatsache, daß er nicht nur einen, sondern mehrere midrašim zur Erläuterung dieses Verses aufführt, könnte für seine Absicht zeugen, seinen christlichen Zeitgenossen eine eindringliche Argumentation entgegenzuhalten. Begnügte er sich doch bei anderen Bibelversen, die Gott ebenfalls im Plural sprechen lassen, und die von der christlichen Interpretation ebenfalls als Hinweis auf die Dreifaltigkeit Gottes gedeutet werden, mit der typologischen Bemerkung: Die Schrift spricht in der Sprache der Menschen, um dem Ohre gefällig zu sein[23].

Wie in der Antike steht auch im Zeitalter Raschis im Mittelpunkt der Traktate und Disputationen unvermindert die Beweisführung für die Menschwerdung Gottes aus den Schriften der Hebräischen Bibel. Gilberts Gesprächspartner, der Jude aus Mainz, der vielleicht nicht ungebildet, aber sicher kein Gelehrter gewesen war, beweist, daß auch der einfache Jude in die Lage kommen konnte, sich mit christologischer Argumentation auseinandersetzen zu müssen.So daß wir allen Grund zu der Annahme haben, daß auch Raschis Kommentare zu den Texten, die eine christologische Auslegung erfahren haben, eine Form der Stellungnahme enthalten.

Für den Jesaja-Vers „ecce virgo concipiet et pariet filium", der anscheinend Gilberts Gesprächspartner in Verwirrung brachte, fand Raschi eine nüchterne historische Erklärung, die bei aufmerksamem Lesen sich gegen die christliche Interpretation stellt:

„die ‚almah' (junge Frau) ist meine Frau (sagt der Prophet), sie wird in diesem Jahre schwanger werden, und dies ist das vierte Jahr der (Regierungs-)Zeit des Ahas... Der Geist Gottes wird über sie kommen, und sie wird seinen Namen rufen: „Gott ist mit uns" ... und das ist das „Zeichen"[24], denn sie ist doch ein junges Mädchen und hat noch niemals prophezeit, und das heißt, der Geist Gottes wird über sie kommen. Und deshalb heißt es (VIII, 3) „und ich werde zu der Prophetin gehen". Und manche sagen, daß über Hiskija gesprochen wird, doch ist dies nicht möglich ... das Hiskija neun Jahre vor der Regierungszeit seines Vaters geboren wurde. Und manche sagen, daß sie eine ‚almah' war, und nicht gebären konnte..."[25]

---

22. Einige der christologischen Auslegungen von Gen. I, 26: Augustin. De Trinit. lib. XI, c. 1 CCL L, S. 333. De Trinit., I. 7, S. 46, ibid. De Civitate Dei, XVI, CCL LVIII, S. 506. Euseb. De Trinit. lib. III, S. 41, CCL IX. Hier. In Jes. III, S. 90, CCL LXXIII. Gregor, in libr. Reg. II, CCL CXLIV, S. 176. Beda Venerab., In Gen. I, CCL CXVIII A S. 25. Evagrius: (Altercatio Judaei et Theophili Christiani, PL 20, col. 1165/82) wendet sich ausdrücklich gegen die rabbinische Interpret. dieses Verses. Bodo Eleazar desgleichen in seinem Briefwechsel mit Paul Alvar. Epist. XVI. PL 121, col. 493. Petrus Damiani, op. cit., s. S. 89.

23. S. S. 49.

24. Jesaja forderte König Ahas auf, ein Zeichen zu verlangen, als dieser sich weigerte, gab der Prophet das „Imanuelzeichen". Vers 11/12.

25. Zitiert nach I. Maarsen, Parshandatha, The Commentary of Rashi on the Prophets and Hagiographs, edit. on the basis of several manuscrips and editions, Amsterdam, Neudruck Jerusalem 1972, S. 23.

Raschis Interpretation bricht abrupt ab, so daß die Erwiderung zu der Auslegung „mancher", die er zitiert, nämlich: almah im Sinne von Virgo (betulah) fehlt. Entweder ist sie verlorengegangen, oder Raschi hat sich absichtlich damit begnügt, nur die christliche Meinung zu zitieren, ohne darauf einzugehen, nachdem er bereits eine gründliche, allen Aspekten gerechte, Erklärung geliefert hat[26]. Raschi weist mit seiner historischen Auslegung der jesajanischen Weissagung von Cap. IX, 5/6 jeglichen Versuch, ihn auf die Geburt Christi zu deuten, zurück: „denn uns ist ein Kind geboren, ein Sohn ist uns gegeben, und die Herrschaft ruht auf seiner Schulter, und er heißt Wunderrat, Gott-Held, Ewig-Vater, Friedensfürst, auf daß seine Herrschaft groß werde und des Friedens kein Ende, auf dem Thron Davids und in seinem Königreich, auf daß er es stärke und schütze von nun an bis in alle Ewigkeit." Gilbert Crispin, der diesen Vers als Hauptstütze für den Beweis der Menschwerdung Gottes anführt, wiederholte nur eine Auslegung, deren Tradition auf die ersten nachchristlichen Jahrhunderte zurückgeht[27].

Raschi, und mit ihm die späteren spanischen Exegeten, bezieht diese Verse auf die Geburt des Königs Hisqija, an welchen das von Assyrien und vom Nordreich bedrohte Judaea große Hoffnungen knüpfte:

„Obwohl Ahas, sein Vater, ein Bösewicht gewesen war ... wird sein Sohn ein gerechter König sein, und es wird die Herrschaft des Heiligen, gelobt sei Sein Name, ... auf seiner Schulter ruhen, und er wird sich mit der Torah beschäftigen und wird die Gesetze erfüllen..."

Die wunderbaren Namen sind, laut Raschis Interpretation, nicht des Königs, sondern Gottes Namen, wären sie des Königs Namen, so kämen sie einer Vergöttlichung desselben gleich. Nur der letzte Name „Friedensfüst" bezeichnet den König, „denn Frieden und Wahrheit werden in seinen Tagen walten". Mit dieser Auslegung, die syntaktisch durchaus zu vertreten ist[28], hat er die eschatologische Komponente die-

---

26. Auswahl christologischer Auslegungen von Jes. VII, 13/14 (almah im Sinne von Betulah) im NT Matth. I, 23; Tertull. Adv. Jud. IX; CCL, II. S. 1365; Justin, Dial. c. 36, 49; Hier. in Jes. III, CCL XXIII, S. 104; Cyprian Ad Quirin. II, IX CCL III, S. 41; Evagrius, Altercatio, PL 20, col. 1170/71; Paul Alvar. Epist. XVI, PL 121, col. 485/86; Rad. Pasch. In Math. PL 120, col. 116 (ebenfalls ein wortreicher Versuch, das Problem zu umgehen, indem er Almah mit ‚Heilige' erklärt), Gilbert Crispin op. cit. col. 1018/19.

27. Auswahl christologischer Auslegungen von Jes. IX: Tertull. adv. Jud. X CCL II, S. 1378; August. De Trinit. lib. II c. XIII CCL L, S. 112; Hier. in Jes. III CCL XXIII, S. 125; in Raschis Zeitalter Gilbert Crispin s. S. 98.

28. Entweder: „ER rief seinen Namen: Wunderrat". Oder: ER, Wunderrat, Gottesheld, Ewig-Vater, rief seinen Namen: „Friedensfürst". — Der hebräische Satzbau ermöglicht evtl. beide Lesarten, allerdings ist die erste die naheliegende.
Interessant ist in diesem Zusammenhang Bubers Übersetzungs-Versuch, die Königsnamen zu „entgöttlichen": „Seinen Namen, einen entrückten, ruft man: Ratsmann des

ser Verse in eine rational-historische umgewandelt. Es wird deutlich, daß es ihm darauf allein ankommt:

„Die Herrschaft Gottes ist auf ihn gelegt, damit man ihn fürchten muß, dies für die Erwiderung für die ‚anderen' ... und auch ‚Friedensfürst' ist (eigentlich) ein Gottesname, und diese Namensgebung ist nicht wörtlich zu begreifen, sondern im Sinne von Größe und Herrschaft... ER gab ihm einen Namen (im Sinne von Ruf) und Herrschaft. Und der Friede, der ihm gegeben wird, hat keine Grenzen."

Und zu den Worten „von jetzt und in alle Ewigkeit" bemerkt Raschi ausdrücklich:

„Die Ewigkeit des Hisqija, alle Tage seines Lebens, und als Erwiderung für die Minim, die da sagen, daß dies ein Name (für Jesus) sei: Dieser Irrtum[29]ereignete sich nicht, sondern erst nach fünfhundert Jahren."[30]

Doch kennt Raschi auch messianische Deutungen, allerdings im Sinn der Hebräischen Bibel und der rabbinischen Tradition, nämlich als Gotteskönigtum. So weist der Jesaja-Vers „Es wird ein Reis hervorgehen aus dem Stamme Isais" nicht auf einen sündenerlösenden Messias, sondern auf einen gesalbten Messias-König hin. Es ist demnach von der Wiederherstellung des idealen davidischen Königreiches die Rede. Die Erlösung, die Rückführung der Zerstreuten, in ein Reich des Friedens und der Gerechtigkeit sind innergeschichtlich zu begreifen.

Raschi: „Und wenn Ihr sagen wollt dies sind Trostworte für Hisqija und sein Volk, daß sie nicht in seine (Sanheribs) Hände fallen werden, (muß man fragen) was wird aus der Diaspora, die nach Helah und Habor[31] verbannt wurden, sind sie etwa verlorengegangen? Sie sind nicht verlorengegangen, am Ende kommt der Messias und wird sie erlösen."

Nach Raschi handelt es sich um eine doppelte Tröstung: Für Judah und Hisqija, die sich an die Unheilsbotschaft des vorhergehenden Kapitels anschließt, und Tröstung für das gesamte Volk Israel, als Weissagung auf die Rückkehr der Zerstreuten. Die Ausführlichkeit dieser Erklärung könnte, da Raschis Kommentare sich im allgemeinen durch prägnante Kürze auszeichnen, auf sein Bemühen, Mißverständnisse betreffend die Person des Messias, auszuschließen[32], hineinweisen.
Wenn es nur irgend möglich ist, betont Raschi den historischen Hintergrund eines Bibeltextes, schon um zu vermeiden, irgendwelche Psalmen

Göttlichen, Held des Ewigvaters, Fürst des Friedens", demnach handelt es sich um einen gottgegebenen, nicht aber um einen göttlichen König. Doch scheint mir diese Wortzusammenfügung dem hebräischen Sprachsinn Gewalt anzutun.
29. Hebr. Ta'ut — Irrtum im Sinne von Irrlehre, häufige rabbinische Bezeichnung für das Christentum.
30. Zitiert nach Maarsen, op. cit. S. 31/32, Noten.
31. II Kön. XVII, 6.
32. Beispiele für christologische Auslegungen von Jes. XI: Cyprian ad Quirin. II X CCL III, S. 43; Augustin, De Trinit. lib. II, c. XVI, CCL L, S. 116; Hier. In Jes. V, CCL LXXIII, S. 147; Tertull. Adv. Jud. IX CCL II, S. 1366.

oder Prophetenworte auf den Messiaskönig zu deuten. Die Worte Jesajas „der Gerechte ist umgekommen, und niemand ist da, der es sich zu Herzen nimmt"[33], die von der Patristik auf Jesus gedeutet werden[34], erfahren bei Raschi eine historische Auslegung „wie zum Beispiel Josia" und der zweite Teil („niemand ist da, der es zu Herzen nimmt") wird von Raschi etwas gewaltmäßig umgedeutet, indem er sagt: warum er umgekommen ist, im Sinn von „begreifen, verstehen". In diesem Sinne fährt er auch fort: „Unter den Zurückgebliebenen ist keiner, der versteht, warum der Heilige, gelobt sei Sein Name, ihn (Josia) fortgenommen hat." Zu dieser Deutung ist Raschi gezwungen in dem Moment, in dem er den Vers auf Josia auslegt, da sich das Volk Israel seinen Tod sehr wohl „zu Herzen nahm", ihn aber nicht begriffen hat, da er der vollkommen gerechte König gewesen war[35].

Dem Sacharia-Vers — Sproß ist sein Name[36] — gibt Raschi ebenfalls eine historische Deutung, obwohl er sich hiermit von der rabbinischen Tradition abwendet[37]:

„Das ist Serubavel, von dem auch oben die Rede ist, und einige deuten (den Vers) auf den Messiaskönig, doch spricht die Schrift von der Zeit des zweiten Tempels."

Deutlich wird Raschis Tendenz in seinen Worten zu Sacharia IX, 9: „Siehe, dein König kommt zu Dir, ein Gerechter und ein Helfer, arm und reitet auf einem Esel", hier merkt man bei Raschis Worten ein tiefes Bedauern, keine historische Lösung bieten zu können:

„Es ist nicht möglich, (den Vers) anders auszulegen, als auf den Messiaskönig, denn es heißt: Und seine Herrschaft wird sein von einem Meer bis zum Anderen..."[38] „In der Zeit des zweiten Tempels finden wir keinen solchen Herrscher."

Gegen die rabbinische Tradition wendet sich Raschi mit seiner Auslegung von Psalm II: „... Ich aber habe meinen König eingesetzt, auf meinem heiligen Berg Zion, ... kundtun will ich (der König) den Ratschluß des Herrn, er hat zu mir gesagt: ‚Du bist mein Sohn, heute habe ich dich gezeugt.'" Hierzu Raschi:

„Unsere Lehrer haben dies auf den Messiaskönig gedeutet, und doch nach seiner Bedeutung[39] ist es richtig, es auf David zu beziehen, denn es steht geschrieben: als die Phi-

---

33. Jes. LVII, 1.
34. Justin Martyr, Dial. c. 117; Cyprian ad Quirin, II XI B CCL III, S. 48; Hier. in Jes., CCL LXIII A., S. 640.
35. Josias Tod, der bei Meggido in der Schlacht gegen Neho Pharao von Ägypten fiel, wurde vom Volk tief betrauert, II Chron. XXXV, 24/25.
36. Sach. VI, 12.
37. „Siehe es ist ein Mann und der heißt Spross, und unter ihm wird es sprossen ... und er wird den Tempel bauen..." Echah Rabbati, edit. S. Buber, Wilna 1899, Neudruck Jerusalem 1967, S. 88.
38. Vers 10.   39. Lefi mašma'o, s. S. 38, n. 6.

lister hörten, daß Israel David zum König über sie gesalbt hat, sammelten sie ihr Lager ... und sie fielen in seine Hände[40], und über sie ist gesagt: ‚warum toben die Heiden?'".

Mit diesem historischen Bezug hat Raschi die Schwierigkeit von Vers 7, der bereits im Neuen Testament als Zeugnis für die Gottessohnschaft Jesu angeführt wird[41], gelöst, denn — so fährt er fort:

„kundgetan durch Gad, Nathan und Samuel: ‚Mein Sohn bist du, das Haupt Israels, die in der Torah meine erstgeborenen Söhne gerufen werden, und diese werden durch dich bestehen ... durch die Hand meines Knechtes David will ich mein Volk Israel erretten und ihretwegen bist Du (mir) wie ein Sohn, da alle von Dir abhängig sind... Ich habe Dich über sie zum Herrscher gesetzt... Du sollst genannt sein, mein Sohn, mein Vielgeliebter...'"

Da dieser Psalm nicht, wie viele andere, durch die Überschrift dem König David zugeeignet ist, und, um eine messianische Auslegung, obwohl die Rabbinen sie vornahmen, zu vermeiden, ging Raschi seinen eigenen und etwas umständlichen Weg. Die Schwierigkeit ist ihm sicher gegenwärtig gewesen. Er versuchte sie durch Anführung von Zitaten aus den historischen Büchern der Bibel zu entkräften[42].

Zur „Erwiderung für die Ungläubigen" deutet Raschi den Psalm XXI, wiederum im Gegensatz zur rabbinischen Tradition. Da es sich diesmal um einen Psalm Davids handelt — es ist ein Bitt- und Dankgebet —, allerdings ohne jeden historischen Hinweis, ist es nicht schwer für Raschi, ihn als ein Gebet Davids auszulegen, das er sprach, als er, wegen seiner großen Sünde, vom Unglück betroffen wurde[43].

Doch möchte ich wieder an dieser Stelle darauf hinweisen, daß viele dieser und ähnlicher Beispiele sicher bezeugen, daß Raschi die christliche Bibelinterpretation gut kannte, und daß ihm sehr daran lag, eine „tešuvat ha minim" zu erteilen. Doch sollten wir meines Erachtens niemals außer acht lassen, daß es sein Hauptanliegen war, die Bibel als Grundlehrbuch des Glaubens und der Geschichte des Bundes zwischen Gott und Israel jedem Lernwilligen zu ermöglichen. Sowohl Juden als auch Christen galt die Bibel im Mittelalter als Vorlage und Beispiel für Geschichtsablauf und Geschichtssinn. Das Eine zu erforschen und das Andere zu formulieren und zu begreifen, bildete die eigentliche Motivation, sowohl der rabbinischen Lehrhäuser als auch der Klöster und Kathedralschulen derselben Epoche. Jegliche Polemik, Abgrenzung oder Auseinandersetzung, ist einem solchen Anliegen immanent[44].

40. II. Sam. V, 17.
41. Apg. IV, 25 XIII, 33, I. Hebr. V, 5.
42. Beisp. 1. Chron. Cap. XIV, 2: „und David erkannte, daß der Herr ihm zum König ... bestätigt hatte, denn sein Königtum war so hoch erhoben worden, um Seines Volkes Israel wegen..."
43. Raschi: „Er (David) sprach diesen Psalm, als er Batseba zu sich nahm."
44. Obwohl man Vorsicht walten lassen sollte, in allen denjenigen Kommentaren Ra-

Der Feind und Gegner Jacobs (Israels) par exellence ist in der Erzählung der Hebräischen Bibel Esau, der Stammvater des Volkes Edom. In der rabbinischen Literatur wird Esau — Edom zum Feind Israels, der, wie einst dem Bruder, jetzt dem gesamten Volke nach dem Leben trachtet; Edom wird stellvertretend für alle Israel feindlichen Völker, erst für Babylon und mit dem Anwachsen des Einflusses der Weltmacht Rom auf den hellenistischen Osten, für Rom. Edom und Rom wurden somit in der rabbinischen Literatur zu austauschbaren Begriffen[45].

Doch fand man für die ferne, unheimliche, große und mächtige Stadt zusätzliche Bezeichnungen, entnommen anderen geographischen Begriffen der Hebräischen Bibel[46]. Sowohl Tyrus, die Hauptstadt Phöniziens, hebräisch: Zur, unvokalisiert ZR, gleichbedeutend mit Feind[47], Bedränger, wie auch „Inseln des Meeres" und „Kittim" wurden zu Bezeichnungen für die heidnische Weltmacht Rom[48]. Man kann annehmen, daß für Raschi, für den das christliche Rom Ende des 11. Jahrhunderts, auf der Höhe des Investiturstreites und als Initiator des Ersten Kreuzzuges, höchste Aktualität besaß, Edom, das heidnische Rom, zum christlichen Rom seiner Tage wurde, so daß wir berechtigt sind, aus sei-

schis, die in dem Neuen Testament oder von der Patristik christologisch gedeutet wurden, als antichristliche Polemik zu begreifen, könnte die Tatsache, daß Raschi sich in der Auslegung „christologischer" Psalmen streng an die rabbinische Tradition hält, eine „Antwort an Andersgläubige" bedeuten. — Psalm CX spielte in der Disputation zwischen Juden und Christen sicher eine große Rolle (s. S. 184, n. 25). Die Schwierigkeit ist evident: „Es spricht der *Herr* zu meinem *Herrn,* setze dich zu meiner Rechten, bis daß ich hinlege Deine Feinde (als Schemel zu deinen Füßen)." Hierzu Raschi: „Unsere Lehrer deuten dies auf Abraham, und ich deute nach ihren Worten. Die Rede Gottes wendet sich an Abraham, den die Welt ‚mein Herr' genannt hatte" (Efron zu Abraham, Gen. XXIII, 14). Die Feinde sind demnach Amraphel und seine Verbündeten, die gegen Abraham Krieg führten (Gen. XIV). Im Neuen Testament wurde dieser Psalm bereits auf Christus gedeutet (Matth. XXII, 44; Apg. II, 34).
45. Die Rom-Interpretation für Edom datiert wahrscheinlich erst nach dem Bar-Kochba-Aufstand (133—135): „Rabbi Jehuda ben Ilai sagte ‚mein Lehrer Baruch (Akiba) sagte: die Stimme Jacobs schreit heraus, wie die Hand Esaus ihm angetan hat in Betar'" (die letzte von den Römern eroberte Festung). Talm Jer., Ta'an. 4, 8, 68 D, und Ber. Rab. 65, 21, S. 740. Die Gleichsetzung Babel mit Rom, zuerst in der pseudoepigraphischen Literatur, s. Orac. Syb. V, 158 (Kautsch, Die Apokryphen und Pseudoepigraphen des AT, Hildesheim 1962, Bd. II, S. 209), ebenso Tanchuma, edit. S. Buber, § 16 (21 b): „Gott wird zu dem frevelhaften römischen Reich sagen: über Dich werde ich zu Gericht sitzen ... wie es heißt, steig herab und setze dich in den Staub, du Jungfrau, Tochter Babel..." Hinweise bei Strack Billerbeck, Kommentar zum Neuen Testament, München 1926, Bd. III, S. 816.
46. Strack Billerbeck, ibid., für Rom die „Stadt".
47. Z(u)r in der Schrift, das ausgeschrieben ist, bedeutet das Land Zur (Phönizien), nicht ausgeschrieben (ZR) Rom, aus Ber. Rab. 61, S. 669; ebenso Exod. Rab. IX, 13.
48. Kittim für Rom zuerst in der Qumranliteratur, Komment. Habakuk und Nachum. Über die Kontroverse Kittim als Seleukiden oder Römer, s. G. Jeremias, Der Lehrer der Gerechtigkeit, Göttingen 1962, S. 10—35.
Jeremias kommt zu dem Schluß, daß mit Kittim in genannten Schriften die Römer gemeint sind.

nen Bibelkommentaren seine Einstellung zu dem Rom seiner Zeit herauszulesen.

Bileam beendet sein Gleichnis mit einer Prophezeiung auf das Schicksal
aller Israel feindlichen Völker[49]. Zu den Worten Bileams: „Edom wird
Jacobs Besitz, Seir wird ihm zu eigen, und Israel gewinnt Macht und
vernichtet den Rest der Stadt"[50], bemerkt Raschi:

> „der gewichtigen Stadt, das ist Rom; vom gesalbten König spricht er so, von dem es heißt:
> er herrscht von Meer zu Meer[51], und dem Haus Esau wird es kein Entrinnen geben..."[52]

Die Worte Jesajas über die Errettung Zions vor dem Verwüster[53] berei-
ten Raschi keine Schwierigkeit, sie als Weissagung gegen Rom auszulegen, da es in diesem Kapitel keinerlei historische Hinweise gibt. So ist
für ihn „der Verwüster", „der (du) nicht selbst verwüstet wirst und der
Verräter, der (du) selbst nicht verraten wirst ... das freche Volk, das
Volk von dunkler Sprache, die man nicht verstehen kann", Rom und sicher nicht die heidnische völkererobernde Weltmacht, sondern deren
Erbe, das Christliche Rom, Sitz der Kirche. Diese Prophezeiung schildert den Untergang der Verwüsterin, des „frechen Volkes", nach Raschis Auffassung: „zu dem alle diejenigen gehören, die nicht die Heilige
Sprache sprechen", und die Errettung Zions: „der Herr ist unser König,
er wird uns helfen ... schlaff sind deine Taue, nicht halten sie das Gestell
ihres Mastes, lassen die Flagge nicht flattern..."[54]; „das sind die Taue, die
die Schiffe des schuldbeladenen Roms ziehen", erläutert Raschi.

Die Bedränger des Volkes Israel, Gog und Magog, werden auf den Bergen Zions fallen, Gott wird sie vernichten und sie im Lande Israel mit
ihren Heerhaufen begraben, „im Tal der Heerhaufen Gogs"[55]. Außer
diesem Ort wird es noch eine „Stadt der Heerhaufen" geben, deren Name — so Raschi — „Rom, die Frevelhafte" sein wird.

Die Worte des Propheten Micha über die „Feindin" verraten ebenfalls
keinen historischen Zusammenhang. „Freue Dich nicht, meine Feindin, wenn ich auch darniederliege, so werde ich doch aufstehen — meine
Feindin wird (meine Errettung) sehen müssen, und in Schande daste-
hen, die jetzt zu mir sagt: Wo ist der Herr meinGott"[56]. Bibelworte haben in allen Zeiten für den Gläubigen einen höchst aktuellen Bezug, um
wieviel mehr noch in Tagen der Bedrängnisse und Katastrophen, es
nimmt daher nicht Wunder, wenn Raschi zu diesen Versen lakonisch

49. Num. Cap. 24, 17—24.
50. Vers. 18/19.
51. Ps. 72, 8.
52. Ovadja, Vers 18.
53. Jes. XXXIII, 1 und 19ff.
54. Vers 23.
55. Ezech. Cap. XXXIX, 16.
56. Micha, Cap. VII, 7.

bemerkt: „Babel und Rom, die Schuldbeladene (sind meine Feindin)"[57]. Bezeichnend sind die Deutungen Raschis für die mystischen Ungeheuer, Leviathan, die flüchtige Schlange, Leviathan, die gewundene Schlange und der Drache, der im Meere weilt, die von Gott mit seinem „harten, großen und starken Schwert" heimgesucht werden[58].

Raschi: „... ich sage, daß dies die drei mächtigen Völker sind, Ägypten, Assyrien und Edom ... die Völker werden mit beißenden Schlangen verglichen ... und der Drache, der im Meer wohnt, ist Zur, der Anführer der Söhne Esaus, und sie wohnt inmitten des Meeres, und Kittim werden die Insel des Meeres genannt, und das sind die Römer."

Hier benutzt Raschi sämtliche Synonyme für Rom, um deutlich werden zu lassen, daß hier nur von ihr die Rede sein kann. Es ist klar, daß mit Edom Rom gemeint ist, denn in diese Größenordnung, Ägypten, Assyrien paßt als dritte Weltmacht nicht das kleine kanaanitische Königreich Edom. Zur — Rom liegt im Meere, „Kittim" und „Insel des Meeres" sind auswechselbare Begriffe, und alles bedeutet Rom. Gott wird die Mächtigen zerstören: „denn die feste Stadt liegt einsam, eine entvölkerte Stätte, verlassen wie die Wüste"[59]. Sowie die Schrift keinen Hinweis für die mystischen Tiere gibt, so wissen wir auch nicht, welche „feste Stadt" gemeint ist. Rom ist nun *die* Stadt, Mittelpunkt einst des Imperium Romanum, in Raschis Zeiten der christlichen Kirche, und so hören wir Raschi:

„Die Stadt Esaus wird verlassen sein, das Land wird entblößt sein von seinen Bewohnern, verlassen sein wie die Wüste..."

Die „feste Stadt", die „starke Stadt", als Feind und Bedränger ist Rom. In seinem Danklied preist Israel Gott: „Du hast die Stadt zum Steinhaufen, die feste Burg zu Trümmern gemacht"[60], wieder für Raschi Hinweis auf Rom: „Denn Du hast den Berg Esaus von einer Stadt zum Steinhaufen gemacht", und zu der Fortsetzung „daß die Paläste der Fremden keine Stadt mehr sind, daß sie nimmermehr aufgebaut werden", fügt er empahtisch hinzu: „Eine Herberge soll man in Deiner Stadt aufschlagen, die man verwüstet hat, gib, Gott, ihre Paläste der Verwüstung anheim, daß sie in alle Ewigkeit nicht mehr aufgebaut werden!" Man fühlt sich zu dem Gedanken verleitet, daß Raschi bei seiner Interpretation an die Eroberung Jerusalems durch die Kreuzfahrer gedacht hatte, an die „römischen Eroberer", deren Stadt zur Vergeltung verwüstet werden soll. Gestützt wird eine solche Assoziation durch die

---

57. Raschi schrieb die Bibelkommentare in den letzten Jahren seines Lebens, entweder zur Zeit oder nach dem 1. Kreuzzug, deutliche Hinweise auf das Kreuzzugserlebnis s. S. 122.
58. Jes. Cap. XXVII, 1.
59. Vers 10.
60. Jes. Cap. XXV, 2.

weiteren Auslegungen Raschis zu diesem Kapitel. Israels Erlösung ist
gleichzeitig die Erlösung Jerusalems, der von Fremden eroberten Stadt:
Der Erlöser wird die Mauer und die Wehr (Jerusalems) aufrichten, „öff-
net ihre Tore, daß das gerechte Volk einziehen kann"[61], das in der Zer-
streuung viele Tage im Glauben an den Heiligen, gelobt sei Sein Name,
geharrt hat, auf daß ER sein Versprechen ... erfüllen möge, (das Volk),
das dem Heiligen, gelobt sei Sein Name, nahe war und sich mit Kraft
auf ihn gestützt hatte, das nicht von seinem Glauben abgewichen war,
für keinen Schrecken und für keine Pein, denn — und jetzt lassen Raschis Worte keinen Zweifel an seiner Absicht — „die Höhenbewohner
sind erniedrigt worden[62]: das sind Zur, Rom und Italien"... Aufschlußreich für Raschis Gegenwartsbewußtsein ist seine Interpretation der
Unheilsweissagung über Tyrus[63]. Obwohl aus dieser Prophezeiung klar
hervorgeht, daß Gott ein Gericht über Tyrus und Sidon, die großen
Handelsstädte Phöniziens, abhalten wird, liest Raschi auch diesmal
„ZR" = Bedränger, und bemüht sich, allerdings nicht mit durchgehen-
dem Erfolg, diese Weissagung auf Rom zu deuten.
Zu „heulet ihr Tarsisschiffe", sagt Raschi:

„die sich durch die Kaufleute Zurs bereichert hatten, denn die Tarsisschiffe brachten Waren nach Zur. Tarsis, das ist der Name des Meeres"[64].

„Denn Tyrus ist zerstört worden, daß kein Haus mehr da ist"

„denn es ist von innen zerstört worden der Ort, zu dem ihr gewohnt wart zu kommen als
in eine Herberge"

„wenn sie heimkehren aus dem Lande Kittim"

„Das sind die Römer".

Es ist verständlich, daß Raschi diese Auslegung nicht völlig zusagte, und
so fügt er, entsprechend seiner Gewohnheit, „eine andere Erklärung"
hinzu, doch ist diese nicht weniger „romfeindlich":

„Aus dem Lande Kittim wurde den Leuten von Tarsis die Plünderung von Zur offenbar,
denn es flohen die Söhne Zurs zu den Kittim."

Diese Erklärung hat Raschi dem „sefer Jossipon" entnommen: „in seinen Tagen schlug David: Aram, Edom und Hadareser, den Sohn des Re-
chov, und Hadareser floh vor David, und er und sein Sohn Zor kamen
in das Land Kittim, und der König Romulus gab ihnen einen Ort an der
Meeresküste in den Bergen und sie bauten dort eine Stadt und nannten

---

61. Jes. Cap. XXVI, 2ff.
62. Ibid., Vers 5.
63. Jesaja, Cap. XXIII, 1ff.
64. Anscheinend dachte Raschi an das Mittelmeer.

sie Zortana. Und der Name des Mannes, der vor David floh, war Zur aus der Familie des Hadareser, und sie bauten eine andere Stadt und nannten sie Albaniah, die Vorzeitige, und sie sitzen dort bis zum heutigen Tag."[65]

Raschis Unsicherheit bei der Auslegung dieses Kapitels wird deutlich aus seinen Worten zu: „siebzig Jahre (wird Tyrus vergessen werden), solange etwa ein König lebt". „David herrschte siebzig Jahre, doch weiß ich nicht, was dieses Zeichen hier bedeuten soll." Doch daß ihm alles daran lag, aus dieser Schrift eine Unheilsweissagung gegen die Feindin Rom herauszulesen, geht aus seinen Worten zu dem Vers „aber ihr Gewinn ... wird dem Herrn geweiht werden", hervor:

„In Zukunft werden die Gerechten sie verwüsten, wenn der Messias-König kommt."

Es handelt sich um ein endzeitliches Weltgericht, das der Erlösung Israels vorangeht. Raschi, der, wie wir gesehen haben, äußerste Zurückhaltung bewahrt, Schriftversen eine messianische Deutung zu geben, scheut sich nicht, das Weltgericht durch den Messias durchführen zu lassen. In grellen apokalyptischen Farben schildert die Schrift das Endzeitgericht: „Weh' mir, die Verräter verraten, und Verrat üben die Verräter, Schrecken, Entsetzen und Abgrund. Über Euch Bewohner der Erde, kommt Schrecken und Grube und Netz, und wer entflieht vor dem Geschrei des Schreckens, der fällt in die Grube." „Derjenige, der dem Messias ben Josef entrinnt — so Raschi — fällt in das Schwert des Messias ben David und wer von dort entkommt, fällt im Kampf gegen Gog." Es gibt kein Entkommen, nur Israel wird errettet werden[66].

65. Sefer Jossipon, Cap. III, Hg. Hominer, Jerusalem 1971, S. 5. Der Autor nannte sich in Anlehnung an Josephus Flavius Josef ben Gorion (verwechselte Mattitjahu, den Namen von Flavius Josephus' Vater mit Gorion). Er lebte in Süditalien im 10. Jh. Im 10. und 11. Jh. nahm man an, daß seine Geschichte über die Epoche des Zweiten Tempels von Flavius Josephus geschrieben wurde, daher bedeutete er wohl auch für Raschi Autorität. — Die Struktur dieser Legende erinnert an die Trojatraditionen der mittelalterlichen christlichen Geschichtsschreibung, nur in gewissem Sinne mit umgekehrten Vorzeichen. Nicht wie dort, daß die Helden (Aeneas) vor dem Feind fliehen und zu Stammvätern der europäischen Völker wurden, werden hier die Feinde Israels zu Stammvätern der Bedränger und Vernichter Israels.
Über den Topos der Trojaabstammung der Franzosen in der französischen mittelalterlichen Geschichtsschreibung bei J.P. Bodmer, Die französische Historiographie und die Franken, in „Archiv für Kulturgeschichte" 45, 1963, S. 91—92.
66. Jes. XXIV, 16. Die Endzeit vollzieht sich in mehreren Phasen. Der Messias, der Sohn des Josef, wird in Galiläa erwartet, führt die Heerscharen zum siegreichen Kampf nach Jerusalem, wo er den Tempel errichtet. Doch hat sein Friedensreich keinen Bestand. Gog und Magog ziehen gegen Israel, der Messias aus dem Hause Josef fällt in der Schlacht und das Volk flieht in die Wüste. Dann kommt der Messias aus dem Hause David, besiegt die Feinde, und errichtet ein ewiges Friedenskönigreich (s. Midrasch aus Psiktah Sutartha zu Num. 24, 17, gedr. bei Jellinek, Bet-Hamidras, Jerusalem 1967, III, S. 141ff). Für die Traditionsgeschichte des sterbenden Messias aus dem Hause Josef, s. S. Hurwitz, Die Gestalt

Das Schicksal ZR — Roms wird mit dem Schicksal Ägyptens verglichen. In diesem Sinne deutet Raschi den Vers: „Sobald es die Ägypter hörten, erschraken sie über die Kunde von Tyrus"[67]:

„So wie man erschrak, als ICH über die Ägypter die zehn Plagen brachte und sie am Ende im Meer ertranken, werden sich die Zuhörer entsetzen, wenn sie über Zur erfahren, denn die Plagen Zurs werden die Gleichen sein: Blut, Feuer[68], lautes Schreien aus der Stadt, wie der Lärm der Frösche[69], und ihre Flüsse werden zu Pech werden[70] ... und ein großes Schlachten wird in Edom sein[71], wie der Tod der Erstgeborenen in Ägypten[72].

An dieser Stelle macht Raschi es seinem Leser klar, daß die Unheilsweissagung für Tyrus den Interpreten förmlich zwingt, einen zweifachen Weg einzuschlagen. Ausdrücklich bemerkt er im Anschluß an obige Erklärung: „nach diesem System muß man deuten, wenn ZR gleich Rom ist, ... doch spricht die Schrift über die Stadt Tyrus (in Phönizien), denn nahe bei dieser liegt Zidon". Die Versuchung, in diesem Text eine Weissagung auf den Untergang Roms zu sehen, und dem Erzwidersacher des Volkes Israel in der Vergangenheit — Ägypten — den Bedränger und Feind der Gegenwart — Rom — gegenüberzustellen, ist so groß, daß Raschi in diesem Fall seine Bemühungen, eine Interpretation zu liefern, die dem Gesamtzusammenhang entspricht, nicht in dem gewohnten Maße einsetzte.

Den deutlichsten Hinweis in der Hebräischen Bibel auf die Passion und die Kreuzigung Christi findet die christologische Exegese in den jesajanischen Weissagungen über den leidenden und sterbenden Gottesknecht[73], dessen Herrlichkeit und Erhöhung sich endlich den Ungläubigen enthüllen wird, denn „er trug unsere Krankheit und lud auf sich unsere Schmerzen. Er ist um unser Missetaten verwundet, und

---

des sterbenden Messias, Zürich 1958. G.H. Dalmann, Der leidende und sterbende Messias, Berlin 1888, S. 7ff. Für Quellenhinweise aus der Midraschliteratur s. Strack Billerbeck, Kommentar zu NT, Bd. II, S. 292. Man nimmt an, daß die Vorstellung über den sterbenden Messias aus dem Hause Josef nach dem Bar Kochba-Aufstand (133—135) entstanden ist, legitimiert durch den Segenspruch für Josef (Deut. 33, 17) „der erstgeborene Stier, der mit seinen Hörnern die Völker bis ans Ende der Erde stoßen wird", und Jerem. 49, 20, Unheilsweissagung gegen Edom „wenn nicht die geringsten der Schafe sie (Edom-Rom) fortschleifen sollen", das sind nach der rabbin. Überlieferung die Kindeskinder der Rahel. Auch der „durchbohrte" (Sach. XII, 10) wird mit dem Messias aus dem Hause Josef in Verbindung gebracht.

67. Jes. XXIII, 5.
68. Joel III, 3.
69. Jes. LXVI, 6.
70. Jes. XXXIV, 9.
71. Jes. XXXIV, 6.
72. Aus: Exod. Rab. IX, 13.
73. Z.B. August. Adv. Jud. IV, PL col. 53; Hier. in Jes. XIV, CCL LXIII, S. 588; Cyprian ad Quirin. II XIV CCL III S. 32; Augustin De Civit. XVIII, 46, CCL XLVIII, S. 619, XX, 24, ibid., S. 746.
Im MA, Fulbert von Chartres, tract. contr. Jud. PL 141 col. 305/308.

um unserer Seele willen zerschlagen, die Strafe liegt auf ihm, auf daß wir
Frieden hätten und durch seine Wunden sind wir geheilt[74] ... er wird das
Licht schauen und die Fülle haben[75], ... dafür daß er Sein Leben in den
Tod gegeben hat ... und er die Sünden der Vielen getragen hat[76].
In der Epoche des Zweiten Tempels und in der Talmudischen Zeit sa-
hen die Rabbinen in diesem Text eine Weissagung auf den Messias. Um
den Bruch in der traditionellen Interpretation dieser Weissagung im 11.
Jahrhundert durch Raschi darzustellen, möchte ich in summarischer
Form, die rabbinische Vorstellung eines leidenden und sterbenden Messias, legitimiert durch den leidenden Gottesknecht des Deuterojesaja,
anführen.
Der aramäische Targum, Targum Jonathan, bezieht die gesamte Prophezeiung auf den „Gerechten", der den Heiligen Tempel wieder errichten wird, „der unserer Sünden wegen zerstört wurde"[77]. Es handelt
sich, wie so oft bei diesem „Targum", mehr um eine freie Paraphrasierung als um eine textgetreue Übersetzung „und durch Seine (des Gesalbten) Unterweisung, wird der Frieden über uns gebracht, und durch Ge-
horsam zu seinen Worten, wird unseren Sünden verziehen werden"[78].
In herrlichen Farben werden die zukünftigen Tage ausgemalt: Durch
das Gebet des Gerechten wird Israel von seinen Bedrängern befreit und
aus seiner Erniedrigung erhöht werden, Gott wird den „Rest" des Volkes reinigen: sie werden auf das Königreich des Messias blicken, ihre
Töchter und Söhne werden sich vermehren. Sie werden lange leben,
und diejenigen, die die Gesetze des Herrn befolgen, werden in Seiner
Gnade gedeihen"[79].
Es handelt sich also bei Jonathan noch in den Hauptzügen um die altbi-
blische Messiasvorstellung. Der „Gerechte" wird die Feinde Israels vernichten, sowohl die äußeren, wie auch die inneren. Der „geläuterte"
Rest wird zum Grundstein des Neuen Israel, die Zerstreuten zurückgeführt, der Tempel wieder aufgebaut. Der Messias — der Gesalbte —
führt das Volk durch Belehrung zum göttlichen Gesetz zurück. Nicht
der Messias leidet, wird gedemütigt und erniedrigt, sondern Israel durch
die Feinde, und der Tempel. Der Messias demütigt sich nur vor Gott,
indem er für das Volk betet. Nur im allegorischen Sinn hat er seine Seele dem Tode hingegeben, und zwar durch den wagemutigen Eifer, mit
dem er seine Taten vollbringt[80].

---

74. Jes. LIII, 4—5.
75. Vers 11.   76. Ibid.
77. Jonathan zu Vers 5.   78. Ibid.
79. Jonathan, ibid. V. 10.
80. Im Gegensatz zum Targum Onkelos, der sich bemühte, wörtlich zu übersetzen und
Anthropomorphismen zu beseitigen, handelt es sich bei der aramäischen Übersetzung des
Jonathan zu den Propheten um eine weit freiere Auslegung des Textes, so daß seine Über-

Zwei Auslegungsweisen des leidenden und sterbenden Gottesknechtes
der jesajanischen Weissagungen setzten sich in der talmudischen Epoche
durch. Die eine suchte ihre Verwirklichung in der Vergangenheit, indem der Gottesknecht mit einer außergewöhnlichen historischen Persönlichkeit identifiziert wird, die andere in der Zukunft, das heißt, in einer endzeitlichen Verwirklichung in der Gestalt eines Messiaskönigs,
der, bis er seine Aufgabe erfüllt hat, Leiden auf sich nehmen muß.

Mose, dessen Strafe und Leiden in keinem Verhältnis zu seiner Gerechtigkeit stehen[81], Rabbi Akiba, dem „die Vielen zum Anteil wurden"[82],
und der den Märtyrertod für „die Heiligung Seines Namens" auf sich
nahm[83], Rabbi Jehudah, der Mischnahkompilator, der Zeit seines Lebens unter schweren Krankheiten gelitten hat[84], sind einige der vollkommen Gerechten, die durch unverdientes Leiden zur Personifizierung des jesajanischen Gottesknechtes wurden[85].

In der nachtalmudischen Epoche wurde der Gottesknecht zum Messiaskönig, der durch Leiden die Sünden Israels auf sich nahm; man darf annehmen, daß die Bewußtwerdung der Unabwendbarkeit einer nicht
zeitlich bemeßbaren Diaspora-Existenz den Blick der jüdischen Gemeinden auf die Zukunft richtete, und daß man durch den stellvertretend leidenden Gerechten eine Beendigung der Leiden erhoffte.

Eine messianische Auslegung erfuhr Ruth,Cap. II, 14. (Boas sprach zu
ihr: komm hierher und iß vom Brot und tauche Deinen Bissen in den

setzung zum Midrasch-Agadah wird. Allerdings bemüht er sich, die agadische Interpretation sprachlich zu untermauern; Vers 7 lesen wir im Text: „er wurde gemartert und gequält", und bei Jonathan: „er betete und wurde erhört" (nigas — gemartert, nigas — her-
vortreten (zum Gebet); na᎐neh — gefoltert, na᎐neh — wurde beantwortet (im Sinne von
wurde erhört)). Es handelt sich um die gleichen Radikalen. Der Targum Jonathan stammt
wohl aus dem 7. Jahrhundert. Über die Datierung der aramäischen Targumim (Onkelos,
Jonathan, Jerušalmi) bei L. Zunz, Die gottesdienstlichen Vorträge der Juden, Ffm. 1892,
Neudr. Hildesheim 1966, S. 69ff.

81. Mose „wird mit den Großen erben" (Jes. LIII, 12) wie Abraham, Isaak und Jacob, die
die ersten und größten waren in der Gesetzesbefolgung „dafür, daß er (Mose) seine Seele
dem Tode hergegeben hat (ibid.), weil er gesagt hat: vergib ihnen und wenn nicht, tilge
mich aus, Exod. XXXIII, 32, „er wurde den Übeltätern zugezählt" (V. 12), denn er wurde
denen zugeteilt, die wegen ihrer Sünden in der Wüste sterben mußten..., TB sotah fol. 14 a.

82. Dadurch, daß er viele Schüler in das Studium der Halakot und der Agadot
einführte,Talm. Jer. šeqalim, v. 1.

83. Nach der Niederschlagung des Bar Kochba-Aufstandes, deren geistiger Initiator er
nach der Überlieferung war, erlitt er unter den hadrianischen Verfolgungen den Märtyrertod.

84. Aus TB Sanhedrin 98 b „doch wahrlich unsere Krankheiten hat er getragen und unsere Schmerzen auf sich geladen" (V. 4). Rabbi Jehudah galt als Kranker, unterworfen steten körperlichen Leiden, die Talmudtexte, die darüber berichten, sehen in seinen Leiden
eine freiwillig von ihm übernommene Strafe für Israels Sünden. TB. Baba Mezia, 85 a, zitiert von Dalmann op. cit. S. 37.

85. Texte bei S.R. Driver, A.D. Neubauer: The fiftythird chapter of Jesaja, New York
1969, 2 Bd., Engl. Übersetzung S. 7ff, Hebr. Texte S. 6.

Essigtrank): von dem leidenden Gottesknecht ist die Rede, denn ‚komm hierher'[86] hat die Bedeutung: komm näher zum Throne; und ‚iß das Brot'[87], das ist das Brot des Königreiches, und der Essig bezieht sich auf die Leiden, denn es ist gesagt worden: „Er ist unserer Missetaten wegen verwundet und unserer Sünden wegen erniedrigt worden."[88] Zu dem Sacharias Vers „wer bist Du großer Berg"[89] hören wir: „das bezieht sich auf den Messiaskönig ... denn er ist größer als die Patriarchen, denn es heißt ‚siehe er wird erhöht und hoch erhaben sein'"[90]. Rabbi Nachman sagt, daß das Wort „iš" (Mann) in der Schrift „und es soll Euch beistehen je ein Mann von jedem Stamm"[91], von dem Messiaskönig spricht, dem Davidsohn, denn es heißt „siehe es ist ein *Mann* und er heißt Sproß"[92], daher ist gesagt worden: ein *Mann* der Schmerzen und Krankheit[93].

Der leidende und sterbende Gottesknecht des Deuterojesaja wurde zur Legitimierung einer neuen Akzentuierung rabbinischer Messiasvorstellungen herangezogen. Die Zerstörung des Tempels, die Diaspora, wurden als göttliche Strafen für die Sündhaftigkeit des Volkes begriffen, frühere Messiasvorstellungen eines Gotteskönigtums, das nach der Zerschlagung der Bedränger Israels den endlichen Frieden bringen wird[94], konnten der vollständig veränderten geschichtlichen Gegenwart nicht mehr gerecht werden. Zur Herstellung des Alten Bundes zwischen Gott und Israel wurde die Entsühnung des Volkes notwendig, der Messias der nachchristlichen Jahrhunderte war Resultat eines veränderten Geschichtsbewußtseins und wurde daher zum Vollbringer anderer Aufgaben und zum Träger anderer Funktionen[95].

---

86. „halom", II. Sam. VII, 18: David zu Gott: „wer bin ich Herr ... daß Du mich *hierher* (zum Königreich) gebracht hast."
87. Ruth Rabba V. 6.
88. Dalmann, op. cit. S. 49 über den weiteren Sinn dieser Überlieferung, dem ein doppeltes Anliegen zugrunde liegt: die Hoffnung auf den Messiaskönig und eine Erklärung für das zeitweilige Weichen der Königsherrschaft. Die Fortsetzung des Midrasch: und sie setzte sich zur Seite (mizad) der Schnitter, dies weil die Königsherrschaft von ihm weichen (lizad, entspr. mizad) wird, basiert auf Sach. XIV, 2.
89. Sach. IV, 7.
90. Jes. LII, 13 aus Yalqut.
91. Num. 1, 4.
92. Sach. VI, 12.
93. Jes. LIII, 3. Der Midrasch, aus Tanchuma zu Num. I, 4, aus: Raymundi Martini, Pugio Fidei adv. Mauros et Judaeos, Lipsiae 1687, Neudruck 1967, fol. 664, zitiert von Driver, Neubauer, op. cit. hebr. S. 9.
94. Siehe Micha, IV; Jes. XI.
95. Mehrere Motivationen flossen ineinander: Bewußtsein der eigenen Sündhaftigkeit, die Furcht vor dem göttlichen Gericht, die Gewißheit der Unmöglichkeit, innerhalb einer feindlichen christlichen und moslemischen Welt die Bekehrung aller Nichtjuden zu erreichen, die veränderte Einstellung der Umwelt zu der bisher von den Römern geduldeten „religio licita", wie die Erkenntnis der Unmöglichkeit, alle Menschen zu Gerechten zu

Aber nicht nur im palästinensischen und im babylonischen Raum sah man in Cap. LIII des Jesaja Voraussagungen auf den leidenden Messias, die Midraschautoren der christlichen Länder im 9. und 10. Jahrhundert, Leqah Tov[96] und der von Raschi zitierte Moses Hadarschan, übernahmen diese Auslegungsweise. In der Schrift des Raymundus Martini finden wir einen Midrasch des Moses aus Narbonne, in welchem über ein Bündnis berichtet wird, das Gott mit dem Messias geschlossen hat. Der Messias sollte sich bereit erklären, alle möglichen furchtbaren Leiden auf sich zu nehmen, nur dann wäre Gott bereit, die Seelen der Israeliten nicht zu vernichten, bevor er sie in das irdische Leben entläßt. Mit Freuden, antwortete der Messias, wolle er die zukünftigen Leiden (wegen der Sünden des Volkes Israel) auf sich nehmen, doch müßte ihm Gott versprechen, die Toten wiederzubeleben in seinen Tagen, ebenso die Toten, die gestorben waren vom ersten Menschen bis zum jetzigen Tag. Und nicht nur diese sollen wiederauferstehen, sondern auch diejenigen, die von den Wölfen und Löwen verschlungen wurden, und die in den Gewässern und Flüssen ertrunken sind ... (und nicht nur diese), sondern auch die vor der Zeit geborenen, und auch diejenigen, die Gott beschlossen hatte, zu erschaffen und dann nicht erschaffen hat. Der Heilige, gelobt sei Sein Name, antwortete: So soll es geschehen. Sogleich nahm der Messias mit Freude alle Schmerzen auf sich, denn so steht es geschrieben: „er war gemartert und gequält"[97]. Diesen Midrasch finden

machen. Dem Gerechten, dessetwegen die Sünder gerettet werden, begegnen wir bereits in Abraham, der mit Gott über die Zahl der Gerechten, die Sodom und Gomorrha retten können, rechtet (Gen. XVIII). Nicht nur Gerechtigkeit, auch Buße können das Endgericht abwenden oder aufschieben (Beispiel, König Josia, II. Kön. XXIV). Im Talmud finden wir ebenfalls diese Auffassung. Josua ben Chananja sagte: Unsere Besten schützen uns, sie sind wie die Dornen, die bei einem Mauerriß Schutz gewähren (TB Erubin lol a). Von der stellvertretenden Tugend führt der Weg zum stellvertretenden Leiden; die Witwe des Eleasar b. Simon rühmte ihren Mann, der gesagt hätte: alle Züchtigungen Israels mögen über mich kommen, und so sei es auch geschehen, aus Pes. R.K. 11 zit. von P. Volz, Die Eschatologie der Jüdischen Gemeinde im Neutestamentlichen Zeitalter, Hildesheim 1966, S. 105/106.

96. Leqah Tov: eine Midraschsammlung des Elieser ben Tobias aus Kastoria (Bulgarien), 11. Jh. zum Pentateuch und den Megillot. Quellen zu seiner Biographie bei Midrasch Leqah Tov, ed. S. Buber, Jerusalem, S. 11 (hebr.). Der Midrasch zu Balaq, Num. XXIV, 7: „es wird das Wasser fließen aus seinen Eimern" (d.h.) „aus den *Armen* Israels (Wortspiel: seine Eimer — delajaw, seine Armen — dalaw)... Das Königreich Israel wird in der Zukunft über alle Könige der Erde stehen ... es wird sich erheben in den Tagen des Messias, denn es heißt: Siehe, mein Knecht wird emporsteigen ... und erhaben sein."

97. Raymundi Martini: op. cit., fol. 333, S. 416. Zu Gen. XXIV, 57 bringt Raymundi Martini noch einen anderen Midrasch im Namen des Moses Hadarschan: In der Generation der Bösen richtete der Messias sein Herz darauf aus, für Israel zu beten, fasten und sich zu kasteien ... wie gesagt wurde „er ist krank um unserer Sünden willen" und er bittet um Mitleid und Erbarmen, wenn sie sündigen, wie geschrieben steht: „wegen seiner Sünden sind wir geheilt worden und er trug die Sünden der Vielen." Pugio Fidei, fol. 430, S. 535/536.

wir in noch anderen Midraschsammlungen, in Jalqut[98] und vor allem in Pesikta Rabbati[99], allerdings mit einer bemerkenswerten Variante. Alle Gruppen von Toten, die am Ende der Tage auferstehen werden, sind erwähnt, wie in der Wiedergabe des Moses Hadarschan, nur diejenigen, die von den wilden Tieren zerrissen wurden und in den Flüssen und Gewässern ertranken, sind nicht erwähnt worden. Ist es sehr gewagt, die Möglichkeit in Betracht zu ziehen, daß Moses Hadarschan, indem er den Messias ausdrücklich über diese Gruppe von Toten sprechen läßt — wobei ich außer acht lassen möchte, ob dies seine eigene Zufügung ist, oder ob hier eine andere in diesem Zusammenhang nicht überlieferte Midraschquelle zugrunde liegt — an Märtyrer seiner Tage gedacht hat? Die Ereignisse des ersten Kreuzzuges wird er kaum miterlebt haben, aber wäre es möglich, in diesem Zusatz einen Hinweis auf die Ereignisse des Jahres 1009, über welche Radulfus Glaber berichtete, zu finden[100]?

Obwohl es möglich war, nur eine sehr begrenzte Auswahl aus der Midraschliteratur zu treffen, glaube ich doch zusammenfassend feststellen zu dürfen, daß Jesajas leidender und sterbender Gottesknecht entweder auf historische Einzelpersonen oder auf den sündenerlösenden Messias aus dem Hause David ausgelegt wird. Selten ist in dieser Weissagung eine Allegorie auf das gesamte Volk Israel gesehen worden.

Um so bemerkenswerter ist daher Raschis Interpretation. In seiner gesamten, ungewöhnlich ausführlichen Auslegung erwähnt er weder den Messias-Friedenskönig noch den leidenden Messias der talmudischen Tradition. Vom Beginn dieses Schriftabschnittes: „siehe, meinem Knecht wird es gelingen"[101] bis zum Schlußvers des Kapitels LIII, wird nach seiner Auffassung von dem gesamten Volke Israel gesprochen. „So ist es die Art des Propheten, er erwähnt das gesamte Israel als einen einzigen Menschen (wie): ‚fürchte Dich nicht, mein Knecht Jacob'[102]; und so auch hier: ‚siehe mein Knecht wird Erfolg haben'. Über das Haus Israel spricht der Prophet" — so fährt Raschi fort — „dies wird Erfolg haben ... so wie es heißt: und es geschah, daß David auf allen seinen Wegen Erfolg hatte."[103]

Für Raschi steht somit dieses Kapitel, obwohl es keinen Namen und keinen historischen Hinweis enthält, in engem Textzusammenhang mit

98. Yalqut Schimeoni, über Jes. LX. Ausg. Jerusalem 1959, S. 808.
99. Pesikta Rabbati, Cap. 34—37, besonders Cap. 36, dort verspricht der Messias, nur die Leiden auf sich zu nehmen, während er es bei Moses Hadarschan sofort tat (Pesikta Rabbati, krit. Ausgabe M.Friedmann, M. Güdemann, Wien 1880, S. 181). Ausführliche Analyse über diesen Midrasch bei Dalmann, op. cit. S. 53ff, S. 61.
100. Radulfus Glaber bemerkt ausdrücklich: „alii fluminibus necati diversisque mortium generibus interempti...", s. S. 17, n. 10.
101. Cap. LII, 13.
102. Cap. XLIV, 2.
103. I. Sam. Cap. XVIII, 5, Raschi zu LIII, 3.

den vorherigen Weissagungen, bei denen kein Zweifel besteht, daß mit dem Gottesknecht Israel gemeint ist. Daher sind es die Völker der Welt und nicht Israel, wie es einer Deutung des Gottesknechtes als eines historischen Individuums entsprochen hätte, die ihr Erstaunen über die Erhöhung des bisher Verachteten und Erniedrigten Ausdruck geben. Es wird deutlich, daß Raschi, der, wie wir gesehen haben, sich entschloß, häufig seine eigenen Wege zu gehen, auch hier sich von jeglicher christologischer Interpretation abgrenzen wollte. Es fehlt der Geschichte Israels nicht an Märtyrern, an Epochen der Verfolgungen und Erniedrigungen, Vorlagen für eine entsprechende Deutung wären für ihn nicht schwer zu finden gewesen; von den Verfolgungen der hellenistischen Epoche unter Antiochus Epiphanes, über die hadrianischen Verfolgungen nach dem Bar Kochba-Aufstand bis zu den Tagen Raschis selber, hätte es ihm nicht an Beispielen gefehlt, die auf Israel als Gesamtheit für den leidenden Gottesknecht hätten deuten können.

Doch erlebte Raschi die Leiden der Diaspora wie keine Generation vor ihm im deutschen und nordfranzösischen Raum. Die Herumziehenden[104] überfielen zwar nicht die Gemeinde von Troyes, doch sie richteten in Rouen nicht unerhebliches Unheil an[105]. Bei dem engen Zusammenhalt der nordfranzösischen mit den deutschen Gemeinden[106] kann man mit Sicherheit voraussetzen, daß er nur allzu genaue Nachrichten über die furchtbaren Vorfälle in den rheinischen Städten erhalten hatte. In Speyer, Mainz, Köln und Trier, so wie in den kleineren Städten am Niederrhein, wählten viele Juden, vor die Alternative gestellt Tod oder Taufe, den Tod[107]. Gerade wegen der vergleichsweise ruhigen und ausgewogenen Situation, in welcher sich die Juden in den letzten Jahren vor dem ersten Kreuzzug unter kaiserlichem Schutz zu befinden glaubten, mußten diese Ereignisse sowohl Existenzbewußtsein wie auch das Verhältnis der Juden zu ihrer christlichen Umwelt erschüttern. Wenn sich der Judenstatus als solcher nicht unmittelbar als Folge der Kreuzzüge veränderte, so bedeuteten die Kreuzzüge selber eine entscheidende Zäsur in der mittelalterlichen Geschichte, die eine wirtschaftliche und soziale Entwicklung zur Folge hatte, welche im

---

104. Übersetzung aus dem Hebräischen „To'im".

105. Grätz, op. cit. VI, S. 92. Die Juden Rouens wurden in eine Kirche getrieben und dort vor die Alternative Tod oder Taufe gestellt im Dezember 1095; s. Aronius, Regesten, S. 82, Nr. 177.

106. Die Juden Frankreichs schickten Warnbriefe an die deutschen Gemeinden, aus deren Antwort hervorgeht, wie wenig sie sich der Gefahr bewußt waren. Im Frühjahr 1096 kam Peter von Amiens mit Briefen französischer Gemeindemitglieder an rheinische Gemeinden, in denen diese aufgefordert wurden, die Kreuzfahrer zu unterstützen mit Geld und Lebensmitteln. Aronius, Reg. S. 83, Nr. 180.

107. Hebräische Quellen über die Kreuzzugsverfolgungen: A.M. Habermann: sefer gezerot aškenaz we zorfat (Einl. J. Baer, Jerusalem 1945) A. Neubauer, M. Stern: Hebr. Berichte über die Judenverfolgungen während der Kreuzzüge, Berlin 1892 (hebr. und deutsch).

Laufe des 12. und des 13. Jahrhunderts diejenigen Veränderungen der jüdischen Existenz auf allen Gebieten des Lebens mit sich brachten, deren Auswirkungen von diesem Zeitpunkt an, den Status des Juden innerhalb der christlichen Gesellschaft bis zur Aufklärung bestimmen sollten.

Der Deutero-Jesaja lebte und wirkte im babylonischen Exil. Eine Auslegung, die in dem Volke Israel den leidenden Gottesknecht sieht, über dessen plötzliche Erhöhung die Völker staunende Verwunderung zeigen, und dabei die historische Wirklichkeit des Propheten vor Augen hat, wird die Leiden und die Erniedrigungen auf die babylonische Gefangenschaft und die Erhöhung auf die Rückkehr, die Restaurierung des Bundes mit Gott und den Wiederaufbau des Tempels beziehen. Dies um so mehr, als der Text wohl doch einen historischen Hinweis enthalten könnte: „denn er (der Knecht) ist aus dem ‚Land des Lebens' hinweggerissen, da er für die Missetaten meines Volkes geplagt war."[108]. Da das „Land des Lebens"[109] das gelobte Land ist, handelt es sich hier um die Zeit der babylonischen Gefangenschaft. Doch rückt Raschis Interpretation diesen Vers nicht in die jüngste — im Verhältnis zum Zeitalter des Propheten —, sondern in die weitzurückliegende Vergangenheit, „wer wird sein Geschick erzählen?" fragt der Prophet. Hierzu Raschi: „Wer wird die Mißgeschicke erzählen, von denen er betroffen wurde, denn von Beginn an wurde verhängt, daß er aus dem Land des Lebens verbannt werden sollte, das ist das Land Israels. Dieses Unheil befiel die Gerechten, wegen der Sünde meines Volkes, die in seiner Mitte weilen." Mir scheint, als hätte er sich mit dieser Auslegung von dem historischen Kontext der jesajanischen Weissagungen losgesagt und die Leiden des Exils nicht als zeitgebundenes, sondern als der Geschichte Israels immanentes Phänomen begriffen, mit dem er selber in der schärfsten und tragischsten Form konfrontiert wurde. Somit wurden die Unterdrücker und die Urheber dieser Leiden die christlichen Völker seiner Generation oder genauer, die „to'im", die „Herumfahrenden", die mehr oder weniger ungehindert ihre Schandtaten vollbringen konnten. Ohne hier auf die Frage, ob wirtschaftlicher Neid oder religiöser Fanatismus die ausschlaggebenden Faktoren für die Verfolgungen bildeten, eingehen zu können, bleibt es doch außer jedem Zweifel, daß die von der Kirche ständig wiederholten Lehren von der Auflösung des „Alten Bundes" zwischen Gott und dem verworfenen Volk, von der ecclesia als dem „verus Israel", eine moralische Legitimierung für die Untaten lieferten. Und wenn Raschi zu dem Vers: „und wir haben geglaubt, daß er ... von Gott geschlagen und gemartert wäre"[110], sagt: „wir waren

108. LIII, 8.
109. Hebr. „Erez ha hajim".
110. Vers 4.

überzeugt, daß er (Israel) Gott verhaßt gewesen war, aber das war nicht so, sondern er war durchbohrt wegen unserer Missetaten und erniedrigt wegen unserer Sünden", so gewinnt man den Eindruck, daß Raschi in den Sprechern die „to'im" gesehen hat, um so mehr, als er sie von „Gott" und nicht von „seinem Gott" sprechen läßt, wie es in der Schrift und auch in seinen Auslegungen üblich ist, wenn Heiden das Wort ergreifen. Denn die Nichtjuden[111] sagen dies, am Ende der Tage, wenn sie sehen werden, daß er aus dem Bann und dem Gericht genommen wurde, unter denen er bisher gelitten hatte. Also nicht die Babylonier, in deren Haft sie sich zu Zeiten des Propheten befanden, sondern die „Nichtjuden" überhaupt.

Im weiteren Verlauf seiner Auslegung wird vollends deutlich, daß er die Leiden des Gottesknechtes mit den Leiden Israels während des ersten Kreuzzuges gleichsetzte. Die Worte „und man gab ihm sein Grab bei den Gottlosen und bei den Übeltätern"[112] ermöglichen zumindest zwei Deutungsweisen, eine allegorische und eine reale. Nach der ersten war sein Leben in der Diaspora gleich dem Tode, denn es gibt kein Leben, fern vom „Land des Lebens", das Volk als solches hat aufgehört zu bestehen. Doch Raschi ging den zweiten Weg, „und er gab sein Grab mit den Gottlosen — er war bereit sich begraben zu lassen, soviel man ihn (auch) mit Totschlag und elendem Begräbnis[113] bedrohte; nach dem Willen der Bösewichter ließ er sich begraben und verleugnete nicht den lebenden Gott." Und zu den Worten: „und mit den Übeltätern in seinem Tode", „und nach dem Willen des Herrschenden ergab er sich selber allen möglichen Todesarten, die dieser über ihn verhängte, weil er nicht abtrünnig werden und das Schlechte tun wollte, wie all die Völker, in deren Mitte er wohnte". Und zu dem Vers: „Wenn er sein Leben zum Schuldopfer gegeben hat, wird er Samen erblicken und lange leben", „Der Heilige, gelobt sei Sein Name, sprach: Wenn seine Seele sich ergeben und hingeben wird meiner Heiligkeit, mir ein Sühneopfer darzubringen, für alles, was er gesündigt hatte, werde ich ihm seinen

---

111. „akum" rabb. Terminus der hebr.Anfangsbuchstaben von Sternen- oder Bilderanbetern, von Raschi entweder für Heiden oder für Nichtjuden überhaupt angewandt.
112. Übeltäter, hebr. ašir, eigentlich ‚der Reiche' und so kommentiert auch Raschi, „der Reiche ist der Herrscher, der Mächtige" (V. 9).
113. Das elende Begräbnis bei Raschi wörtlich: „Begräbnis wie von Eseln, in Gedärmen von Hunden."
114. Hier zwei Beispiele für eine allegorische und eine reale Interpretation des Todes des Gottesknechtes: Ibn Esra zu dem Vers: „man gab ihm sein Grab mit den Übeltätern": „neben Übeltätern (Reichen) in seinem Tode: einige erklären ‚bamotav' in seinem Tode (oder Todesarten), andere beziehen (das Wort) auf bamot: Höhen (Plural von bamah), das Gebäude, das über dem Grab errichtet wird. ‚bamotav' steht (in diesem Fall) parallel zu ‚kiwro', wie ‚reich' zu ‚Bösewicht', dies sind die Völker, die im Vergleich zu Israel reich sind. Doch nach meiner Meinung ist die wirkliche Bedeutung diese: Es war die Absicht, die Leiden Israels im Exil zu beschreiben, die dermaßen schrecklich waren, daß sie gleich

Lohn geben, und er wird Samen erblicken."[114] Leiden und Sühnetod haben bei Raschi eine doppelte Funktion: Sühnung der eigenen Sünden, zur Wiederherstellung des Bundes mit Gott und, so scheint mir, zur Rückkehr ins Heilige Land. Die Termini „er wird Nachkommen sehen"[115], „wird lange leben"[116] sind Hauptbestandteile der biblischen Verheißungen, die sich nur im Heiligen Lande erfüllen werden. Sie durchziehen die Erzählungen der Genesis und werden zu dem einen Pol der Alternativforderung des Deuteronomiums, dessen Geschichtsverständnis in der lapidaren Form der „Tod oder Leben, Segen oder Fluch-Konfrontation" scharf akzentuiert zum Ausdruck gebracht wird.

Bei Raymundus Martini finden wir einen deutlichen Hinweis, daß Raschi sich mit seiner Interpretation des leidenden und sterbenden Gottesknechtes bewußt von der rabbinischen Tradition abgrenzen wollte[117], eine Tatsache, die als Stütze dienen kann, in anderen seiner Kommentare, vor allem zu den Psalmen, eher Gegenwartsbewußtsein, als Überlieferung rabbinischen Gedankengutes zu erkennen.

Über Psalm IX sagt Raschi, nachdem er andere Auslegungsmöglichkeiten verworfen hat: „Dieser Psalm wird sich in der Zukunft erfüllen, wenn Israel die Sünden seiner Kindheit und Jugend gesühnt haben wird, (dann) wenn seine Gerechtigkeit sich enthüllen, und seine Erlösung sich nähern wird (dann) wird es Esau und seine Nachkommen vernichten."
Die Schwierigkeit dieses Textes liegt in seinen einleitenden Worten „al mot la-ben, — über den Tod des Sohnes" —, die in keinerlei Zusammenhang zu dem Inhalt des Psalmes stehen, und daher nach einer Erklärung verlangen. Raschi weiß aus den Überlieferungen, daß al mot (über den Tod) nicht unter allen Umständen als zwei, sondern auch als ein Wort begriffen werden kann, so daß es die Bedeutung von „almut" Jugend erhält. Indem er diese Auslegung übernimmt und „la ben" ebenfalls als ein Wort, nämlich als „laban" im Sinne von „mitlaben" (sühnen) begreift, bezieht er im Gegensatz zu den Midrasch-Autoren diesen Psalm nicht auf Davids Trauer über den Tod seines Sohnes, und nicht auf Israels Diaspora-Leiden während seiner gesamten Geschichte, sondern auf die aktuellen Leiden und Verfolgungen seiner eigenen Tage[118]. Und so

Simson (Richter 14, 30) unter den Völkern, in deren Mitte sie lebten, sterben wollten."
David Kimchi: „sie (die Völker) töteten Israel in jeder Zeit während des Exils, als ob Israel Böses vollbracht hätte... (Israel) hat sich selber freiwillig dem Tode dargegeben (die Völker) waren bereit (Israel) zu befreien, wenn es seinem eigenen Gesetz abtrünnig geworden wäre und seine Treue ihrem Gesetz zuwenden würde, aber ehe Israel dies hätte tun wollen, wählte es einen freiwilligen Tod."
115. Hebr. „jir'e zera".
116. Hebr. „ja'arikh jamim".
117. Pugio Fidei, fol. 311, S. 387, zit. von Driver, Neubauer, op. cit.,S. 39 (hebr.). In diesem Text zitiert Raschi rabbinische Überlieferungen, die Cap. LIII auf den Messias „den Mann der Schmerzen und der Krankheiten" beziehen.
118. Rabbinische Überlieferungen zu diesem Psalm: 1. almot als ein Wort, im Sinne von

hören wir ihn zu Vers 7 desselben Psalmes: „der Feind ist vernichtet", „das ist Esau, derselbe Feind, dessen Schwerter des Hasses immer über uns gewesen sind, und das ist Esau".
Raschis Kommentar zu Psalm XLVII enthält ebenfalls einen Hinweis auf die Kreuzzugsereignisse. Vers 11: „es versammelten sich (in seiner Stadt)[119] die Fürsten der Völker", kommentiert er folgendermaßen: „die sich freiwillig der Metzelei hingaben und sich töten ließen für die Heiligung Seines Namens." Raschi hat die Worte „Fürsten der Völker", hebr. „nedive amim" in einem ungebräuchlichen Sinn interpretiert, nicht nadiv = Fürst, sondern als Reflexivum „(mit) nadev: sich einer Sache hingeben, hier, Der Heiligung Seines Namens". „Amim" sind somit nicht die fremden Völker, die Gott huldigen, sondern die Völker, die Stämme, Israels[120].
Psalm X spricht von den Gottlosen und den Bösewichtern, „die sich ihres Mutwillens rühmen"[121], ohne deren Identität anzugeben, doch für Raschi sind diese: „... Esau, der sich rühmt, alles erlangt zu haben, was sein Herz begehrt."
Auch mit dieser Auslegung divergiert Raschi von dem rabbinischen Midrasch, der den sich rühmenden Bösewicht auf Nebukadnezar bezieht: „Die Frevler loben Gott erst dann, wenn sie ihre Lust befriedigt haben, so sprach Nebukadnezar: ,Wahrheit ist, daß Euer Gott ein Gott der Götter ist.'[122]" Ich schließe mich der Meinung derjenigen an, die annehmen, daß Raschi die Psalmen IX und X als eine zusammengehörende Einheit verstanden hat, die Hinweise auf Edom-Esau-Rom enthält[123]. Da die christliche Exegese seit der Patristik in diesen Psalmen Hinweise auf die Leiden der Kirche inmitten der Ungläubigen sieht[124], könnte man folgern, daß Raschi bewußt die Akzente in ihr Gegenteil verkehrt hat: nicht die Kirche ist die Leidende, sondern Israel unter der Kirche.

Verborgenheit (*alm* = verborgen), nämlich der Sünden des Sohnes (la-ben). 2. al mot (zwei Worte) = über den Tod (des Sohnes), den Gott beschlossen hatte; darauf bereut der sündige Sohn (mitlaben, im Sinne von weissmachen, nämlich von den Sünden, bereuen). Der Vater ist Gott und der Sohn Israel. — Eine andere Auslegung bezieht diesen Psalm auf David: wegen des Todes des Sohnes (II. Sam. XII), S. Midrasch Šoher Tov (Tehillim), ed. S. Buber, Neudruck Jerusalem 1966, S. 80/82; ebenso Midrasch Tehillim, hg. und übersetzt von A. Wünsche (nach der Edit. Buber), Hildesheim 1967, S. 84.
119. Raschi hatte anscheinend in seinem Text „in Seiner (Gottes) Stadt", was in unseren Ausgaben fehlt. Siehe Maarsen, Parschandatha, Tehillim S. 45. Sollte er an das von den Kreuzfahrern eroberte Jerusalem gedacht haben und an die jüdischen Märtyrer, die dort für ihren Glauben den Tod erlitten hatten?
120. „Amim" nicht „Völker" sondern „Stämme (Israels)", wie Deut. XXXIII, 19: „sie (Sebulon und Isakhar) werden die ,amim' (im Sinne von Stämme) auf den Berg rufen."
121. Vers 2.
122. In Anschluß an Vers 3: Denn der Gottlose preist sein Gelüste. Midrasch Šoher Tov, ed. Buber, S. 94.
123. Baer, op. cit. S. 327, A. Berliner, Pletath Soferim in Zunz, Toldot Raschi, S. 23.
124. Augustin, Ennarrat. in Ps. CCL XXXVIII, S. 74.

Seine Erklärung zu Vers 8 stützt diese Annahme. Zu den Worten: „er sitzt und lauert in den Höfen. Er mordet die Unschuldigen heimlich, seine Augen spähen nach den Elenden", sagt Raschi: „die Augen Esaus, die auf Israel gerichtet sind, die Deine Gefolgsleute sind..."[125]; und zu Vers 10: „Er duckt sich, kauert nieder und durch seine Gewalt fallen die Unglücklichen", bemerkt er: „dies ist die Gewohnheit des Lauernden, der sich unscheinbar macht, sich erniedrigt und sich gering macht, damit man ihn nicht erkennt", eine Bemerkung, zu welcher ihn vielleicht die anonyme Masse der „Herumfahrenden", der „to'im", motiviert hatte, für deren Taten kein Einzelner die Verantwortung auf sich nahm. Der Midrasch versteht unter der Erniedrigung die Verhaltensweise des Frevlers, „der sich nur zu seinesgleichen gesellt"[126], das heißt, seine natürliche Lebensweise und nicht seine Taktik gegenüber seinen Opfern.

Noch deutlicher wird der Gegenwartsbezug in Raschis Kommentar zu Psalm LXIX: „Gott hilf mir, denn das Wasser geht mir bis an die Kehle, ich versinke in tiefem Schlamm, wo kein Grund ist." Der rabbinische Midrasch kommentiert: „Im Schlamm der babylonischen Verbannung, ich gerate in des Wassers Abgrund, in der Verbannung Griechenlands, die Flut strömt über mich hinweg in der Verbannung des frevelhaften Edom ... der ganze Psalm bezieht sich auf den Druck dieser Verbannung", womit sicher die Epoche des Zweiten Tempels und der ersten nachchristlichen Jahrhunderte im palästinensischen Raum gemeint ist. Hingegen hat Raschi, der den Grundgedanken des rabbinischen Midrasch übernommen hat — „die Wasser sind die Völker" — mit seinem Kommentar dem Inhalt dieser Verse Aktualität verliehen, die an Deutlichkeit kaum noch etwas zu wünschen übrig läßt. Zu den „Lügenfeinden"[127] bemerkt er: „Man haßt mich wegen der Lüge, weil ich nicht ihrer Lüge nachjage, mich (nicht) von ihrem Irrtum einfangen lasse", und meint damit wohl die eifervollen Christen seiner Tage, die die Juden zum Übertritt zum Christentum zwingen wollen. Der „Irrtum", hebr. „ta'ut", ist, wie schon bemerkt, bei Raschi die christliche Lehre. Vollends zeitgeschichtlich wird sein Kommentar zur Fortsetzung („Was ich nicht geraubt habe, werde ich zurückgeben..."), „wenn sie (die Feinde) sich um mich scharen, besteche ich sie mit Geld, was ich nicht geraubt habe." Wir wissen von zahlreichen Bestechungsversuchen jüdischer Gemeinden während der Kreuzzugsüberfälle, ohne daß es ihnen dadurch

---

125. Raschi übersetzt Helekah: deine (Gottes) Gefolgsleute und nicht ‚Arme‘, Erniedrigte oder Elende, wie in den deutschen Übersetzungen. Die ungewöhnliche Schreibweise des Wortes im hebr. Text erklärt er durch Analogien in der Schrift.
126. Wünsche, op. cit. S. 96, Cap. V; edit. Buber, S. 94.
127. Hebr. ‚ojwe šeqer‘ in der deutschen Übersetzung: „die mir zu Unrecht feind sind", Raschi interpretiert: Feinde der Lüge oder Lügenfeinde, die Feinde, die im Besitz der Lüge sind.

in jedem Fall gelungen war, sich die Rettung vor einem gewaltsamen Tod zu erkaufen[128].

Man hat darauf hingewiesen, daß Raschi bei seiner Interpretation von Jesaja, Cap. XXVI, 16—18, den Erlösungshoffnungen des Jahres 1098, die in bitterer Enttäuschung ein Ende fanden, Ausdruck geben wollte. Der Abschnitt beginnt mit einem Jubel- und Dankgesang für die Errettung Israels durch Gottes Hand und die Wiederaufrichtung Jerusalems. „Zertreten soll sie der Fuß, ... die Füße der Armen"[129] — „(das ist der) Messiaskönig, über den gesagt wurde, daß er arm wäre und auf einem Esel ritte ... und Israel, die gering waren bisher".

Im zweiten Teil des Kapitels schildert Israel vor Gott in einem Dank- und Bittgebet seine Not „gleich wie eine Schwangere, wenn sie gebären soll, sich ängstigt und schreit in ihren Schmerzen, so gehts uns auch Herr, vor Deinem Angesichte"[130]. Raschis Kommentar ergänzt und erweitert diesen Verzweiflungsausbruch: „Wir sehen, daß die Leiden sich erneuern und sind sicher, daß dies Zeichen der Errettung und der Erlösung sind, da wir darauf vertrauen, durch die Bedrängnis erlöst zu werden, wie diese Gebärerin..."[131], und zu den Worten: „siehe wir sind krank geworden ... und wenn wir gebären, so ist es Wind", erläutert er, „Geburtswehen (sind dies) als *wenn* wir gebären würden, doch es ist Wind und keine Errettung ... in allen unseren Leiden sehen wir keine Errettung nahen...".

Aus einem Kreuzugsbericht des Jahres 1096 erfahren wir, daß die Juden der rheinischen Städte und Nordfrankreichs auf die Errettung und Erlösung gehofft hatten, indem sie glaubten, daß die Zeit gekommen wäre, in der sich die Weissagung des Propheten Jeremias erfüllen würde: „Jubelt Jacob, Freude und Jubel an der Spitze der Völker, (und diese Hoff-

---

128. Bischof und Burggraf von Mainz, ohne daß die versprochene Hilfe geleistet wurde, Aron. Reg. 86, Nr. 185. Emicho erhielt Geld von der Trierer Gemeinde, um von der Stadt wieder abzuziehen, S. 83, Nr. 180. Die Juden von Köln bestachen die Kreuzfahrer, diese verlangten immer höhere Summen, bis die Juden sich ihrer gesamten Habe begeben hatten, S. 83, Nr. 181. Über die Verbindungen zwischen den nordfranzösischen und den rheinischen Gemeinden, s. S. 122.

129. Vers 6.

130. Vers 17.

131. „Die Wehen des Messias", hebr. „hevle mešiah" sind die Schmerzen, Nöte und Bedrängnisse, die dem Kommen des Messias vorangehen, und aus denen die „messianische" Zeit „geboren" werden wird. Die „hevle mešiah" wurden als schwere Heimsuchung empfunden, an welche man mit Angst und Schrecken dachte. Die Vorstellung war bereits im 1. Jahrhundert bekannt. In Mechilta zu Exodus 10, 29 (59a) lesen wir: „wenn ihr den Sabbat recht beachtet, so werdet Ihr vor drei Strafen bewahrt werden: vor den Wehen des Messias, vor den Tagen Gogs und vor dem Tag des Großen Gerichts." — Ähnlich im 3. Jh. Rabbi Josua ben Levy im Namen des Rabbi Qappara (TB Sanhedrin, 98b), zit. von Strack, Billerbeck, op. cit., Bd. I, S. 950. „Hevle mesiah" in der Bibel, die als solche gedeutet werden: Jes. XXVI, 17, LXVI, 8; Jer. XXII, 23; Hos. XIII, 13; Micha IV, 9.

nung) verwandelte sich in Trauer und Seufzen und Weinen und Notgeschrei."[132]

Doch scheint mir, daß man in der Suche nach Realitätsbezügen in den Raschikommentaren nicht zu weit gehen und nicht in allen seinen Erwähnungen von Raub, Habsucht, Bestechung, von Tyrannen und Bösewichtern Hinweise auf die christliche Umwelt seiner Zeit sehen sollte. Man würde schnell zu Überinterpretationen gelangen und Raschis Gegenwartsverständnis zu undifferenziert darstellen. Es fällt mir daher schwer, einer Behauptung, daß Raschi nicht nur Glauben und Abtrünnigkeit Israels, sondern auch die Unterschiedlichkeit der ethischen Auffassungen zwischen Juden und Christen vor Augen gehabt hatte, das heißt, daß er Gerechtigkeit und Wahrheit nur bei den Juden, bei den Christen hingegen Raub und Betrug zu finden meinte, beizustimmen[133].

132. Sefer gezerot aškenaz we zorfat, hg. Habermann, Vorwort J. Baer, Jerusalem 1945, S. 24; A. Neubauer, M. Stern, Hebräische Berichte über die Judenverfolgungen während der Kreuzzüge, Berlin 1892, hebr. S. 1, dtsch. S. 81/82. Obwohl wir außer dieser einen Bemerkung in dem erwähnten Kreuzzugsbericht über eine messianische Bewegung im Judentum während der Jahrhundertwende vom 11. zum 12. Jh. keinerlei Zeugnis besitzen, möchte ich mich der Meinung Baers (op. cit. S. 329) anschließen, daß Raschi in diesem Kommentar von Erlösungshoffnungen seiner Zeit gesprochen hat. Messianische Hoffnungen und Bewegungen sind zu allen Zeiten Auswirkungen von Leiden und Verfolgungen, und die nicht vorhersehbaren Kreuzzugserlebnisse konnten vielleicht Endzeithoffnungen erwecken. Eine spätere scharfe rabbinische Stellungnahme des „sefer chassidim" (Buch der Frommen) vom Ende des 12. bis Mitte des 13. Jh., deren Autoren Schriftgelehrte der rheinischen Städte waren, gegen derartige Erwartungen, vor denen sie wiederholt ausdrücklich warnten, da sie entweder in Aberglauben oder in Enttäuschung enden müßten, ließe sich vielleicht auf messianische Hoffnungen auch während der Verfolgungen des zweiten Kreuzzuges, die sich nicht erfüllt hatten und daher sich in tiefe Verzweiflung wandelten, zurückführen. — „Buch der Frommen" (sefer chassidim) (Rez. Cod. de Rossi No. 1133), ed. J. Wistinetzki (Einl. J. Freimann), 2. Aufl. Ffm. 1924, Neudruck Jerusalem 1969, Nr. 212, S. 77.

133. Baer, op. cit. S. 327, beruft sich bei seiner diesbezüglichen Behauptung auf Raschis Kommentar zu Jes. LIII, 12: (Von der Mühe seiner Seele...) hierzu „aß er, und wurde gesättigt, raubte nicht und betrog nicht", und zu „durch seine Erkenntnis wird er Gerechtigkeit dem Gerechten schaffen", „Mein Knecht richtet ein gerechtes Gericht allen, die bei ihm Recht suchen".
Sollte er hier nicht die Gerechten inmitten eines sündigen Israels vor Augen gehabt haben, so handelt es sich hier nicht um unterschiedliche Auffassungen über Ethik, sondern um Polemik gegen die „to'im" und um tiefe Verbitterung angesichts der schrecklichen Vorfälle, die ja auch von christlichen Zeitgenossen verdammt wurden. (Bischof Johann von Speyer schützte die Juden und nahm sie in seinen Palast auf (Reg. S. 84, Nr. 203).) Heinrich IV. ließ die zwangsgetauften Juden zu ihrem Glauben zurückkehren. Auf die Haltung Bernhards v. Clairvaux werde ich noch ausführlich eingehen, s. S. 179.
Ebenso bezieht Baer (ibid.) Raschis Kommentar zu Jes. XXVIII, 20 (denn das Bett ist zu kurz, um sich auszustrecken) ... „ich werde über Euch bringen einen Hasser und einen Bedränger, dessen Arbeit ihr nicht bewältigen könnt... Der Fürst, der über euch herrschen wird, wird euch den Platz (im hebr. Text: die Decke) eng machen, so daß ihr keinen Platz finden werdet", auf den Fürsten in Raschis Tagen. Der schlechte Herrscher ist nach bibl. Tradition nicht nur der Fremde, das Königsgesetz, Deut. XVII, ist voll mit Anspie-

Zusammenfassend läßt sich feststellen, daß die Weltmacht Rom, die Jerusalem zerstörte und Judaea in Philisterland — ‚Palästina‘ — verwandelte, in der rabbinischen Literatur der Tanaiten und der Amoräer stellvertretend für alle Feinde Israels: Esau, Edom, Z(o)R (Tyrus), Ismael und Amalek wurde. Für Raschi war der Schritt nicht groß, von der Vorstellung Roms als Urbs des heidnischen Imperium Romanum, zum Rom seiner Gegenwart, zum Sitz der Kirche Petri, des Investiturstreites und — nach seiner Auffassung — des geistigen Urhebers der Kreuzzugsverfolgungen, zu gelangen. Doch soll eine Zusammenstellung derjenigen Kommentarstellen, die einen Gegenwartsbezug verraten könnten, vor einer optischen Täuschung warnen. Es ist zu betonen, daß, angesichts des Gesamtmaterials der Raschikommentare zur Bibel, die zeitgeschichtlichen Anspielungen trotz allem nicht so zahlreich sind. Der rabbinische Midrasch blieb, soweit er Raschis Textverständnis entsprach, die eigentliche Quelle und Vorlage für seine Auslegungen. Sein Bibelkommentar ist keine Streitschrift, sondern Lehr- und Unterrichtsinstrument. Hier wurde nur der Versuch unternommen, Zeitverständnis, das jedem literarischen Werk aller Zeiten, und bestimmt einer Epoche der Erschütterungen und Katastrophen immanent ist, herauszulesen.

lungen auf jüdische Tyrannen-Herrscher (Avimelech, Salomo). Doch auch, wenn es sich um den weltlichen Herrscher seiner Tage gehandelt haben sollte, so spricht sich hier Widerstand gegen den Bedrücker und Verbitterung des Unterdrückten, nicht aber Postulierung einer doppelten, einer jüdischen und einer christlichen Ethik aus.

VI. Wandlungen in der rabbinischen Exegese Nordfrankreichs

1. Josef Kara

„Pešuto šel miqra", der einfache Wortsinn, entspricht dem „sensus ad litteram" der christlichen Schriftexegese, doch nicht der Midrasch-Agadah, die erzählerische Auslegung, dem „sensus ad allegoriam".

Durch den Midrasch versucht der Exeget eine Unklarheit im Text, gleich welcher Art, mittels Aktualisierung auf irgendeiner Ebene, der politischen, sozialen oder religiösen zu beseitigen, so daß er sich imstande fühlt, sich und seine Existenz im Bibelwort wiederzufinden. Somit wird der Midrasch letzten Endes zum Spiegel, nicht nur des Schrift-, sondern vor allem des Lebensverständnisses des Kommentators. Die allegorische Interpretation hingegen erfüllt ein ganz anderes Anliegen. Hier geht es nicht um Auffüllung und Ergänzung, sondern um Hinein- und Umdeutung, nicht um die Identifizierung des Lesers mit der Schrift, sondern um das Auffinden von Beweisen für eine bereits gefaßte theologische Konzeption. Die Schrift hat andere als nur die buchstäblichen Inhalte, diese können, nur wenn figürlich begriffen, eine Bedeutung haben; das geschriebene Wort als solches ist sinnlos: „In omnis libris sanctis oportet intueri quae ibi aeterna intimentur, quae ibi facta narrentur, quae futura praenuntientur, quae gerenda (agenda) praecipiantur aut moneantur", sagt Augustinus und hat damit den Eigenwert der „facta" der littera bereits bestimmt[1]. Das Wesentliche der Schrift liegt in der Voraussagung auf die Zukunft, auf das Kommen Christi. Wem die Hebräische Bibel nicht die Geschichte des Bundes zwischen Gott und seinem Volk Israel bedeutet, weil ihn diese Geschichte ja eigentlich nicht interessiert, sie aber übernehmen muß, um zu beweisen, daß die Ecclesia das „Verus Israel" ist, mit welchem der Neue Bund geschlossen wurde, dem können die biblischen Geschichten nur Fassade bedeuten, hinter der sich die eigentlichen Wahrheiten verbergen. Die Bibel wird somit zu einem Fundus von Deutungen und Hinweisen auf die Zukunft, auf die „Zeit der Erfüllung".

---

1. Augustin, PL 34, De Genesi ad Litteram, col. 247 A; über den Wert, den die christlichen Exegeten dem sensus ad litteram gaben, ausführlich S. 197.

Es scheint, als würden sich im 12. Jahrhundert die Akzente verschieben. Hugo von St. Victor und in noch stärkerem Maße seine Schüler, betonen den Wert der „littera" nicht nur als oft wiederholte Formel, die jeglichen Inhalts entbehrt. In einem späteren Zusammenhang werde ich darauf ausführlich eingehen. Hier möchte ich darauf hinweisen und im folgenden ausführen, daß zu derselben Zeit der „pešuto šel miqra" der rabbinischen Exegeten nicht nur eine klarere Definition, sondern auch eine ausschließlichere Anwendung erfuhr als vorher bei Raschi. Es war weniger Raschi unmittelbar, sondern mehr seine Schüler, die eine Brücke bauten, auf welcher sie sich mit christlichen Exegeten trafen, die der „littera" mehr einzuräumen bereit waren, als eine bloße Gleichsetzung von „litteraliter" mit „carnaliter". Wir werden uns zu fragen haben, ob diese Neuorientierung auf beiden Seiten, bei Juden wie bei Christen, Resultat der Entwicklung, die die jüdisch-christliche Begegnung genommen hat, zu betrachten ist, und es sich somit um einen wirklichen Neubeginn in der Einstellung zum Bibelstudium und in der Methode der Auslegung gehandelt hat.

„Unsere Väter waren damit beschäftgt, sich nach dem Midrasch auszurichten ... und daher gewöhnten sie sich nicht daran, in die Tiefe des (eigentlichen) Schriftsinnes einzudringen..., auch Rabbi Salomo, der Vater meiner Mutter..., der die fünf Bücher Moses, die Propheten und die Schriften kommentiert hatte, bemühte sich, den einfachen Schriftsinn aufzufinden ... und ich disputierte mit ihm, und er gab zu, daß, würde er Muße haben, er neue Kommentare schreiben würde, aufgrund des einfachen Schriftsinns, der mit jedem Tag an Bedeutung gewinnt."

schreibt Rabbi Samuel ben Meir (Raschbam), ein Enkel Raschis[2]. Er und Josef Kara, mit dem wir uns zuerst beschäftigen wollen, und der spätere Exeget Josef Bechor Schor, waren die Hauptrepräsentanten jüdischen Bibelstudiums, aus deren Umkreis und Einflußgebiet sich die Gesprächspartner mancher christlicher Exegeten rekrutierten.

Josef Kara war der Sohn des Simon, des Sohnes des Rabbi Chelbo. Sein Lehrer war der Bruder seines Vaters, Menachem ben Chelbo[3] und Samuel ben Meir war sein Freund[4]. Man nimmt an, daß er ungefähr im letzten Drittel des 11. Jahrhunderts geboren wurde[5]. Daß Raschi ihn

2. Samuel ben Meir, zu Gen. XXXVII, 2.
3. Über Menachem ben Chelbo, s. S. 36, n. 4.
Josef Kara zu II. Sam. XXVII, 5: „Alle Tage meines Lebens belehrte mich Menachem ben Chelbo, der Bruder meines Vaters." Eppenstein, S. 101.
4. Samuel ben Meir zu Gen. XXXVII, 13: „Diese Erklärung hörte ich von meinem Freund Josef Kara."
5. Bibliographie über Josef Kara: L. Zunz, Zur Geschichte und Literatur, Berlin 1848, Neudr. Jerusalem 1970 (hebr. Teil S. 21—33, dtsch. Teil S. 12, 28). B. Einstein: Kommentar zu Kohelet des Josef Kara, Berlin 1886, Neudr. Jerusalem 1970. S. Eppenstein, Josef Karas Kommentar zu „neviim rišonim", Ffm. 1906, Neudr. Jerusalem 1972. A. Schlossberg, Einleitung seiner Edition zu Jeremias, Paris 1881. S. Buber, Einleitung zur Edition

schätzte, können wir seinen Bemerkungen entnehmen, die er einigen
seiner Kommentare hinzugefügt hatte, wie z.b.: „Dies hörte ich von
Rabbi Josef Kara, im Namen des Rabbi Menachem Chelbo."[6]
Ich möchte hier nicht im Einzelnen auf die Frage eingehen, welche Bücher Josef Kara kommentiert hatte[7], sondern mich aufgrund des vorliegenden Materials darauf beschränken, auf einige Grundzüge seiner Exegese einzugehen, und, soweit dies zulässig ist, Vergleiche zu den Raschikommentaren anzustellen, mit dem Ziel, den stärkeren Nachdruck, den
Josef Kara auf den „pešuto šel miqra" gelegt hatte, aufzuzeigen.
Seine Einstellung zum Midrasch als Kommentar zu den Schriften der
Hebräischen Bibel teilt er selber deutlich mit:

> „... Für eine Erklärung braucht man keinen Beweis einer anderen Textstelle anzuführen
> und auch keinen Midrasch, denn die Lehre ist vollständig gegeben und geschrieben wor-
> den, und es fehlt ihr nichts, und der Midrasch unserer Weisen hat den Sinn, die Torah zu
> erhöhen und zu verherrlichen, aber jeder, der nicht versteht, zu dem eigentlichen Schrift-
> sinn durchzudringen, und sich an den Midrasch anlehnt, gleicht demjenigen, der in einen
> Wasserstrudel hineingezogen wurde ... und sich an allem festhält, was ihm in die Hände
> fällt, um sich zu retten..."[8]

Demnach versteht Josef Kara den Midrasch als Ausschmückung, die
aber zum eigentlichen Schriftverständnis nichts beiträgt. Zu Richter
Cap. V, 4 (O Herr, als du auszogst von Seîr ... von Edoms Gefilden, er-
bebte die Erde) bringt er erst den Midrasch, um dann hinzuzufügen:
„aber es gelang mir nicht, (diesen Midrasch) anzupassen, (denn) er entspricht nicht dem „pešuto šel miqra", ... und hinzu kommt, daß es nicht
die Art des Propheten ist, in irgendeinem Buch der Bibel, seine Worte
unklar zu machen, damit man sie (dann) aus der Agadah erfahren
muß..."[9]. Mit deutlicher Ironie wendet er sich gegen die Midraschexege-
ten. Zu II. Samuel, Cap. II, 30 (und er (David) nahm dem Milkom (dem
König der Ammoniter) die Krone vom Haupt, die einen Zentner Gol-
des wog), hören wir ihn: „Und die Worte der Agadah zu diesem Text
stimmen mit der Vernunft nicht überein, und ich ziehe mich davon zu-

---

der Klagelieder, Breslau (o.J.), Mss. Kirchheim und Mss. Nat. Bibl.Wien, aus „Commen-
taries on the Book of Isaiah", Jerusalem 1970.
Miqraot gedolot, Ausg. Lublin 1867, Neudr. Jerusalem 1964: A. Berliner, Pletath Soferim
Raschi-Kommentaren begnügt (zusammengestellt von A. Berliner, Pletath Soferim, op.
6. Raschi zu Jes. X, 24, LXIV, 3.
7. Man nimmt an, daß Josef Kara Kommentare zu der gesamten Bibel geschrieben hat,
doch sind nicht alle erhalten (z.B. nicht zu den Psalmen und zu Daniel). Zum Pentateuch
hat er keinen fortlaufenden Kommentar verfaßt, sondern sich mit Zufügungen zu einigen
Raschi-Kommentaren begnügt (zusammengestellt von A. Berliner, Pletath Soferim, op.
cit.). Kommentare zu den historischen Büchern der Bibel liegen fast vollständig vor (Josua
1—8 sind verlorengegangen). Ausführlich über Handschriften und Editionen bei Poznanski, op. cit. S. XXVI—XXVII.
8. I Sam. I, 17, Eppenstein, S. 47.
9. Richter, ed. Eppenstein, op. cit. S. 25.

rück und höre mit dem Schreiben auf, damit die Tinte nicht vergossen wird, und die Schreibgriffel nicht zerbrechen, von dem vielen Gerede", denn[10]„es gibt keinen größeren Wert (einer Texterklärung) als den Pesat", betont er an anderer Stelle[11], und „die Lernenden sollen belehrt werden, auf den Wegen der Schrift zu wandeln und die Dinge auf den Boden der Wahrheit zu stellen"[12]. Wahrheit bedeutet für ihn „der einfache Schriftsinn", der sich von dem rabbinischen Midrasch weitgehend unabhängig gemacht hat[13]. Da er es aber trotz allem nicht vermag, den Midrasch-Agadah zu verschweigen, zitiert er ihn häufig in aller Ausführlichkeit, um sich dann für die sinngemäße Erklärung zu entscheiden.

Zu Exod. Cap. XV, 26 (... „so will ich (Gott) Dir keine Krankheiten auferlegen (wenn du meine Gesetze befolgen wirst), die ich den Ägyptern auferlegt habe, denn ich der Herr bin Dein Heiler"), erzählt Josef Kara einen ausführlichen Midrasch, um dann hinzuzufügen, ohne ausdrücklich den Midrasch als passende Erklärung zu verwerfen: „Das ist der Midrasch, doch der Sinn ist, ER ist der Heiler, der dich warnt, nichts zu genießen, das dich wieder krank macht, und das ist, daß du die Gesetze und Gebote befolgen mußt." Ebenso zu Jeremia Cap. XVII, 2: „Denn ihre (Judahs) Söhne denken an ihre Altäre und Ascherahbilder...". „Unsere Lehrer erklärten so: wie ein Mensch, der sich nach diesem seinem Sohn (dem Götzendienst), den er geliebt hat, sehnt, und das ist der Deraš[14], doch der einfache Sinn (ist): wenn ihre Söhne sich der Altäre erinnern, die sie dem Götzendienst gebaut haben, erinnern sie sich seiner sofort und opfern den Götzen."

Völlig hat sich Josef Kara nicht von der Midraschexegese gelöst, doch verfährt er in seiner Anwendung selektiver und vorsichtiger als Raschi. Sein eigener Anspruch auf äußerste Nüchternheit und Sachlichkeit kommt in seiner Erklärung zu dem Vers zum Ausdruck: „Den Propheten (von) heute, rief man früher Seher"[15]: „Daraus lernst du, daß man, als das Buch geschrieben wurde, bereits den ,Seher' ,Prophet' genannt hat, daraus folgt, daß dieses Buch nicht in den Tagen Samuels geschrieben wurde, denn wenn du die gesamte Schrift durchliest, wirst du keine Stelle finden, in der der Prophet Seher genannt wird..."

10. Ed. Eppenstein, S. 88.
11. Jesaja V. 9.
12. I. Sam. Cap. I, 20 (Eppenstein S. 48).
13. In seinen Worten zu I. Sam. I, 1 sagt er deutlich, daß er sich vor allem vom „Midrasch Schemuel" distanzieren will: „Es ist nicht mein Wille, einen fortlaufenden Midrasch als Buch für sich zu schreiben, jeder, der in diesem (wohl Midrasch Schemuel) lesen will, soll es tun."
14. Es handelt sich in diesem Text um „die Sünde Judahs" und der Vers läßt sich auch folgendermaßen übersetzen: als sie (Judah) sich erinnerten ihrer Söhne, der Altäre und der Ascherahbilder, Altäre und Bilder also als Appositionen zu „Söhne".
15. I. Sam. Cap. IX, 9.

Raschi bemerkt zu diesem Vers: „Der Schreiber sagt dies (hat diese Worte hinzugefügt), dies sind nicht die Worte des Knaben Sauls", so daß Josef Karas Erklärung modern und bibelkritisch anmutet. Über das Maß der Abhängigkeit Josef Karas von Raschi sind die Meinungen verschieden[16]. Einerseits weisen die häufigen Zitierungen der Raschikommentare auf Abhängigkeit hin, doch andererseits wiederum grenzt sich Josef Kara, manchmal mit ausgesprochener Schärfe, von Raschis Meinungen ab. Dies kommt zum Beispiel in seiner Auslegung zu Jesaja, Cap. II, 20, deutlich zum Ausdruck: „An jenem Tage wird jedermann wegwerfen seine silbernen und goldenen Götzen, die er sich angefertigt hat, um sie anzubeten, (zu den Maulwürfen und Fledermäusen)." Raschi interpretiert: „dies sind Götzenbilder in der Gestalt von Maulwürfen, eine Art von Getier", so daß man nach dieser Textauffassung übersetzen müßte: „... um anzubeten die Maulwürfe und Fledermäuse"[17]. Josef Karas Erklärung entspricht der üblichen deutschen Übersetzung: „Er wirft die Götzen in die Furchen, die die Maulwürfe und die Fledermäuse sich graben", und tadelt im Anschluß diejenigen, die in dem Getier Götter sehen: „Sie verfügten weder über grammatikalische Kenntnisse, noch hätten sie die Betonungszeichen beachtet", und es ist klar, daß er sich hiermit gegen Raschi wendet. Auch in seiner Interpretation von Vers 22 desselben Kapitels (so lasset nun ab von dem Menschen, der Atem in seiner Nase hat, denn für was ist er zu achten?), wendet er sich ausdrücklich gegen Raschis Erklärung: „Nicht über den Götzendienst spricht der Vers, denn wenn der Mensch wertlos ist, wieviel mehr ist es dann das Werk seiner Hände[18], sondern über die Überheblichkeit des Menschen spricht die Schrift, da sie fortfährt, ‚denn der Herr wird fortnehmen von Jerusalem und Judah Stütze und Stab...', das Wort ‚denn' — so Josef Kara — bezieht sich immer auf das Vorhergesagte."[19]

Im folgenden will ich versuchen, durch eine Gegenüberstellung einiger Kommentare des Josef Kara mit den entsprechenden Raschikommentaren die Entwicklung von einer, wenn auch bedingten Loslösung vom

16. B. Einstein, op. cit. S. 39/40, betont Josef Karas Abhängigkeit von Raschi, hingegen beweist Eppenstein, op. cit. S. 13 und in seinem Vorwort zum Buch Richter, S. 16/17, daß Josef Kara zwar Raschi häufig zitiert, aber daß er, besonders in den Kommentaren zu den historischen Büchern der Bibel, weitestgehend unabhängig von Raschi gewesen ist. Z.B. bemerkt Josef Kara zu I. Kön. VII, 33 mit außergewöhnlicher Schärfe: (Raschi) führt (mit seinem Kommentar) ganz Israel in die Irre.

17. Also nicht „sie warfen fort die Götter, die sie angefertigt hatten, um sie (die Götter) anzubeten", sondern „sie warfen fort die Götter, um anzubeten die Maulwürfe und Fledermäuse".

18. Raschi: „Lasset ab von denjenigen, die Euch von mir abbringen, um Euch anbeten zu lassen das Werk ihrer Hände."

19. Commentary, op. cit., cod. Kirchheim, S. 292/93. Gegen Raschi wendet sich Josef Kara auch in seinem Kommentar zu Jes. XIII, 2 (ibid. S. 295), Jes. XVIII, 2 (ibid. S. 297).

Midrasch-Agadah zu einer ausschließlicheren Literalexegese deutlich zu machen. Wir erinnern uns, auf welche Weise Raschi die Lücke im Text von Gen. IV, 8 auffüllte[20]. Josef Kara hingegen, der die Meinung vertritt, daß die Schrift selber alles Nötige aussagt, und es daher keinerlei Ergänzungen oder erzählerischer Einfügungen bedarf, löste das Problem der Textlücke auf andere Weise. Zu dem Vers: „Und Kain sprach zu Abel", bemerkt er: „Von Beginn an fürchtete er (Abel) sich vor Kain, und hütete sich vor ihm, und als Gott ihm sagte, ,wenn du Gutes im Sinn hast, trage es...'[21], sofort sagte (im Sinne von erzählen) Kain dies zu Abel, seinem Bruder, daß der Heilige, gelobt sei Sein Name, ihm verziehen, und daß Sein Zorn sich gelegt hätte, und von da an glaubte Abel, daß Kains Sinn sich geändert hatte[22], und er hütete sich nicht mehr vor ihm, mit ihm zu gehen...[23] Und so konnte es geschehen, daß Kain Abel erschlug." Auf diese Weise ist zwar das Problem durch immanente Textinterpretation allein gelöst worden, doch bleibt die Schwierigkeit der Gleichsetzung „sagen" (amar) mit „berichten" (siper) bestehen. Ein Bericht bezieht sich immer auf etwas Vorangegangenes, eine Aussage auf etwas Neues, noch nicht Erwähntes.

Raschi bemüht sich, den Vers Gen. XII, 11 „nun weiß ich, daß du ein schönes Weib bist (Abraham zu Sara)" durch zwei midrašim zu erklären. Sogar die „sinngemäße Erklärung", die er zum Schluß hinzufügte, ist nicht frei von Deraš-Elementen, und die Tatsache, daß er sie nicht als einzige Erklärung angeführt hatte, mag beweisen, wie ambivalent letzten Endes seine Einstellung zu den beiden Exegesekategorien „Deraš" und „Pešat" gewesen war. Josef Kara hingegen bringt nur die Pešat-Erklärung zu diesem Text, die sich lückenlos in den Zusammenhang einfügt: „siehe, nun weiß ich (nämlich), daß man mich erschlagen wird, und daß man dich nehmen wird, denn du bist eine Frau von schönem Angesicht" — und der Beweis folgt sogleich: „und wenn man dich sehen wird, werden sie (die Ägypter) sagen: ,das ist seine Frau', und werden mich umbringen..." Ihre Schönheit wird also nur wegen der Gefahr, die beiden daraus entstehen wird, erwähnt, so daß die Schrift sich auch hier letzten Endes selbst erklärt, und es keinerlei erzählerischer Ausschmückung in Form eines Midrasch bedarf[24]. Ein anderes Beispiel

---

20. S. S. 43.
21. Cap. IV, 3.
22. wörtlich: „sich abgekühlt hatte".
23. Während Nachmanides Raschis Weg einschlug, sagt Ibn Esra: „und mir scheint das Nächstliegende zu sein, daß er (Kain) ihm (Abel) alles sagte, was ihn Gott vorher gescholten hatte. Der Erste, der sich gegen jegliche Hinzufügung im Text wehrte, war Hieronymus: „et dixit Cain ad Abel fratrem suum: subauditur ea, quod locutus est Dominus ... superfluum ergo est, quod in Samaritanorum et nostro volumine reperitur: transeamus in campum" (Quaest. in Gen. CCL LXXII, S. 7).
24. Raschis Midrascherklärungen zu diesem Text s. S. 42. Seine sinngemäße Erklärung

für die Nichtbeachtung eines Midrasch-Agadah finden wir in Josef Karas Worten zu Genesis,Cap. XIX, 31: „Unser Vater ist alt (die Töchter
Lots nach der Zerstörung von Sodom und Gomorrha), und kein Mann
ist sonst im Lande", „dies sagt die Ältere" — so Josef Kara —, „es wird
sich kein Mann finden, der uns zur Frau nehmen will, denn sie werden
sagen, sie gehören zu den Leuten der Zerstörung, und es ist nicht zulässig, sich mit ihnen zu verbinden". Hingegen erklärt Raschi diesen Text
mit Hilfe einer Agadah aus Midrasch Rabba: „sie (die Töchter Lots)
meinten, die ganze Welt ist zerstört worden, wie im Geschlecht der
Sintflut"[25]. Es scheint, als entlaste dieser Midrasch in gewissem Maße
die Tat der Töchter Lots, und hierin ist vielleicht das Anliegen des
Midrasch-Autors und auch Raschis zu sehen. Aufschlußreich für Josef
Karas Methode ist auch seine Interpretation zu dem Vers: „und Leas
Augen waren matt"[26], so in den Übersetzungen und auch nach dem
Verständnis der Agadah, derer sich Raschi für seine Auslegung bediente:
„... rakot, im Sinne von matt, verweint ... sie hatte gedacht, sie würde
Esau zufallen, die Ältere wäre für den Älteren und die Junge für den
Jüngeren"[27]. Doch Josef Kara erklärt ‚rakot' mit ‚schön', ihre Augen
drückten Freude und Schönheit aus, wie im „Targum" (Onkelos):
„jaejah, das heißt schön". Demnach wäre der Vers folgendermaßen zu
verstehen: die Augen der Leah waren schön, aber (hier ‚und' des Gegen-
satzes und nicht der Verbindung) Rahel war schön von Gestalt und
schön von Angesicht. Die Eine war schön, doch die Andere noch viel
schöner, ein Märchenmotiv, wie wir ihm häufig begegnen. Doch ‚rakot'
im Sinne von matt, verweint, gerötet oder entzündet, so wie es auch
Thomas Mann verstanden hat[28], sollte wohl den Sinn haben, auf dem
Hintergrund der unscheinbaren Leah die Schönheit und Lieblichkeit
Rahels besonders hervorzuheben.

Doch kommt es vor, daß die Schrift auch nach Josef Karas Verständnis
keinen Schlüssel für eine Unklarheit im Text bietet, so daß auch er
nicht umhinkann, durch Erläuterung oder Ausfüllung Zusammenhänge
zu erklären, doch geht er auch in einem solchen Fall seinen eigenen
Weg. Gen. Cap. XXX, 25 heißt es: „Als nun Rahel den Josef geboren
hatte, sprach Jacob zu Laban: lass mich ziehen..." Es erhebt sich die Frage, warum Jacob bis zu diesem Augenblick gewartet hat und nicht vor-

---

enthält auch Deraš-Elemente: „... Ich weiß (zwar) seit vielen Jahren, daß Du schön von
Ansehen bist, jetzt aber kommen wir zu schwarzen und häßlichen Menschen, Brüdern
der kušim, die an eine schöne Frau nicht gewöhnt sind etc. ..."
25. Ber. Rab. 51, S. 537.
26. Gen. XXIX, 17.
27. Gen. Rab. 70, S. 815.
28. Thomas Mann, Josef und seine Brüder, Ffm. 1964, S. 211, spricht in dichterischer
Ausschmückung des Midrasch von der „entzündlichen Blödigkeit ihrer (Leas) Augen", eine Redewendung, auf die er oft zurückkommt.

her von seinem Schwiegervater fortgezogen war. Raschi sieht hier, gemäß Midrasch Rabba, einen Hinweis der göttlichen Vorsehung auf künftige Ereignisse, den Jacob wohl verstand: „Nachdem der ‚Gegner‘ Esaus geboren wurde — denn so heißt es: ‚das Haus Jacobs wird Feuer sein, und das Haus Josefs eine Flamme und das Haus Esaus Stroh (Ovadjah 18) ... und als Josef geboren war, vertraute Jacob auf den Heiligen, gelobt sei Sein Name, und wollte zurückkehren.“ Josef Kara hingegen versucht Jacobs Verhalten vernunftgemäß zu erklären: „Als noch nicht alle Stämme geboren waren, bat er nicht, davonzuziehen. Da Rahel bisher noch nicht geboren hatte, fürchtete er sich vor Esau, vielleicht nimmt dieser sie (Rahel) mit Gewalt ... doch sofort, nachdem Rahel einen Sohn geboren hatte, sagte er zu Laban: Gib meine Frauen, da ich mich nicht mehr fürchte vor Esau ... wenn der Bösewicht sie jetzt sehen wird, da sie nicht mehr kinderlos ist, wird er sie (mir) nicht fortnehmen.“[29]

Josef Kara untermauert seine These einer textimmanenten Exegese, der Selbsterklärung der Schrift durch Regeln, die es dem Lernenden erleichtern sollen, zum vollen Schriftverständnis zu gelangen. Eine seiner Hauptregeln formulierte er folgendermaßen: „Die Schrift erwähnt zuweilen Menschen oder Vorfälle scheinbar ohne jeden rechten Anlaß oder Zusammenhang, doch aus gutem Grund: um die Zusammenhänge später berichteter Ereignisse zu verstehen. Diese Anordnungsmethode bezeichnet Josef Kara mit einem Begriff, den auch Raschi, wenn auch in einem gänzlich anderen Zusammenhang, angewandt hatte: „um dem Ohre (des Menschen) gefällig zu sein“[30]. Zur Veranschaulichung will ich mich mit einem Beispiel begnügen: „Nun hatten sie (die Philister) alle Brunnen verstopft, die seines (Isaaks) Vaters (Abrahams) Knechte gegraben hatten, zur Zeit seines Vaters Abraham.“[31] Hierzu Josef Kara: „Der Leser ist überzeugt, daß an demselben Ort, an dem er (Isaak) mit Avimelech (dem König der Philister) weilte, sich diese Brunnen befanden, und als Isaaks Knechte Neid erweckten, verstopften sie die Brun

---

29. Es lassen sich noch zahlreiche ähnliche Gegenüberstellungen anführen. Doch möchte ich hier ein Beispiel für einen Mißerfolg einer Literalexegese Josef Karas bringen: Zu Judas Worten (Gen. XXXVII, 36) „Was hilft es, wenn wir unseren Bruder töten“, bemerkt Josef Kara: „das heißt, wir bereichern uns, wenn wir ihn töten (und das hilft uns nicht), es ist besser ihn zu verkaufen, und füllen unsere Taschen mit dem Geld von seinem Verkauf!“ Josef Kara interpretiert das Wort ‚kisinu‘, wir haben zugedeckt, im Sinne von verheimlicht, mit ‚kis‘ = Tasche oder Geldbörse und ‚damo‘ = sein Blut mit ‚dam, damim‘ — in der Mischnahsprache ‚Geld‘. Hier liefert Raschi die einzig mögliche sprachliche Erklärung: kisinu — im Sinne von verheimlichen, damo — sein Blut. Die Brüder verheimlichten ja auch das Geschehene später vor ihrem Vater, als sie sagten, er wäre von einem wilden Tier zerrissen worden.
30. Raschi gebraucht diesen Terminus, um Anthropomorphismen zu legitimieren, s. S. 49.
31. Gen. XXVI, 15.

nen. Doch ist dies nicht so, dies ist hier geschrieben, um dem Ohre gefällig zu sein, denn die Brunnen befanden sich am Flusse Grar, und weil
erzählt werden soll: und Isaak ging von Avimelech fort und schlug sein
Lager am Flusse Grar auf ... und ließ die Brunnen wieder aufgraben, die
sie zur Zeit seines Vaters gegraben hatten ... etc. ... griff die Schrift vor,
um (Dir) an dieser Stelle mitzuteilen, daß sie (die Brunnen) verstopft
waren."

Eine andere Regel zwecks Schärfung des Schriftverständnisses des Lesers formuliert Josef Kara folgendermaßen: „Dies ist die Weise der
(Schrift)Anordnung, daß Du Dich nicht irrst: An jeder Stelle, an der Du
zwei Worte nebeneinander findest, die nicht (genügend) erläutert sind,
findest Du danach die Erklärung..." Beispiel Jesaja IV, 6: „Des Herrn
Schwert ist voll Blut und trieft von Fett", hier hast Du (der Lernende)
unklare (nicht definierte) Begriffe[32], denn es ist nicht erklärt worden,
von welchem Blut ... und von welchem Fett, doch siehe die Auflösung
folgt: „Vom Blut der Lämmer und Böcke, vom Nierenfett der
Widder..."[33]. Als anderes Beispiel bringt er Jesaja III, 1: „Siehe der Herr
... wird von Jerusalem und Judah fortnehmen Stab und Stütze..." Hierzu
fragt Josef Kara: „Stab? Stütze?" Antwort: „Stütze an Brot und Stab an
Wasser."[34] „Und dies ist die Art der Schrift, damit Du dich nicht
irrst."[35] Wenn zwei nicht erläuterte Begriffe nebeneinander stehen —
führt Josef Kara aus —, duldet der zweite nicht eher die Erklärung des
ersten, als bis er selber erwähnt ist; erst dann erklärt die Schrift beide Begriffe (Beispiel): „... sechs Flügel, sechs Flügel einem Jeden..."[36]. Den
Sinn der Flügel lernst Du nicht (gleich), bis Du die Erklärung im folgenden findest: „mit zweien decken sie ihre Füße und mit zweien flogen sie
... etc."[37]. Wenn die Schrift eine Aussage verdoppeln will, verdoppelt sie
ein Wort, wie „Ich, Ich tilge deine Missetaten meinetwegen, und deiner
Sünden werde ich mich nicht erinnern"[38], und die Erklärung[39]: „Ich bin
derjenige, der deine Missetaten tilgen wird meinetwegen, und ich bin
derjenige, der deine Sünden verzeihen wird, meinetwegen...".

Auch für die Methode der prophetischen Rede stellte Josef Kara Regeln
auf, zum Beispiel: „An jeder Schriftstelle, an der Du zu Scheltreden ge-
langst, wirst Du, nachdem der Prophet die Scheltrede beendet hat,

---

32. Hebr. tevot setumim.
33. „Ein Schwert führt der Herr, das ist voll von Blut, bedeckt von Fett, von dem Blute
der Lämmer und Böcke, von dem Nierenfett der Widder, denn ein Schlachtfest hält der
Herr in Bozra." Jes. XXXIV, 6.
34. Der volle Schriftvers: „Siehe der Herr ... wird fortnehmen aus Jerusalem und Juda
Stütze und Stab, jede Stütze an Brot und jede Stütze an Wasser..."
35. Cod. Kirchheim, aus Commentary, op. cit. S. 293.
36. Jes. VI, 2.
37. Commentary op. cit. S. 294 (Cod. Kirchheim).
38. XLIII, 25.
39. Bei Josef Kara wörtlich: „Lösung" (hebr. Pitrono).

(Worte) finden, die alles heilen, was er vorher verkündet hat"[40], oder:
„Überall, wo die Schrift spricht über die Strafe, die die Bösewichter ereilen wird, findest Du gleich darauf (Verkündigungen) über den Lohn der
Gerechten."[41]
In den Bemühungen Josef Karas, für die Eigenart der Schriftsprache
methodische Regeln aufzustellen, sehe ich einen zusätzlichen Hinweis
für die Tendenz, den rabbinischen Midrasch als Exegesekategorie zu
überwinden. Den „einfachen Schriftsinn" versucht Josef Kara nicht nur
dem Inhalt, sondern auch den Sprach- und Stilgesetzen der Schrift zu
entnehmen[42].
In den Kommentaren des Josef Kara finden wir so gut wie keine Hinweise auf Leben und Sitten seiner Epoche, außer vielleicht in seiner Erklärung zu Exodus, XVII, 11: „Und wenn Mose seine Hand emporhielt,
siegte Israel." Es scheint, als ob Josef Kara diesen Wüstenkrieg gegen
Amalek mit einem Feudalherrenkrieg seiner Tage oder einer Ritterfeh-
de assoziiert hatte: „Dem einfachen Sinn nach, ist dies (die Erklärung):
Irgendeiner (der Krieger) hält die Fahne, die bei den Nichtjuden (Lo'as)
,fanon' genannt wird, (und) so lange man diese emporhält, ... ist dies ein
gutes Omen, und man kämpft tapfer, doch wenn sie zu Boden gesenkt
wird, weiß man, daß man besiegt ist. Das ist das Zeichen, daß man besiegt ist und fliehen muß." Daß es sich bei dieser Erklärung um eine
zeitgemäße Auffassung handelt, bezeugt Samuel ben Meirs fast gleiche
Erklärung zu demselben Text, nur daß bei ihm das nichthebräische
Wort für Fahne „confanon" ist[43]. Sowohl die zahlreichen französischen, deutschen und auch slawischen Worte als auch die vollständig
fremdsprachlichen Redewendungen, mit deren Hilfe er die dem Lernenden nicht mehr geläufige hebräische Schriftsprache verständlich machen
wollte, sind sicher Beweis für seine Bemühungen, seine Kommentare einem möglichst breiten Kreis Lernender zugänglicher zu machen, vielleicht auch für seine kulturelle Aufgeschlossenheit gegenüber seiner
nichtjüdischen Umgebung[44].
Einen deutlichen Angriff auf die „Minim" finden wir in seinem Kommentar zu Jesaja XXXIII, 13: (So höret nun, die Ihr ferne seid, was ich
getan habe, und die Ihr nahe seid, erkennet meine Stärke. In Zion sind
die Sünder erschrocken, Zittern hat die Heuchler befallen, und sie sprechen, wer kann denn weilen unter dem verzehrenden Feuer...) „Diejeni-

40. Commentary, op. cit. S. 295 (Cod. Kirchheim).
41. Zu Jes. IV, 2; XXII, 23; XXXIII, 23. Beispiele für andere zusätzliche Regeln bei Poznanski, op. cit. S. XXXIV.
42. Poznanski, op. cit. S. XXXV gibt eine ausführliche Aufstellung der Sprachregeln, die
Josef Kara festgelegt hatte für Redewendungen der hebräischen Schriftsprache, für die
Funktion verschiedener Konjunktionen und für die Bedeutung von Verbformen.
43. Über Samuel ben Meirs Bibelexegese s. S. 143.
44. Beispiele Poznanski, ibid.

gen, die fern von hier sind, kannten IHN nicht, sondern nur durch das Gerücht, und die Nahen kannten Meine Stärke durch Augenschein. Die „Minim", die in der Schrift ‚Heuchler' genannt werden, sind diejenigen, die Seine Schrift verdrehen und verfälschen[45] in ‚Minut', und dieser (Vers) steht als Beispiel für alle: ‚Zittern' hat die Heuchler befallen", ja, von Jerusalem ging die Heuchelei aus an alle Länder der Ketzer Israels, daß sie die Lehre verkehrten, von welcher die Ungläubigen der Völker gelernt hatten, und dies ist der Irrtum (Ta'ut) Jesus...“[46].

Es ist bemerkenswert, daß Josef Kara für diese Textstelle nicht den Weg des „einfachen Schriftsinns", sondern den Midrasch gewählt hat. Die Heuchler, von denen das Jesaja-Kapitel spricht, sitzen in Zion, demnach identifiziert sie Josef Kara mit Judenchristen, die ihre „Irrlehre" in der Welt unter den Heiden verbreitet hatten. Provoziert durch den Begriff „Heuchelei", der in der rabbinischen Literatur mit „Minut" gleichgesetzt wird[47], ließ er sich zu einer scharfen Polemik gegen die christliche Lehre, von ihm mit Ta'ut bezeichnet, hinreißen.

Obwohl aus den uns überlieferten Kommentaren des Josef Kara keine zusätzlichen Stellungnahmen gegen Christen und Christentum zu entnehmen sind, entspricht dieser eine Kommentar seiner Persönlichkeit, wie sie uns aus der späteren Schrift „Josef der Zelot" entgegentritt[48]. Demnach nahm er selber an religiösen Auseinandersetzungen teil. Mehrere Male wird er in dieser Schrift erwähnt, die in anekdotenartigen Berichten einiges über Josef Karas Schlagfertigkeit in Gesprächen mit Christen mitteilt. Obwohl dieses Buch aus einer späteren Zeit stammt, gibt es doch in gewissem Maße Auskunft über das Bild des Josef Kara bei den späteren Generationen und über eine Art christlich-jüdischer Begegnung, wie sie nicht nur zur Zeit der Niederschrift der Erzählungen, sondern sicher bereits im 12. Jahrhundert stattgefunden hat. Ein zum Christentum konvertierter Jude fragte einst Josef Kara: „Wie

---

45. Hebr. „bodim".

46. Comment., op. cit. S. 309 aus dem Ms. der Wiener Nt. Bibl.

47. Basiert auf Bereshit Rabba (Albeck-Theodor, S. 480): Rabbi Jonathan sagte: „Jede Heuchelei, die in der Schrift erwähnt ist,meint die ‚minim' und Beispiel für alle ist ‚in Zion sind die Sünder erschrocken, Zittern hat die Heuchler befallen'."

48. „Sefer Josef Ha-meqane", Verfasser Josef ben Nathan Official. Die Familie stammt aus Südfrankreich, Narbonne, doch lebten bereits der Verfasser und sein Vater in Nordfrankreich. Zunz (Zur Geschichte d. Literatur, S. 86) datiert Mitte des 13. Jh., dagegen Grätz (VI, S. 366—370) zweite Hälfte des 12. Jh., mit der Begründung, daß nach dem Vierten Laterankonzil es nicht mehr möglich gewesen war, dermaßen frei mit Christen zu disputieren. — J. Rosenthal, in seiner Edition des „sefer Josef Ha-meqane" (Jerusalem 1970, S. 18),stützt die These von Zunz, da nachgewiesen wurde, daß Josef Official als Schüler des Rabbi Jechiel bei der Talmuddisputation in Paris im Jahre 1240 teilgenommen hatte. Der erste Teil des Buches berichtet über Auseinandersetzungen zwischen Juden und Christen, über Auslegungen von Bibeltexten, der zweite Teil enthält schärfste Polemik gegen Texte des NT (gegen die Menschwerdung Gottes, gegen Trinität, Auflösung des „Alten Bundes" zwischen Gott und Israel etc.).

könnt ihr (Juden) glauben, daß ‚šiloh‘ nicht Jesus bedeutet? Es steht
doch geschrieben: (bis) ER kommt nach šiloh, dem (die Völker gehor-
chen)." Dies ist ein Wortspiel aus dem Hebräischen, in dem der Vers
heißt: „Javo šiloh We lo …", die Anfangsbuchstaben bilden den Namen
Jeschu." Josef Kara begab sich auf dieselbe Argumentationsebene: „Du
hast recht gesprochen, doch siehe, (was) danach folgt: er wird die Völker versammeln (Hebr. Jiqhat amim); die ersten und letzten Buchstaben
geben die Antwort: Jat'am, das heißt: Jesus hat sie in die Irre geführt."[49]
„… ein Mönch fragte Josef Kara: „Warum habt Ihr keine Kirchenglocken?"[50] Er antwortete ihm: „Komm mit mir", und sie gingen beide
auf den Markt und hörten die Fischhändler einen Fisch anpreisen. Darauf führte er ihn zum Markt der vortrefflichen Fische, doch diese wurden nicht angepriesen. Fragte der Mönch: „Warum ist dies so?" Josef
Kara antwortete: „Die gute Ware preist sich selbst an … und dies ist der
Grund, daß wir keine Kirchenglocken haben…"[51]
„Heilig, Heilig, Heilig" (Jes. VI, 3). Hieraus hat man gelernt: es gibt drei
Gewalten (Trinität). Antwortete Josef Kara: „Gut hast Du das gesagt,
und daher steht geschrieben: ‚Weh mir, ich vergehe, denn ein Mann un-
reiner Lippen bin ich (denn ich habe den Herrn Zebaoth mit meinen
Augen gesehen).' Obige Auslegung ist zurückzuweisen … und dies ist
die richtige: Einer rief dem Anderen zu und sagte: ‚Heilig'. Ein Engel
wird ‚heilig' genannt…[52] und dieser eine Engel hat seinen Nächsten
‚Heilig' gerufen, damit sie ihre Stimme in einen Zusammenklang bringen, und die beiden anderen sagten: ‚Heilig ist der Herr Zebaoth'"[53].
Vielleicht sind diese drei Berichte nicht typisch für das „sefer Josef ha-
meqane", sondern auch, jeder in seiner Art, typisch für Begegnungen
zwischen Juden und Christen, zumindest wie sie im Gedächtnis der späteren Generationen verhaftet blieben. Eine theologische Komponente
enthält nur der dritte Bericht, während die beiden anderen, wie es in
Anekdoten oft eigentümlich ist, die Schlagfertigkeit des einen, in diesem
Falle des jüdischen Gesprächspartners, unter Beweis stellen wollte. Es
ist sicher kein Zufall, daß die Argumentation basiert auf dem Buchsta-

---

49. Edit. Rosental, S. 45, doch dort wird dies über Rabbi Jacob Tam (Enkel Raschis) erzählt, aber in „Hadar zeqenim" wird Josef Kara als Autor dieser Antwort genannt, s.
Poznanski, op. cit. XXXVI, n. 4.
50. Hebr. „kiškušim", polemisch für Glockenläuten, eigentlich schütteln oder wedeln, S.
74.
51. Zufügung des Verfassers: Über diesen Mönch ist geschrieben in der Schrift: „Wehe
denen, die das Unglück herbeiziehen mit den Stricken der Lüge" (Jes. V. 8).
52. „Beweis": Daniel VIII, 13: „ich hörte aber einen Heiligen sprechen (hebr. qadoš), und
ein anderer Heiliger sprach zu dem." In diesem Text ist ‚Heiliger' gleich Engel.
53. Josef Kara fügt dieser Auslegung noch eine andere, gemäß dem aramäischen Targum,
hinzu: „Heilig (ist) Gott im Himmel oben … das Haus Seiner Allgegenwart… Heilig ist
(Gott) auf der Erde… Heilig in alle Ewigkeit … in allen Welten."

benspiel — „Gematria"[54] — von einem zum Christentum konvertierten Juden angewendet wurde[55].

2. Samuel ben Meir (Raschbam)

Doch mehr noch als Josef Kara drang der Enkel Raschis, Samuel ben Meir, Raschbam[56], in den „eigentlichen Schriftsinn" ein. Obwohl auch er sich zuweilen begnügte, seines Großvaters Kommentare zu bestätigen oder zu ergänzen[57], übte er an mancher Stelle eine erstaunlich schar-

54. Eine der zweiunddreißig Auslegungsmethoden der Bibel und des Talmud, niedergelegt in einer Baraita, die man dem Josef ben Elieser dem Galiläer (2. Jh.) zuschreibt. Gematria beruht entweder auf Buchstabenspekulationen, indem man für jeden Buchstaben den entsprechenden Zahlenwert einsetzt — jeder hebr. Buchstabe besitzt einen Zahlenwert — oder auf Buchstabenverschiebungen, um aufgrund der Resultate Hinweise auf einen verborgenen Sinn zu erhalten. Letzteres wurde in obiger Erzählung angewandt.

55. Josef der Zelot hat manche Raschiauslegungen als Argumente gegen seine christlichen Widersacher vorgebracht. Z.B. über Psalm CX (s. S. 110, n. 44) sagt er: „die Toren deuten dies auf Christus, aber Raschi deutete auf Abraham."
Raschis Kommentare werden in dieser Schrift auch dann herangezogen, wenn sein Name nicht ausdrücklich erwähnt wird; z.B. Gen. XIV, 18; Gen. XXII, 2; Ps. LXVIII, 1; Ps. CIX u.a.m.
Josef der Zelot läßt Raschi und Josef Kara zu Wort kommen, um gegen den christlichen Einwand zu Gen. II, 2 zu argumentieren: „Und so vollendete Gott am siebenten Tage seine Werke". Wenn die Christen behaupten, daß Gott demnach am Sabbat gearbeitet hat (muß man ihnen antworten) folgert Raschi: Der Mensch, der sich in Zeiten und Augenblicken irren kann, muß vom Unheiligen dem Heiligen hinzufügen, aber der Ewige ... trat (in den siebenten Tag) mit Haaresbreite ein (aus Ber. Rab. 19, S. 85).
Josef Karas Antwort ist sinngemäßer: Am siebenten Tag ist alles vollendet gewesen, im Nichthebr. „eot éployé" (d.h. et eu éployé, im Sinne von „eut achevé", vollendet, fertiggestellt).
Für die sprachliche Deutung vieler „lo'asim" bei Josef Kara, s. Z. Kahn, in REJ, III, 1881 „Le Livre de Josef le Zelateur", S. 17ff.

56. Bibliographie: D. Rosin, Der Pentateuchkommentar des R. Samuel ben Meir, Breslau 1881, Neudruck Jerusalem 1970; J. Bromberg, Peruš ha torah le Raschbam, Jerusalem 1969; A. Berliner, in „Toldot Raschi", op. cit. S. IXff; R. Porges, R. Samuel ben Meir als Exeget, in MGWJ, 1883, S. 162—182, 271—282; A. Poznanski, Mavo ... op. cit. S. XXXIXff.
Samuel ben Meir war der Sohn der Jocheved, Tochter Raschis, geb. 1085 in Ramerupt, Champagne, unweit von Troyes, Zentrum der Tossafisten (s. S. 172, n. 14). Seine Brüder waren Isaak ben Meir (Ribam), einer der „Tossafisten" und Jacob ben Meir genannt R. Tam, berühmt durch seine Rechtsentscheidungen. Über die Familie des Raschbam, bei Gross, GJ, S. 635, 637, 542, 229. — Von den Büchern der Bibel kommentierte er, wie man annimmt, nur den Pentateuch, doch sind auch von diesem Kommentar einige Abschnitte verlorengegangen. Über Kommentare zu anderen Büchern erfahren wir nur aus zweiter Hand, doch sind an deren Echtheit Zweifel erhoben worden.
Ich will mich hier nur mit seinen Kommentaren zum Pentateuch befassen.

57. Beispiel, Exod. XXV, f: „Den Abschnitt über miškan, hošen und efod (Stiftshütte und Priesterkleidung) werde ich in meinen Erläuterungen kürzen, (denn) sie finden sich in den Kommentaren des R. Salomo, des Vaters meiner Mutter."

fe Kritik an Raschis Auslegungen, allerdings ohne dessen Namen zu erwähnen. Hierfür einige Beispiele: Gen. XXXIII, 18: „Jacob kam wohlbehalten (hebr. šalem) zu der Stadt Sichem." Raschi erklärt „šalem" gemäß dem eigentlichen Wortsinn wohlbehalten, vollständig, in diesem
Zusammenhang: „vollständig an Leib ... Geld ... und Torah, die er nicht
im Hause Labans vergessen hatte" (Ber. Rab. 79, S. 940); und im Gegensatz hierzu Raschbam: „Jacob kam zu der Stadt, deren Name Šalem
(war) ... die Stadt von Sichem[58]", und wer dies erklärt,
‚vollständig...',folgt Raschis Auslegung, irrt im ‚Einfachen Sinn'".
Noch schärfer verwirft er Raschis Erklärung zu Genesis XL, 9: (Du, Judah, mein Sohn bist hoch gekommen vom Raube...) „... hast dich da-
vongemacht und hast gesagt: welchen Gewinn werden wir erzielen,
wenn wir Josef töten!"[59] Hingegen kommentiert Raschbam: „Du Judah, der du hochgekommen bist von der Beute unter den Völkern, hast
dich hingestreckt und gelagert ... das ist der einfache Sinn, und diejenigen, die den Vers als Hinweis auf den Verkauf Josefs deuten, verstanden
nichts von der Interpunktion und nichts von den Betonungszeichen."
Den gleichen Vorwurf erhob auch Josef Kara gegen Raschi. Raschbam
sieht in dem Segensspruch eine Prophezeiung, die sich nach Josuas Tod,
während der Eroberung des Landes erfüllen wird[60], Raschi hingegen bezieht den Vers auf die Vergangenheit[61].
Wir hörten bereits, daß Raschbam mit seinem Großvater Raschi über
den Vorzug des Pešat gegenüber dem Deraš in der Schriftauslegung diskutiert hatte. Für Raschis Aufgeschlossenheit gegenüber der Methode
seines Enkels finden wir noch einen anderen Hinweis. Zu Gen. XL, 22
„Ein Sohn des Wachsens ist Josef, ein Sohn des Wachsens ... an der
Quelle", führt er aus: „Hier ist ein Beispiel für einen Vers, der seine Rede nicht zu Beginn der Schrift beendet, sondern (vorerst) erwähnt, über
wen er spricht, dann zurückkehrt, um den halben Beginn zu wiederholen, und dann seine Rede beendet." Zur Veranschaulichung bringt er
zusätzliche Beispiele: „Die Wasserströme erheben sich, die Wasserströme erheben sich mit Brausen..."[62] „Siehe deine Feinde Herr, siehe deine
Feinde Herr, werden verderben"[63] und wie lange werden die Bösewich-

---

58. Hebr. „Salem, ir sichem" (Salem, die Stadt Sichems), nach dieser Interpretation, eine
Apposition im status constructus zu „šalem".
59. Gen. XXXVIII, 16 aus Ber. Rab. 98, S. 1258.
60. Richter I, doch vielleicht dachte Raschbam auch an eine Weissagung auf die Erobe-
rungen Davids; 1. Kön. Vff.
61. Nach Raschis Interpretation müßte man übersetzen: Du, Judah, bist hochgekommen
vom Raube meines Sohnes; Raschbams Interpretation entspricht der deutschen Übersetzung. Luther übersetzt: Du bist hochgekommen, mein Sohn, durch großen Sieg (hier „te-
ref", Beute, im Sinne von Siegesbeute).
62. Ps. XCIII, 3.
63. Ps. XCII, 2.

ter, Gott, ... frohlocken[64]. Raschi hatte diese Regeln nicht nur selber angewendet, sondern ausdrücklich erwähnt, daß er sie von seinem Enkel
Samuel übernommen hatte[65]. Während wir bei Josef Kara, trotz seines
festen Vorsatzes, eine gewisse Ambivalenz bei der Anwendung des
Midrasch-Agadah beobachten konnten, erweist sich Raschbam oft als
eindeutiger und konsequenter. Josef Kara verschweigt die Agadah nicht,
er bringt sie manchmal in ermüdender Ausführlichkeit, während sich
Raschbams Kommentar durch ähnliche Kürze und Sprachkonzentra-
tion auszeichnet wie derjenige Raschis. Er erspart es sich, den Midrasch-
Agadah eines bestimmten Bibelverses anzuführen.

Aus Raschis Erklärung zu Gen. XXVI, 5: „... weil Abraham gehalten
hat meine Verwahrung[66], meine Gebote, meine Satzungen und meine
Weisungen..." geht hervor, daß all diese Begriffe die gesamte Torah
beinhalten, die Abraham demnach, bereits vor der Gesetzgebung am Sinai, eingehalten hat[67]. Während Raschbam betont „nach dem eigentlichen Wortsinn"[68] hielt (er) alle diejenigen Gebote und Verbote, deren
Sinn bereits (zu Abrahams Zeiten) bekannt gewesen sind (wie Raub ...
Neid, Gastfreundschaft u.a.), ... all diese befolgte man vor der Gesetzgebung am Sinai..."

Für Gen. XXVIII, 12 (und ihm (Jacob) träumte ... und siehe die Engel
Gottes stiegen hinauf und hernieder), sieht Raschi den Midrasch als
sinngemäße Erklärung: „steigen sie hinauf und dann stiegen sie herab.
Die Engel, die ihn in das Heilige Land begleitet hatten, gingen nicht aus
dem Land heraus (zu Laban nach Aram), sondern stiegen zum Himmel
empor und (andere) Engel für außerhalb des Landes kamen herunter,
um ihn zu begleiten"[69]. Die Schwierigkeit, sowohl für den Midraschautor, wie auch für Raschi, liegt in der ungewöhnlichen Bewegung der Engel, die natürlicherweise vom Himmel kamen, also erst hinunter und
dann heraufsteigen sollten. Doch lehnt Raschbam dieses Maß von Ge-
nauigkeit der Vorstellungsweise für das Textverständnis ab, „gemäß
dem einfachen Sinn ist es nicht nötig, gründlich zu untersuchen, warum

---

64. Ps. XCIV, 3.
65. Dies entnehmen wir den Zufügungen zu dem Raschikommentar zu dieser Schriftstelle. Wir lesen (nachdem obige Raschbam-Erklärung zitiert wurde): „dies stammt von Rabbi Samuel, und als Rabbi Salomo, sein Großvater, zu denselben Versen gelangte, hat er
diese ‚Samuelverse' genannt, auf seinen Namen. Zit. von Poznanski, op. cit. S. XLV, n. 2
aus Ms. Wien 32.
66. Nach Bubers Übersetzung; Luther: „meine Rechte".
67. Raschi gemäß der rabbinischen Überlieferung unterscheidet zwischen all diesen Begriffen 1. Gebote: das, wenn es auch nicht geschrieben wäre, dennoch verboten ist, wie
Raub und Blutvergießen (TB Joma 67b), 2. Satzungen: gegen welche die Völker Einwendungen erheben (s. S. 104, n. 15). 3. Weisungen: das fügt die mündliche Überlieferung
hinzu, an Mose am Sinai.
68. "lefi omeq pešuto šel miqra."
69. Ber. Rab. 68, S. 789.

erst ‚herauf' und dann ‚heruntersteigen' geschrieben steht, denn es ist allgemein üblich, zuerst den Auf- und dann den Abstieg zu erwähnen". Man darf annehmen, daß in diesen Worten eine polemische Absicht gegen Raschis Kommentar enthalten ist.

„Die Tiefe des eigentlichen Schriftsinnes", dies ist Raschbams ständige Redewendung, gilt es aufzufinden, und in diesem Bemühen ist er zuweilen von einer erstaunlichen Kompromißlosigkeit. Die Schriftstelle, aus welcher das Gebot des Tefillinlegens abgeleitet wurde („darum soll es dir ein Zeichen sein auf deiner Hand, und ein Merkzeichen zwischen deinen Augen, damit des Herrn Gesetz in deinem Munde sei"[70]), ist nach Raschbams Auffassung nur sinnbildlich zu begreifen: „Nach der Tiefe des eigentlichen Sinnes, sei dies dir als ständige Erinnerung, als *wäre* es auf deine Hand geschrieben, zwischen deinen Augen, ähnlich einem Schmuckstück oder einem Goldring, den man gewöhnlich zur Verschönerung auf der Stirn trägt." Doch sollten seine Worte sicher keinen Zweifel an der Rechtmäßigkeit des Gebotes des Tefillinlegens ausdrücken. Die rabbinische Gesetzesauslegung bleibt auf jeden Fall gerechtfertigt und verpflichtend, doch muß sie nicht in jedem Fall der Tiefe des eigentlichen Schriftsinns entsprechen. Es läßt sich aber nicht übersehen, daß sich in Raschbams Kommentar ein bemerkenswertes Maß an Unabhängigkeit und an Weltoffenheit ausdrückt.

Raschbam geht seinen eigenen Weg immer dann, wenn ihm die überlieferten Auslegungen nicht vernunftgemäß erscheinen. Zu Moses Begründung für die Ablehnung der Aufgabe, die Gott ihm auferlegt hatte, denn „schwerfällig von Zunge und Sprache bin ich"[71], erklärt Raschbam: „Ich beherrsche nicht die Sprache der Ägypter ... denn als ich noch jung war, bin ich von dort entflohen, und jetzt bin ich bereits achtzig Jahre alt..., denn es ist möglich, daß ein Prophet, der den Herrn von Angesicht zu Angesicht gekannt hat, gestottert hatte[72], so etwas wird weder von den Tanaiten noch von den Amoräern überliefert..." Auf Mose, der Kraft seiner Rede den Bund zwischen Gott und dem Volk geschaffen hatte, konnte nach Raschbams Verständnis nicht der Makel des „Stammelns" liegen.

Den Verkauf Josefs interpretiert Raschbam auf andere Art als Raschi. Raschis Lösung der Identität der Wüstenhändler, die Josef von den Brüdern kauften, haben wir kennengelernt[73]. Nach seiner Auffassung waren die Brüder die eigentlich Handelnden während des ganzen Gesche-

---

70. Exod. Cap. XIII, 9.
71. Raschis Erklärung zu Exod. IV, 10: „schwerfällig von Sprache: ein Stammler".
72. Der „stammelnde Mose" ist Gegenstand des Midrasch: divre devarim Mose (Mose, als Kind vor die Wahl gestellt, eine glühende Kohle oder Gold zu ergreifen, nahm die Kohle und führte sie an seinen Mund, daher wurde er „schwer an Zunge und Sprache"). Jellinek, Bet ha Midrasch, Jerusalem 1967, 3. Aufl., Bd. II, S. 4.
73. S. S. 53.

hens. Nicht so Raschbam, nach seiner Auffassung handelten die Midianiter, diese zogen Josef aus dem Brunnen und verkauften ihn an die Ismaeliten, eine Deutung, die dem Satzbau des Verses bei weitem eher
entspricht. „Und man muß wissen..., daß die Brüder (dies) nicht wußten (denn sie saßen entfernt von dem Brunnen und aßen) und obwohl
geschrieben steht „... die Ihr mich (Josef) nach Ägypten verkauft habt‘[74],
(muß man verstehen), ihre Taten verursachten den Verkauf“, und ausdrücklich fügt er hinzu: „dies erscheint mir die Erklärung gemäß der
Tiefe des eigentlichen Schriftsinns.“
Doch auch Raschbam gibt manchmal zu, allerdings mit beträchtlicher
Zurückhaltung, daß gewisse Textschwierigkeiten der Midrasch allein zu
lösen imstande ist. Zu Numeri XIII, 22 (sie (die Kundschafter) stiegen
die Negevwüste hinauf und er kam nach Hebron)[75], bemerkt Raschbam:
„die Agadah ist die sinngemäße Erklärung[76], denn über Kalev sagt die
Schrift: und ihm gebe ich das Land, das er betreten hat[77] ... und sein Sa-
me wird es besitzen. Deshalb kam er nach Hebron und warf sich dort
über das Grab seiner Väter und betete, daß er von der Strafe (die die
Kundschafter ereilen würde) verschont bliebe, und im Buche Josua lesen wir, daß er Kalev Hebron gegeben hatte[78] ... aber trotzdem, nach
dem einfachen Schriftsinn (sollte es heißen) und es kam jeder Einzelne
(einer nach dem anderen von den Kundschaftern) nach Hebron; hat
man doch gesagt: auch die Söhne der Riesen haben wir dort gesehen“[79].
Da berichtet wird, daß in Hebron die Kinder des Riesen Enak gewohnt
hatten, Ahiman Scheschau und Talmi, scheint der Pešat eigentlich plau-
sibel. Doch blieben ihm, wie aus dem Beginn seiner Erklärung hervorgeht, einige Zweifel, ob die Agadah hier nicht doch am Platze gewesen
wäre.
Wir erinnern uns an die nicht eben einfache Erklärung Raschis für die
widersprüchliche Zahl und Bezeichnung der Gäste Abrahams[80], und der
Gottesboten, die Sodom und Gomorrha zerstörten. Raschbam geht einen einfacheren Weg mit dem äußersten Bemühen, jegliche Deraš-
Erklärung zu vermeiden: „Drei Männer kamen zu ihm, die Engel waren...“ An vielen Textstellen, bei denen der Engel erscheint, wird er mit
der „Gegenwart Gottes“ (šekinah) benannt... Wie: und es zeigte sich
ihm (Mose) der Engel Gottes in einer Feuerflamme im Dornbusch (Ex.
II, 2), und dort steht geschrieben: Als Gott sah, daß er sich näherte um
zu sehen...“, so daß nach dieser Interpretationsweise Gott und Engel zu-

74. Gen. XLV, 4.
75. S. Raschi, S. 56.
76. TB Sotah 34b: „Kalev allein ging dort hin.“
77. Num. XIV, 24.
78. Jos. XXI, 12.
79. Num. XIII, 33.
80. S. S. 52.

weilen austauschbare Begriffe sind. So auch in der Abrahamerzählung, daher stellt der Vers „und es sprach Gott zu Abraham" (V. 13) keinerlei Schwierigkeit dar, „der größte unter den Engeln" — sagt Raschbam — „für diesen steht Gott", und nach diesem Leitfaden lösen sich auch die übrigen Probleme dieser Kapitel. Gott war anwesend im Zelte Abrahams in der Gestalt des größten der Engel, und dieser blieb auch, nachdem die beiden anderen nach Sodom gingen, bei Abraham und sagte: „Wie könnte ich Abraham verbergen, was ich zu tun gedenke?" (V. 17). Das Streitgespräch zwischen Abraham und Gott, oder dem größten der Engel, über die Zahl der Gerechten, die Sodom und Gomorrha zu retten vermögen, schließt sich ohne alle Schwierigkeiten an das Vorangegangene an. Gott erschien also in Gestalt der drei Männer, die Engel waren, war demnach die ganze Zeit anwesend und blieb im Zelt in der Gestalt des größten Engels, so daß wie selbstverständlich nur zwei Engel nach Sodom gingen, und Abraham immer noch „vor Gott stand" (Vers 22).

Doch muß Raschbam auch hier notgedrungen dem Midrasch einen Platz einräumen. Der Vers, der in der christlichen Beweisführung gegen die jüdische Textauslegung eine zentrale Rolle spielt[81] „und da ließ Gott Schwefel und Feuer regnen vom Himmel herab auf Sodom und Gomorrha von Gott", ist — wegen der zweimaligen Erwähnung von Gott — schwer nach dem einfachen Schriftsinn zu erklären. Und so erläutert Raschbam: „Das erste Mal ist es Gabriel, das zweite Mal die göttliche Gegenwart", und wir hören „so steht es in Bereschit Rabba und in Tanchuma"[82], so daß ihm der Midrasch für seine These der Austauschbarkeit von Gott und Engel eine Stütze bietet.

Die Regel des Josef Kara: daß es die Art der Schrift ist, etwas hinzuzufügen, das überflüssig erscheint, damit Dinge, die später erzählt werden, verständlich werden, wird von Raschbam übernommen, nur anders formuliert[83]. Im folgenden einige seiner Beispiele, die diese Regel bestätigen: „und er (Ruben) legte sich zu Bilhah, dem Kebsweib seines Vaters,

---

81. S. S. 184, n. 25.
82. Ber. Rab. 51, 533 und es ist sicher kein Zufall, daß Raschbam unter den zahlreichen midrašim zu dieser Schriftstelle sich gerade diesen gewählt hat.
Raschi wählt einen anderen Midrasch: „Überall, wo steht ‚und Gott' meint man Ihn und sein Gericht" (diese rabbinische These stützt sich auf I. Kön. XXII, 23: *Und* Gott hat Unheil über Dich (Ahab) beschlossen"). Hier handelt es sich um Gottes Gerichtshof, der beschloß, Ahab zu vernichten (Ber. Rab. ibid.).
Und die zweite Erwähnung von Gott erklärt Raschi folgendermaßen: „dies ist die Art der Schrift so zu sprechen", Beispiel: I. Kön. I, 33 „nehmet die Knechte Eures Herrn mit Euch" (und nicht „meine Knechte"). Ebenso Esther VIII, 8.
83. Die Schrift hat die Art vorzugreifen und etwas zu erzählen, was man nicht für die augenblickliche (Sache) braucht, was (aber) nachher an anderer Stelle erwähnt wird. Zu Gen. I, 1.

und dies hörte Israel"[84]. Doch lesen wir nicht — so Raschbam —, daß Jacob irgendetwas hierüber zu Ruben gesagt hatte, doch in seiner Todesstunde hören wir ihn darauf Bezug nehmen, ‚da du aufwalltest wie Wasser, sollst du nicht der Erste sein, denn du hast das Lager deines Vaters bestiegen...'[85] „Damit du (über einen solchen Segensspruch) nicht erstaunst, griff die Schrift vor", oder „die Söhne Noahs sind diese: Sem, Ham und Jafet, Ham aber ist der Vater Kanaans"[86], aber weil danach geschrieben steht ‚verflucht sei Kanaan' (weil Ham seines Vaters, Noahs, Blöße gesehen hatte), hätten wir nicht verstanden, warum Noah ihn verfluchte, wenn sie (die Schrift) es nicht vorher erklärt hätte[87].

Raschbams Selbständigkeit in der Bibelexegese, seine weitgehende Unabhängigkeit von der rabbinischen Tradition, und sein Mut, sich gegen Raschi zu wenden, erklären sich zum Teil aus seinen beträchtlichen grammatikalischen Kenntnissen der hebräischen Sprache, die die seiner Vorgänger bei weitem übertrafen. Er unterschied zwischen der Bedeutung von Verben gleicher Radikalen in ihren verschiedenen Konjugationsformen (binjanim), kannte Regeln für die Vokalisierung und das Prinzip der Verdoppelung der Konsonanten (*BGDKPT* nach einer geschlossenen Silbe) und beschränkte sich im Gegensatz zu Dunasch ben Lavrat und Raschi, auf einige von ihm fest umrissene Termini für grammatikalische Begriffe[88].

Eine entscheidende Motivation für Raschbams konsequente Suche nach dem „einfachen Sinn" einer Schriftstelle ist sicher in seiner Kenntnis der christologischen Auslegung zu finden. Häufig betont er, daß diese oder jene seiner Auslegungen als Antwort auf die „Andersgläubigen"[89] zu verstehen sind. Jacobs Segen für Judah[90], ein Text, mit dem wir uns in einem anderen Zusammenhang beschäftigen müssen, und der in der christologischen Beweisführung wieder und wieder angeführt wird, erfährt bei Raschbam im Gegensatz zu Raschi[91] eine betont historische Auslegung. Er interpretiert den Vers „es wird das Zepter von Judah nicht weichen, noch der Stab des Herrschers von seinen Füßen", folgendermaßen: „das Königreich, das ihm gegeben wurde, dem sich seine zwölf Brüder unterwerfen werden, diese Größe (Machtfülle) wird nicht

---

84. Gen. XXXV, 22.
85. Gen. XLIX, 4.
86. Gen. IX, 18.
87. Ebenso Gen. IX, 15: „Als die Morgenröte emporstieg", Raschbam: „dies ist geschrieben, weil danach steht: und die Sonne war aufgegangen auf Erden, als Lot nach Zoar kam, um Dir (dem Leser) mitzuteilen, daß die Engel so lange auf ihn gewartet hatten, wegen der Liebe zu Abraham."
88. Über Raschbams linguistische Kenntnisse ausführlich bei Rosin, op. cit. und Porges, op. cit.
89. „Minim", ergo „Christen".
90. Gen. XLIX, 10.
91. S. S. 223.

von ihm weichen, auch nicht Gesetzgeber und Herrschaft von seinen Nachkommen (samen) bis Judah nach ‚šiloh' kommen wird, das heißt, bis der König Judas, dies ist Rehabeam, der Sohn des Salomo, der, um das Königtum zu erneuern, nach ‚šiloh' kam[92], und dies ist in der Nähe von Sichem. Aber dann werden die zehn Stämme von ihm weichen und werden Jerobeam krönen, und dem Rehabeam werden nur Judah und Benjamin verbleiben"; und zu „um ihn werden sich die Völker versammeln"[93], „Die Völker, die Salomo untertänig gewesen waren, werden sich um ihn versammeln, um Rehebeam zu krönen, wie es geschrieben steht „und Rehabeam ging nach Sichem, denn nach Sichem kam ganz Israel, um ihn zu krönen[94], und Sichem liegt bei šiloh[95]...", und diese „sinngemäße Erklärung" gilt als Antwort für die Andersgläubigen, „denn es steht dort nichts geschrieben als der Name einer Stadt, und das ist šiloh. Es gibt kein fremdsprachliches Wort in der Schrift[96], und nicht (den Begriff) ‚Sendbote', wie es die Christen erklären"[97]. Raschbam weist mit seiner Auslegung nicht nur die christliche, sondern auch die Midrasch-Exegese, die im Targum Onkelos und bei Raschi enthalten ist, entschieden zurück[98].

Raschbam kannte also genau die christologische Interpretation, mehr noch, er besaß Kenntnisse der lateinischen Sprache, dies ermöglichte ihm einen unmittelbaren Zugang zur lateinischen Übersetzung. Dies geht deutlich aus seiner Erklärung zu Exod. XX, 13 „du sollst nicht töten", hervor. „Jedesmal, wenn (das Wort) ‚Mord'[99] in der Schrift steht, meint man damit ‚Totschlag ohne Anlaß'[100]. Aber ‚Totschlag'[101] und ‚töten'[102] gibt es (entweder) ohne Anlaß, wie ‚und er erschlug ihn (Kain)'[103] oder nach Richtspruch, wie ‚du sollst die Frau (die Ehebrecherin) töten'[104]... Das ist eine Antwort an die Andergläubigen ... denn ... in ih-

92. I. Könige, XII, 1.
93. Gen. XLIX, 10.
94. II. Chron. Cap. 10, 1; I. Kön. XII, 1.
95. Zum Beweis bringt er Bibelstellen: Josua XXIV, 1: „und Josua sammelte alle Stämme Israels in Sichem"; und am Ende des Kapitels hören wir, daß dies im Heiligtum des Herrn geschah, V. 26, und das ist, so Raschbam — šiloh. Richter Cap. XXI, 19: „und sie sprachen, siehe jedes Jahr findet ein Fest des Herrn statt zu šiloh nördlich von Beth El, östlich von der Straße, die heraufführt nach Sichem..."; ebenso Jer. XLI, 5.
96. Raschbam spielt hier auf eine christliche Überlieferung an: šiloh = Salut, s. Rosin, op. cit. S. 72, n. 4.
97. Vulgata: „qui mittendus est" (bis er kommt nach šiloh).
98. Raschbam über Gen. XLIX, 8, s. S. 223.
99. Mord, hebr. ‚reziḥah'. Im folgenden unterscheidet Raschbam zwischen drei Begriffen: ‚Mord' (reziḥah), ‚Totschlag' (harigah), ‚Töten' (le hamit).
100. Hebr. be ḥinam, wörtl. umsonst.
101. Hebr. harigah.
102. Mitah.
103. Gen. Cap. IV, 8.
104. Levit. XX, 16.

ren Büchern steht ‚ICH kann töten und beleben'[105] in lateinischer Sprache, (im Sinne von) ‚Du sollst nicht morden', (so) ‚haben sie keine Ge-
nauigkeit walten lassen.'" — Die Vulgata hat sowohl „du sollst nicht
morden" als auch „ich kann töten..." mit „occidere" übersetzt[106], also
nicht unterschieden zwischen töten und morden[107].

Es ist anzunehmen, daß Raschbam weniger an einer sprachlichen Rich-
tigstellung gelegen war, als darauf hinzuweisen, wie leichtfertig sich
christliche Gesprächspartner anmaßten, im Besitz der „Veritas Hebraica" zu sein, so daß nicht nur ihre allegorischen Deutungen, sondern
auch ihre buchstäblichen Auslegungen angreifbar sind.

Der Verteidigung des Gesetzes, um dessen wörtliche Einhaltung die Juden von jeher von den Christen scharf angegriffen wurden, gelten einige
seiner „Antworten für die Andersgläubigen". Zu dem Text, der die Begriffe „reine" und „unreine" Tiere definiert und die Speisevorschriften
aufstellt[108], fügt Raschbam, nachdem er erklärt hatte, was mit Tieren,
die gespaltene Klauen haben und wiederkäuen, gemeint ist, eine „Erwiderung an die Andersgläubigen" hinzu: „Alles Vieh, Getier, Vögel, Fische, Heuschrecken und Gewürm aller Arten, die der Herr dem Volk
Israel verboten hat zu genießen, verdorben sind sie und zerstören und
erhitzen den Körper. Deshalb werden sie unrein genannt, und sogar aus-
gezeichnete Ärzte sagen dies..." Im Gegensatz zu dem Mainzer Juden,
der mit dem Abt von Westminster diskutierte, bemüht sich Raschbam,
den Christen eine rationale Begründung für die Einhaltung der Gesetze
zu geben. Es genügt ihm nicht, wie diesem, sich nur auf die Göttlichkeit
der Gesetze zu berufen. Es scheint fast, als wäre er zu oft in die Lage gebracht worden, eine Erklärung für die komplizierten, den Christen unverständlichen Vorschriften zu liefern[109].

Auch andere Ritualgesetze verteidigt Raschbam vor christlichen Angriffen mit ungewohnter Schärfe. Zu dem schwer verständlichen Gebot

105. Deut. XXXII, 39 töten, hier auf hebr. amit (mitah).
106. Non occides — ego occidam et ego vivere faciam.
107. Ich habe die Raschbamerklärung sehr verkürzt gebracht, er spricht noch von „reziḥah" mit Vorsatz (be mesid) und von „rezihah" der unabsichtlich geschah, „be lo da'at",
um zu zeigen, daß auch „morden" für „Totschlag" stehen kann, doch für letzteres fügt
die Schrift hinzu: „be lo da'at", unabsichtlich.
108. Levit. Cap. XI.
109. Zwei typische Deutungen der Speisegesetze, eine bereits im Barnabasbrief (Cap. X,
3), der Sinn des Gesetzes wäre „Du sollst dich nicht mit Leuten einlassen, die Schweinen
ähnlich sind, d.h. den Herrn vergessen — nicht dem Geier und dem Habicht ähnlich sein,
die nicht durch Mühe und Anstrengung ihr Brot sich zu erwerben wissen" ... etc. Eine andere bei Isidor v. Sevilla, auch bei ihm versinnbildlichen die Tiere die Menschen; die Reinen: ... qui in ore semper portant ... divina praecepta (qui ruminant) und „illi et ungulam
findunt, duo Testamenta legis et Evangeliorum credentes", das sind die Christen; doch die
Juden: „ruminant (verba legis)", doch „ingulam non findunt ... quod nec duo Testamenta
recipiunt..." Quaest. in Vet. Test., in Levit. PL 83, col. 325.

„lass nicht zweierlei Art unter deinem Vieh sich paaren und besäe dein
Feld nicht mit zweierlei Samen und lege kein Kleid an, das aus zweierlei
Faden gewebt ist"[110], gibt er zwei Erklärungen: eine für den Lernenden
im allgemeinen „nach Anstand und Sitte"[111] und „eine Antwort für die
Andersgläubigen": „Weil die Schrift bei der Schöpfung festgelegt hat,
daß jeder einzelne (Baum) Früchte seiner Art hervorbringen soll[112], legte sie (auch) fest, (daß) die Welt zu leiten (sei) (auf dieselbe Weise) bei
den Tieren, den Bäumen und den Feldern. Und auch bei dem Pflügen,
durch einen Ochsen und einen Esel, weil dies zwei Arten sind, und
ebenso bei der Wolle und dem Leinen, da das eine vom Tier, das andere
von dem Gewächs des Erdbodens kommt." Die Schöpfungsordnung
soll also durch Menschenhand nicht zerstört werden. — Doch Raschbam gibt sich mit diesen Erwiderungen an die Minim nicht zufrieden,
sondern fügt mit polemischer Schärfe noch eine Bemerkung hinzu:
„Und den Minim sage ich: die Wolle ist gefärbt, und das Leinen nicht,
bewahre Dich vor einem Gewand von zweierlei Aussehen." Wollte
Raschbam mit dieser letzten Bemerkung seine christlichen Gegner her-
ausfordern? Es ist die Art der christologischen Bibelauslegung aus dem
jüdischen Schriftverständnis, Hinweise für die Eigenschaften der Juden
zu entnehmen. Hat Raschbam hier die Waffe umgedreht und andeuten
wollen, „bewahrt Euch vor zweierlei Aussehen, ergo vor zweierlei Gewalten, vor einem Gott, der Vater und Sohn ist"?
Unter den zwei Erklärungen: nach „Anstand und Sitte" und „eine Erwiderung an die Minim" faßt Raschbam mehrere Gesetzestexte zusammen,
die oben genannten und die Gebote „nicht die Mutter zu nehmen"[113]
(aus einem Vogelnest) und „nicht das Böcklein in der Milch seiner Mutter zu kochen"[114]. Bei der Tötung und dem Genuß von Tieren soll man
keine Grausamkeit walten lassen. (Man soll ... nicht töten die Mutter
mit ihren Jungen (an einem Tage), denn solches ist Grausamkeit, und
(es ist) Völlerei ... zu nehmen, zu schlachten, zu kochen und zu essen die
Mutter und die Söhne gleichzeitig). Diese Erklärung ist eine „tešuvah la
minim". Aufrechterhaltung der Schöpfungsordnung, Belehrung der
Menschheit, nicht unnötige grausame Handlungen zu begehen, und
nicht der Völlerei zu frönen — die betreffenden Gesetzestexte sind nur
beispielhaft zu begreifen[115] — sind dem tieferen Sinn der Gesetze zu ent-

110. Lev. 19, 19.
111. Le fi derekh erez.
112. Deut. 22, 6.
113. Deut. 22, 6.
114. Exod. 23, 19.
115. Bestimmt hat Raschbam, obwohl er ihn nicht ausdrücklich erwähnt, den von Raschi
angewandten, rabbinischen Grundsatz übernommen „Die Schrift spricht von dem was
gewöhnlich vorkommt" (hebr.: diber ha katuv ba howeh). Wenn das Gesetz befiehlt, ein
Rind, das einen Mann oder eine Frau stößt, zu steinigen (Exod. cap. XXXI, 28), so be-

nehmen, und es sind nicht die Juden, sondern die Christen, die blind und unverständig sind, und ihn nicht begreifen. Raschi, gemäß der rabbinischen Tradition, forderte von dem gläubigen Juden, diese Gebote nicht zu erforschen, denn sie sind eine Verordnung des Königs (Gottes)[116]; Raschbam, und man darf annehmen, unter dem Druck des christlichen Angriffes, formulierte einen tieferen Sinn.

3. Josef Bechor Schor

Ich möchte dieses Kapitel über die nordfranzösischen jüdischen Bibelexegeten nicht abschließen, ohne auf einen letzten Kommentator, Josef Bechor Schor[117], einzugehen. Dieser, ein Schüler des Rabbi Jacob Tam[118], ist als Schrifterklärer repräsentativ für eine Generation — in der letzten Hälfte des 12. Jahrhunderts —, deren Geschichtsbewußtsein durch Verfolgungen und Vertreibungen und durch zunehmende Schärfe in der christlich-jüdischen Auseinandersetzung geformt und geschärft wurde. In seiner Zeit gewannen feindliche Äußerungen und Maßnahmen gegen Juden zunehmend an Intensität, Brutalität und Rücksichtslosigkeit. Eine Hoffnung auf Wiederherstellung der als glücklich empfundenen vergangenen Zeiten, deren sporadisch auftretende Erschütterungen sich als vorübergehende Katastrophen erwiesen hatten, waren einer Selbsttäuschung gleichgekommen. Josef Bechor Schor verhält sich offener, rücksichtsloser in seinen Bibelkommentaren, als seine Vorgänger. Häufig verzichtet er auf die Bezeichnung „Minim" und spricht offen

---

schränkt sich die Gesetzesauslegung nicht auf das Rind allein, sondern „es ist gleich, ob es ein Ochs, oder sonst irgendein zahmes Tier, Gewild oder Vogel ist, nur spricht der Vers von dem, was gewöhnlich vorkommt".
Ebenso bezieht sich das Gesetz gegen Grausamkeit und Völlerei nicht nur auf die erwähnten Vorfälle, diese stehen beispielhaft für alle ähnlichen.
116. S. S. 104.
117. Josef Bechor Schor (Namenserklärung: Erstgeborener des Stiers, Bezeichnung für Josef im Mosessegen, Deut. XXXIII, 17), stammt aus Orléans. Lebensdaten, ebenso Namen seines Vaters, sind unbekannt, doch nimmt man an, daß er nach der Thronbesteigung Philipps Augustus' (1180) gewirkt hatte. Er schrieb einen Kommentar zum Pentateuch, seine Talmudkommentare sind verlorengegangen, ebenso der größte Teil seiner Psalmenkommentare. Bibl.: Comment. zu Genesis, Exodus, Hg. A. Jellinek, Jerusalem 1957, Levit., Numeri, Hg. Ch. Isser, London 1960, Deuteron., London 1959, Poznanski, op. cit. S. LV ff, N. Porges, ein nordfranzösischer Bibelerklärer des XII. Jh., Leipzig 1908, A. Geiger, Parschandatha, S. 30ff (deutscher Teil).
118. Rabbi Jacob Tam, Bruder des Samuel ben Meir (Raschbam), Enkel Raschis, aus Ramerupt. Stand nach dem Tode seines Vaters der dortigen Talmudschule vor, um später nach Troyes überzusiedeln (s. Gross,G.J., S. 636/37), starb im Jahre 1171. Einer der bedeutendsten Talmudgelehrten, berühmt als Verfasser von Rechtsentscheidungen (Verfasser des „sefer ha jaschar"). Führte den Vorsitz auf Synoden und Versammlungen, stand anscheinend im Dienst des Grafen, s. S. 171.

über die „Christen", so daß man bei ihm den Eindruck gewinnt, daß
tatsächlich stattgefundene Disputationen zwischen ihm und christlichen Kontrahenten in seiner Bibelauslegung einen Niederschlag gefunden haben.

An zwei Stellen seiner Kommentare formuliert Josef Bechor Schor
deutlich sein Geschichtsverständnis. Das tragische Geschick Israels hat
einen tiefen Sinn und ist Resultat des göttlichen Willens[119]:

> „Das ist die Art der Barmherzigkeit des Heiligen gelobt sei Sein Name, daß Er jede Na-
> tion, der Er Israel unterwirft, erhöht damit man nicht sagen kann: In die Hand eines nie-
> deren Volkes hat Er Sein Volk gegeben"[120] und so wurde Pharao groß gemacht ... und so
> lesen wir auch über Nebucadnezar, der, als er Israel in die Diaspora schickte, die ganze
> Welt erobert hatte[121] ... und so auch über Rom, „es wird alle Länder treten, zerfressen
> und zermalmen..."[122]

Doch ist der Bedränger nicht nur zur Größe gelangt, er ist gleichzeitig
nichtswürdig, denn darin liegt die Strafe für Israel, das die Gebote Gottes mißachtet hatte:

> „ein nichtswürdiges Volk[123] ..wie die Barbaren und die Mauritanen, die nackt auf den
> Markt gehen[124], es gibt nichts Widrigeres und Verwerflicheres in den Augen des Ewigen,
> und diese bedrängen Israel, und so wie diese sind die Christen[125]."

Man sieht, unter Heranziehung von Schriftversen, ist auch er, der jüdische Gesprächspartner, nicht gerade zurückhaltend mit herabwürdigen-
den Bezeichnungen. Der Ton hat sich auch bei den Juden verschärft, die
Kreuzzugstragödien bildeten nur Auftakt für eine nicht endenwollende
Kette weiterer Bedrängnisse. Die Konfrontation wurde unmittelbarer,
die tešuvah la minim unmißverständlicher, in einer Zeit, die zwar für
die Juden durch schwere Ereignisse geprägt war, doch in der das
Zusammen- und Nebeneinanderleben und somit das Gespräch als solches noch nicht entscheidend gestört oder gar unterbrochen war. Ungewöhnlich ausführlich geht Josef Bechor Schor auf den Vers: „Schaffen
wir einen Menschen nach unserem Ebenbilde und unserem
Angesichte"[126] ein. Dem Wortreichtum und der Dringlichkeit, mit der
er seine Ausführungen formuliert, entspricht die Ernsthaftigkeit seines
Bestrebens, in dieser immerwährenden Auseinandersetzung über die Bedeutung gerade dieser Schriftstelle, die Oberhand zu gewinnen.Er führt

119. Zu Gen. XLI, 1.
120. Aus Hagigah, 13, 2.
121. Jerem. XXVII, 8.
122. Dan. VII, 23.
123. Zu Deut. XXXII, 21.
124. Sifre Deut. Edit. Finkelstein, NY 1969, S. 367.
125. Hebr. ha nozrim.
126. Gen. I, 24.

aus, daß das Verb „na'aśeh", (eigentlich schaffen, machen) mehrdeutig ist, und hier mit „einsetzen", „bestallen" zu interpretieren ist.

„Der Mensch ... ist ausersehen, Fürst und Herrscher zu sein, und so sagte ER, daß *sie* herrschen werden ... und sprach: setzen wir den Menschen ein, nach unserem Bilde und unserem Angesichte... Und über sich selber und über die, mit denen Er sprach, sagte er dies... Und warum verhielt Gott sich demütig, (und beriet sich mit den Engeln?) und sagte setzen *wir* einen Menschen ein zum Herrscher über die Geschöpfe? Ich will, daß ihr ihn ... zum Herrscher einsetzt ... sowie ICH euch die Herrschaft über die Geschöpfe gegeben habe..."

Gott hat die Engel zu Fürsten über die Völker eingesetzt[127], und diese setzen mit Gott zusammen den Menschen zu „Fürsten", Herrschern über die Geschöpfe ein, nur mit deren Einverständnis kann Er den Menschen einsetzen. Das Schöpfungsgeschehen vollzieht sich gemäß einer hierarchischen Ordnung[128].

Zum Schluß seiner Ausführung wendet er sich aufs neue, an Schärfe alle seine Vorgänger übertreffend, an die Andersgläubigen:

„Der Ewige ist Einer und einzig ... und ihrer (der Christen) Torheit, die behaupten, daß der Plural wegen der Dreiheit Gottes[129] steht, gilt es (obige Antwort) zu erteilen. Aber auch du, entschärfe seine Zähne und sage ihm: Wenn du behauptest, daß alle DREI einander gleich sind, und ihre Absichten gleich sind, und eine Kraft ihnen gemeinsam (ist) ... warum war ER (dann) genötigt seinem Nächsten zu sagen: schaffen wir einen Menschen? sie vorzubereiten und sie aufzufordern? Haben sie (nicht) die gleiche Absicht gehabt und den gleichen Gedanken gehabt? Und warum hat ER dann den Anderen erniedrigt[130], und ihn aufgefordert? ... demnach sind ihnen nicht Gedanken und Entschlüsse gemeinsam! Nach ihrer (der Christen) Meinung müßte es (doch) heißen: und SIE sprachen, schaffen wir... Dann würde es bedeuten, daß alle das Gleiche aussagen, aufgrund eines gemeinsamen Gedankens. Ihre (der Christen) Auslegung ist also wertlos und leer[131]."

127. Dan. X, 13: und siehe einer der ersten Engelfürsten kam mir zur Hilfe und der Fürst des Königreichs Persien hat mir widerstanden..."
128. Es ist nicht leicht, die Erklärung Josef Bechor Schors übersichtlich und verständlich wiederzugeben, er häuft die Erklärungen für die Pluralform der göttlichen Rede, u.a.: es ist die Art der Schrift Sing. und Plur. sowie auch maskulin und feminin auszutauschen, zahlreiche Schriftstellen beweisen dies. I. Sam. 18, 13: „Ich sah Gott (elohim) emporsteigen (olim)", das heißt, im Plural; und in dem Vers Jer. IV, 30 „und Du (fem.) Jerusalem, Geplünderte (maskul.), was wirst Du tun?"; und ausdrücklich betont er: „Erkläre dies (in diesem Sinne) dem ‚Min', wenn er Dich fragen wird!" — Für die Engel als Ratgeber Gottes führt er die Vision des Micha an: „Ich sah Gott auf seinem Thron sitzen, und alle Heerscharen des Himmels stehen zu seiner Rechten und zu seiner Linken", II. Chron. 18, 18; I. Kön. XXII, 18.
129. Er benutzt den Ausdruck in polemischer Absicht „šelošah halaqim", übersetzt: Drei Teile.
130. Wörtlich übersetzt: „die Krone vom Haupt genommen".
131. Dieselbe Erklärung gilt auch für die Pluralform in Gen. III, 22: "siehe der Mensch ist geworden wie unser einer"; „Es war die Demut Gottes, daß er sich mit seinen Dienern, den Engeln, gleichstellte ... und wenn ein „Min" dies auf die Dreiheit Gottes bezieht, antworte ihm ... wie ich es oben getan habe" (V. 26).

Die drei Männer, die Abraham besuchten[132], sind bei Josef Bechor Schor „dem einfachen Sinn nach Männer ... denn wir kennen keine Engel, die essen und trinken und in eines Menschen Haus nächtigen... Daher ist (dies) eine Erwiderung an die ‚Minim‘, die behaupten, daß es sich hier um die Dreieinigkeit Gottes handelt: Wenn dem so wäre, warum war es für den Einen nötig, aus dem Mutterleibe — und dies ist der Nazarener — fleischliche Gestalt anzunehmen? Hier waren sie doch alle Drei fleischlich und aßen und tranken..." Es scheint, als wollte er mit dieser Erklärung endgültig einen der Hauptbeweise der christologischen Bibelauslegung entkräften; es waren keine Engel, sondern Männer, und es ist ihm bewußt, daß er sich mit dieser Behauptung von der rabbinischen Tradition abgrenzt: „Man soll auch nicht den Worten unserer Lehrer entgegnen, daß auch diese (Männer) gleich Engeln gewesen sind, die wußten, was auf Erden geschah, es ist verboten, zu lehren, daß es sich hier um Engel gehandelt hat ... als Beweis (steht doch), daß sie aßen und tranken!"[133]

Es sind also Christen, die mit ihrem Gott anthropomorphistische Vorstellungen verbinden, Josef Bechor Schor weist jede Erklärung, die solches auch für einen Juden ermöglicht, zurück.

Zu Abraham kamen demnach drei Männer, zu Lot — zwei Gesandte und nicht Engel. Josef Bechor Schor setzt diese den Botschaftern gleich, die Jacob zu seinem Bruder Esau entsandte[134]. Es waren Menschen, die im Auftrag Gottes nach Sodom gingen, denn, so hören wir ihn „dies ist eine Erwiderung an die ‚Minim‘. Ihnen gilt es zu entgegnen, wo war, als sie nach Sodom gingen, der Dritte, denn es kamen nur zwei[135] (nach Sodom)..."

Einen anderen Beweis für die Dreiheit Gottes sieht die christologische Exegese in dem dreimaligen Anruf Gottes im israelitischen Glaubensbekenntnis, „(höre Israel) Der Herr, unser Gott, der Herr ist einzig". Die Schrift lehrt, führt Josef Bechor Schor aus, daß jede der drei Anrufungen notwendig war,

„wegen der Angriffe der Völker ... denn wenn ER nur gesagt hatte ... Dein Herr ist einzig, hätte man sagen können, jedes einzelne Volk (ist einzig) seinem Gott ... (doch) wenn ER sagt ‚unser Gott‘, wird es klar, daß ER über den Gott Israels spricht ... und über diejenigen, die irren und sagen, daß es sich um die Dreiheit Gottes handelt, und diese sind einzig, und daß dies der Grund für drei Anrufungen ist ... folgt sogleich die Erwiderung (nämlich): Und Du sollst Deinen Herrn, Deinen Gott, lieben; und es sind nicht die Teile

---

132. Gen. XVIII, 1.
133. Wie erinnerlich, waren sich Raschi, Josef Kara und Samuel ben Meir einig, daß es Engel waren; die Unterschiede in der Interpretation liegen nur in der Zahl der Besucher Abrahams.
134. Gen. XXXII, 4, auch dort ’melakim‘: Engel oder Botschafter.
135. Wörtl. ‚der dritte Teil‘ und ‚zwei Teile‘.

aufgezählt... Und nach ihrer (der Christen) Worte, hat er geboten, nur zwei Teile zu lieben, nämlich den Herrn, Deinen Gott!...'"[136]

Die Ausführlichkeit und Weitschweifigkeit seiner Antwort — ich habe
hier nur einen Auszug gebracht — bezeugt die Ernsthaftgkeit seines Anliegens: das israelitische Glaubensbekenntnis vor jeglichen christologischen Interpretationen zu bewahren.

Es fällt mir schwer anzunehmen, daß Josef Bechor Schor nicht genau
wußte, daß er mit seinen „Entgegnungen" nicht den Kern christologischer Bibelauslegung „ad allegoriam" berührte. Wie seine Begriffswahl
— drei Teile für Dreifaltigkeit — beweist,handelt es sich um gezielte Polemik, wie sie uns in dieser Epoche eher von christlicher Seite entgegentritt.

Geradezu an Hohn grenzt seine Interpretation von Gen. XXIV, 2 (Und
er (Abraham) sprach zu dem ältesten Knecht seines Hauses: lege deine
Hand unter meine Hüfte...): „Man war gewohnt, die Hand unter die
Hüfte zu legen, zum Treueschwur, so wie wir gewohnt sind, einander
die Hand zu geben. Dem ist hinzuzufügen: lege deine Hand und deine
Treue unter meine Füße, mir untertan, zu meinen Füßen ... doch nicht,
daß man dort (unter die Hüfte) wirklich die Hand hinlegte. Und die
Christen sagen, weil von dort Jesus hervorgekommen war, und ihnen
gilt es zu erwidern: Er ist doch nicht von einem Manne geboren worden, nach Euren Worten, hätte man auf den Leib einer Frau schwören
müssen."

Das zweifache Gebot des Dekalog, Du sollst keine anderen Götter haben neben mir, und du sollst dir kein Bildnis anfertigen, beinhaltet einen zweifachen Sinn. Es enthält eine Warnung vor dem wirklichen
Götzendienst der Heiden: Du sollst nicht sagen, ich werde Dein Knecht
sein ... aber ich werde außerdem noch anderen Göttern dienen und eine
Warnung vor fremden Kultgewohnheiten:

„Du sollst nicht sagen: ich diene keinen anderen Göttern, aber da Du ein verborgener
Gott bist, und man Dich nicht sehen kann, (denn es heißt der Mensch kann Gott nicht sehen und leben) werde ich mir Standbilder anfertigen... Und ich werde mich vor ihnen
niederwerfen und ihnen dienen ... zu Deinen Ehren, und dann werde ich mich Deiner erinnern, wie es die ‚Minim' sagen, deshalb wird dir geboten: wirf dich nicht vor ihnen nieder."

Wir werden bei diesen Worten an den jüdischen Gesprächspartner des
Abts von Westminster erinnert, der in abfälliger und ironischer Form
ein Gemälde, das er sicher in Westminster gesehen hatte, beschrieb. Sicher hatte auch Josef Bechor Schor bei seinen Worten Bildnisse und
Standbilder von Kirchen und Kathedralen seiner nächsten Umgebung
vor Augen. Mit seiner Erklärung setzte er sie heidnischen Kultgegen-

---

136. Deut. VI, 5 „Du sollst den Herrn, Deinen Gott, lieben".

ständen gleich, es gibt keinen stellvertretenen Heiligen, dem man zu Ehren Gottes dient. Man darf annehmen, daß Gilbert Crispins Verteidigung gegen den Angriff des Mainzer Juden die allgemein übliche Erklärung der Christen für die Aufstellung von Bildnissen in den Kirchen gewesen ist. Die Dekalogverse bildeten für unseren Exegeten einen willkommenen Anlaß, christliche Kultgewohnheiten als Übertretung des göttlichen Gebotes zu brandmarken und zu verurteilen.

Da die Christen Judahs Rat an seine Brüder, ihren Bruder Josef zu verkaufen[137], als Vorbild für den Verrat des Judas Ischariot deuten, fühlt sich Josef Bechor Schor gedrängt, diesen Bibeltext auf etwas eigenwillige Weise zu interpretieren. „Sie, die Brüder, machten aus ihm eine wichtige Ware, wie ein Mann, der ein Feld wegen seiner Minderwertigkeit verkauft, so fügten sie von ihrem Geld noch hinzu[138], damit sie ihn von sich entfernten, da sie einen wahrhaftigen Haß gegen ihn empfanden." Sie bereicherten sich also nicht um „zwanzig Silberlinge" durch diesen Handel, im Gegenteil, sie waren diejenigen, die bezahlten, nicht die Wüstenhändler. Die Tat wurde dadurch allerdings nicht entschuldbar, blinder Haß ist moralisch nicht zu rechtfertigen, doch eine christologische Auslegung wurde entschieden, wenngleich etwas gewaltsam, abgewehrt.

Einen Dialog zwischen dem jüdischen Bibelerklärer und einem christlichen Widersacher enthält auch seine Auslegung zu dem Vers: „Aron hatte ihm (dem Volk) die Zügel schießen lassen zu Gespött seiner Widersacher." „Denn die Völker verhöhnen uns, indem sie sagen: habt ihr nicht das Kalb gegossen? Hierüber lernte ich ein Gleichnis: Ein Mann hatte eine sehr schöne Frau und einige Mägde, und diese sagten, Herr, vertreibe unsere Herrin, und nehme uns zu Frauen ... denn gestern, als unser Herr vom Markt kam, hat er (doch) Ruß an ihrer Hand gesehen ... und ist sie ihm doch deshalb widerwärtig gewesen, daher soll er sie verstoßen. Der Herr antwortete: ‚Närrinnen, was sprecht ihr? Seine schöne Frau soll er verstoßen, weil ein wenig Ruß an ihrer Hand war und soll euch nehmen, die ihr schmutzig seid von Lehm und Ruß ... so daß man euer Antlitz nicht erkennen kann?' — So verhöhnen uns die Völker der Welt wegen des einen Goldenen Kalbes, das unsere Väter errichtet hatten, doch sie errichten an jedem einzigen Ort ohne Aufhören Standbilder..."

Aufschlußreich ist seine Interpretation zu Num. XII, 8 (nicht so wie die Propheten, denen Gott im Traum erscheint) ist mein Knecht Mose, der in meinem ganzen Hause treu ist:

„Hiermit wird die Kraft der Völker zerbrochen, die behaupten, alles, was Mose ... sprach, ist Allegoria, das heißt Rätsel und Gleichnis, und bedeutet nicht wirklich, was er sagt. Sie (die Christen) verwandeln die Prophezeiung in etwas völlig anderes ... (doch) hierüber

---

137. Zu Gen. XXXVII, 28.
138. Das heißt, nicht daß sie Geld bekamen, sie bezahlten auch noch dazu.

sagte David[139]: "Gott erzählt Seine Dinge Jacob, Seine Gesetze und Seine Gebote Israel." Dies tat er keinem anderen Volk, auf daß diese die Gesetze nicht kennen sollen. — Denn obwohl sie die Lehre in ihre Sprache übersetzt hatten, gab Gott ihnen nicht ein verständiges Herz und sehende Augen und hörende Ohren. Sie verdrehen die Worte in etwas, das nicht besteht. (Doch) Gott verlangt es nicht nach ihnen, damit sie nicht Seiner Lehre anhängen."

Der antike Vorwurf gegen die Juden, der der Blindheit und Verstocktheit, wird hier von dem Juden gegen die Christen vorgebracht und nach der gleichen Methode aus der Schrift bewiesen. Aber nicht nur die Christen sind Ziel seines Angriffs, sondern auch diejenigen unter den Juden, die den Gesetzesvorschriften eine allegorisierende Bedeutung beimessen:

„auch von (einigen) unseres Volkes erfuhr ich, daß sie ,Tefillinlegen' ... (und andere Gesetze) anzweifeln, indem sie sagen: dies ist zu verstehen wie ,trage mich *wie* ein Siegel auf Deinem Herzen'[140] und bedeutet nicht wirklich ein Siegel auf deinem Herzen und auf deinem Arme ... und wehe ihnen, daß sie die Torah beleidigen, denn auch diese werden in Zukunft Rechenschaft vor dem Gericht ablegen müssen."

Anders als Samuel ben Meir, der sich nicht scheute, dem Bibelvers eine allegorisierende Bedeutung zu geben, ohne das Gebot als solches anzuzweifeln[141], sieht sich Bechor Schor gezwungen, sich gegen diejenigen zu wenden, die durch Allegorisierung ihre Nichtbefolgung des Gesetzes legitimieren. Wie immer und vor allem in Zeiten der Bedrängnis, sind die jüdischen Zweifler dem Judentum gefährlicher als die Andersgläubigen. Das jüdische Religionsgesetz ist wörtlich zu befolgen, doch ist sein Sinn nicht die bloße Erfüllung der Kultvorschriften. Das Gesetz bildet die Grundlage für sittliche und soziale Lebensweise überhaupt. Diejenigen, die es nicht beachten — die Nichtjuden — werden daher zu Bösewichtern, die sich gegenseitig nach dem Leben trachten. Und so hören wir ihn zu dem Schriftvers (und Ihr sollt hüten und befolgen meine Gesetze und Gebote, die der Mensch erfüllen soll, um in ihm zu leben, ich bin der Ewige, Dein Gott)[142]:

„Auf daß seine Lebensjahre nicht verkürzt werden, daß er eines natürlichen Todes sterben wird. Aber die Gesetze der Völker[143], die rauben, ausbeuten, stehlen und morden und zu den Frauen ihres Nächsten gehen (sie) verkürzen ihre Tage, denn es kommen die Reichen[144] und erschlagen sie, und so wird auch der Mann der Frau (der man sich ehebrecherisch genähert hat) am Tage der Rache kein Erbarmen zeigen..."

139. Ps. CXLVI, 19/20.
140. HL, VIII, 6.
141. S. S. 146.
142. Levit. XVIII, 5.
143. Hebr. „gojim".
144. Wahrscheinlich im Sinn von ,Mächtigen'.

Hier spricht die tiefe Erbitterung eines Angehörigen eines unschuldig verfolgten Volkes, tiefer Haß gegen die Bedränger[145]. Die Gesetze, die es den Christen erlauben, Untaten zu begehen, sind die ungeschriebenen Gesetze, die die Juden schon manches Mal zu Freiwild gemacht haben. Auch Josef Bechor Schor mußte wissen, daß es für die Christen Gesetze gab, die Mord und Diebstahl bestraften, obwohl vielleicht Willkürakte unter Christen häufiger vorkommen konnten, als innerhalb einer geschlossenen jüdischen Gemeinschaft, die sich von äußeren Feinden bedroht fühlte. Josef Bechor Schor, wie Samuel ben Meir, gab dem Gesetz einen tieferen Sinn, denjenigen, den bereits die biblischen Propheten postuliert hatten: Nicht die Befolgung als solche, weil Gott sie befohlen hatte, ist der Sinn des Gesetzes, sondern die Sicherstellung eines sittlichen und Gott wohlgefälligen Lebens überhaupt. Damit hat er den Vorwurf der Christen, daß die Juden das Gesetz „carnaliter" befolgen, ohne den tieferen Sinn zu begreifen, scharf zurückgewiesen. Die Christen sind die Unverständigen, auch in der Auslegung des Gesetzes, mit der sie dessen Aufhebung legitimieren. Er geht so weit, nicht nur zwischen jüdischer und christlicher Moralauffassung zu unterscheiden, sondern er führt die verderbten Sitten der Christen auf die Nichtbefolgung des Gesetzes zurück.

Es ist sicher nicht zu kühn zu behaupten, daß es möglich ist, aus der nordfranzösischen Bibelauslegung vom Ende des 11. bis zum ausgehenden 12. Jahrhundert, die Veränderung, die die Beziehungen zwischen Juden und Christen erfahren haben, abzulesen. Bei Raschi noch verschlüsselt, eingebettet in mehr oder weniger zeitlose rabbinische Termini, bei Josef Kara und Samuel ben Meir, ermöglicht durch einen Prozeß der Loslösung vom rabbinischen Midrasch und bereits in einer deutlicheren Sprache formuliert, die es dem Leser klar macht, daß zeitgenössische Kontrahenten angesprochen sind, lernen wir bei Josef Bechor Schor eine Schriftinterpretation kennen, die an antichristlicher Polemik im deutschen und französischen Mittelalter kaum ihresgleichen findet. Nicht anders als die christlichen Interpreten scheuen sich auch die jüdischen Schrifterklärer nicht, Schriftverse aus dem Sinnzusammenhang zu reißen, um sie als Streitwaffe gegen die Christen geeignet zu machen. Es ist daher nicht verwunderlich, wenn der Autor des „sefer Josef ha meqane" nicht nur Schriftauslegungen des Josef Bechor Schor zitiert, sondern ihn auch als Kontrahenten im Streitgespräch mit Christen auftreten läßt. So wird berichtet, daß ein Abtrünniger zu ihm kam und ihn über seine Auslegung zu dem leidenden Gottesknecht des Deuterojesaja befragte. Dieser wollte ihm durch seine Antwort beweisen, daß in dieser Schrift nicht über Jesus gesprochen wird: „Tor, Deine Ohren sollten hören, was dein Mund aussagt: Siehe mein Knecht soll erhöht werden,

<hr />

145. Über die veränderte historische Situation s. S. 165.

und wenn er (Jesus) Gott ist, warum nennt ER ihn Knecht." Sofort zerriß der Abtrünnige sein Kleid und bereute. Obwohl nicht anzunehmen
ist, daß ein Abtrünniger so einfach und billig zu bekehren war, ist die
Antwort, die hier dem Josef Bechor Schor zugesprochen wird, typisch
für dessen Argumentation, wie auch wir sie kennengelernt haben. Seine
häufige Erwähnung in dieser Schrift zeugt wie bei Josef Kara für die Art
der Rezeption seiner Persönlichkeit bei den späteren Generationen und
besitzt daher einigen historischen Wert. Im weiteren Verlauf dieser Diskussion führt Josef Bechor Schor Raschis Ausführungen über dieselben
Textstellen an[146]. Nach den Ereignissen des Zweiten Kreuzzuges und
den Bedrängnissen der Juden unter Philipp Augustus kann für den rabbinischen Exegeten der Gottesknecht nur die Personifizierung des in
der Diaspora leidenden Volkes Israel bedeuten[147].

Der Angriff der Christen auf den Erzvater Jacob wegen seines Handels
mit Esau um die Erstgeburt, wehrte Josef Bechor Schor in seinem Kommentar zu der betreffenden Schriftstelle ab[148]: „Verkaufe mir heute deine Erstgeburt, das heißt, daß dein Erstgeburtsrecht für immer das wert
ist, was es heute wert ist, wie es (weiter) heißt: so schwöre mir heute[149],
auf daß es für immer meins sein soll, (so) wie es heute ist." Diese Verteidigung Jacobs, der von den Christen Betrüger genannt wird, fand einen
Platz im Namen des Josef Bechor Schor auch in dem Buche Josefs des
Zeloten: von einem Dominikanermönch wird erzählt, der Josef Bechor
Schor unterwegs traf und sagte: „Jacob, Euer Vater, war ein Dieb, und
es lebte niemand, der Zins raubte wie er, denn für eine Schüssel Linsen,
die ein Goldstück wert ist, kaufte er die Erstgeburt, die tausend wert
ist." Nachdem Josef Bechor Schor ihm oben angeführte Erklärung gab,
fügte er noch hinzu: „Vielleicht stirbt heute unser Vater (Isaak) oder er
verliert sein Eigentum, und ich gebe dir den Geldwert (von heute)".
Esaus Erwiderung wird für die Richtigkeit dieser Antwort angeführt:
„Siehe ich muß sterben[150]", „denn er war ein Mann des Feldes (fährt Josef Bechor Schor fort) und war jeden Tag in Gefahr, erschlagen zu werden, (daher) ,was nützt mir meine Erstgeburt'[151]." Demnach hatte Jacob

---

146. Besonders zu Vers 9/10, s. Raschi darüber S. 123f.
147. Doch blieb die Vorstellung eines für die Sünden des Volkes leidenden Messias im jüdischen Bewußtsein verhaftet. Im „Buch der Frommen" ist der leidende Gottesknecht
des Deuterojesaja der Messias, der die Selbstkasteiung des Frommen, der dadurch zur
wahren Gottesfurcht gelangen will, rechtfertigt. — „Der Messias leidet für die Sünden",
erklärt der „Fromme" seinen Schülern, „denn es steht geschrieben: Er ist unserer Missetaten willen verwundet und unserer Sünden willen zerschlagen (Jes. LIII, 5), und in derselben Weise leidet der fromme Gerechte." — Buch der Frommen (sefer chassidim), op. cit.,
Nr. 1566, S. 381.
148. Gen. XXXV, 31.
149. V. 33/34.
150. Ibid. V. 32.
151. Ibid.

zwar das Erstgeburtsrecht von seinem Bruder erhandelt, ihn aber nicht übervorteilt[152].

Über die Lebensgewohnheiten seiner christlichen Umgebung finden wir bei Josef Bechor Schor einige Hinweise. Der jüdische Gelehrte, der über Glaubensfragen mit Christen diskutierte, hatte ein offenes Auge für die Lebensformen einer Gemeinschaft, der er nicht angehörte, und da er diese zum besseren Schriftverständnis seiner Leser anführt, dürfen wir annehmen, daß sie allen Juden seiner Epoche bekannt gewesen waren. Seine Vertrautheit mit dem Lehnswesen wird durch seinen Kommentar zu Isaaks Segensspruch für Esau bezeugt: „Aber es wird geschehen, daß Du (Esau) sein (Jacobs) Joch von deinem Halse reißen wirst."[153] Hierzu Josef Bechor Schor: „Du (wirst) ihm dein Land überlassen, davongehen und ihm nicht mehr dienen, wie es heute noch die Ritter[154] tun, wenn ihr Herr sie zu sehr unterdrückt, sagen sie zu ihm: nimm dein Feudum und dein Homagium zurück." Er bedient sich hier der lateinischen Termini und hat wohl eine allgemein übliche Formel für die Aufkündigung eines Lehnsverhältnisses zitiert[155].

Zu der Aufforderung Gottes an Mose: „Ziehe Deine Schuhe von Deinen Füßen..."[156], erklärt er die Tautologie (Schuhe von den Füßen) folgendermaßen: „Auch der (sich) an der Hand (befindet) wird ‚Schuh' genannt ... das ist im Nichthebräischen ‚gant'[157] und noch heute pflegen die Fürsten sich durch ihre Handschuhe zu überantworten[158] und deswegen steht geschrieben ‚von Deinen Füßen'." Es sind also beide Redewendungen notwendig zum richtigen Schriftverständnis.

Pharao nimmt in Josef Bechor Schors Vorstellungen die Sitten und Gewohnheiten eines Grafen oder Königs Nordfrankreichs im 12. Jahrhundert an. Mose bekommt den Auftrag, dem König Ägyptens gegenüberzutreten, wenn dieser „ans Wasser" gehen wird „zu den Ufern des Nils"[159]. Hierzu Josef Bechor Schor: „Es ist die Sitte der Fürsten und

---

152. Sefer Josef ha meqane, op. cit. S. 41. Es sind Zweifel erhoben worden, ob Bechor Schor der Autor dieser Antwort gewesen ist, oder ob man ihn nur zitiert hat, und sein Name im Text als spätere Hinzufügung zu betrachten ist. Demnach wäre der Gesprächspartner des Dominikanermönches Nathan Offizial, der Autor der Schrift. S. Poznanski, op. cit. S. LXX.
153. Gen. XXVII, 40.
154. Hebr. Terminus: ha śarim, eigentlich Fürsten, er meint aber sicher Vasallen im allgemeinen.
155. Güdemann, op. cit. S. 31, zitiert eine entsprechende Formel für die Aufkündigung eines Lehnsverhältnisses: „Sire, j'ay esté une pièche en vostre hommage ... et à l'hommage et à le foi je renonce, parce que vous m'avez meffet", vgl. Du Cange, Glossar. T. IV, S. 223 (Homagium, Gurpire, Reddere).
156. Exod. III, 5.
157. S. Raschis Erklärung S. 65.
158. Hebr.: le haqenot, eigentlich sich verkaufen, im Sinne von übergeben.
159. Exod. VII, 15.

Könige an den Gestaden der Flüsse spazieren zu gehen, indem sie Habichte und Sperber mit sich führen. Der „Stab Gottes"[160] ist auch bei ihm gleich der Kriegsfahne, die, wenn erhoben, ein Zeichen des Sieges, und wenn heruntergenommen, ein Zeichen der Niederlage bedeutet. Das Verbot „eines deiner Kinder dem Moloch zu geben"[161] wird durch den zeitgemäßen Vergleich mit dem Nichtjuden „der einen seiner Nachkommen zum Mönch oder Priester des Götzendienstes (sic!) weihen läßt ... auf daß er keine Nachkommen haben möge, und einen anderen veranlaßt ein Handwerk zu erlernen und ihn mit einer Frau verehelicht..." veranschaulicht.

Da all diese Schriftverse an sich keine Unklarheiten enthalten — es ist klar, daß Pharao über die erste Plage — alles Wasser des Nils wird sich zu Blut verwandeln — am Ufer des Nils unterrichtet werden soll —, haben diese Interpretationen nur den einen Sinn, durch Hinweise auf den Lesern bekannte Gebräuche den Text lebendiger zu gestalten. Letztere entsprachen eher den Lebensgewohnheiten der Juden in Nordfrankreich als denjenigen der Menschen der biblischen Erzählungen, so daß diese Kommentare in gewissem Maße Zeugnis ablegen für den engen Kontakt zwischen Juden und Christen noch in der zweiten Hälfte des 12.Jahrhunderts.

---

160. Exod. XVII, 9.
161. Levit. XVIII, 21.

VII. Veränderungen in der christlich-jüdischen Begegnung unter dem Druck neuer politischer und sozialer Verhältnisse

Keine geschichtliche Epoche ist eindeutig in ihrem Gesamtbild. In jeder sind alle Elemente mit ihrer Vielschichtigkeit und in ihrer Gegensätzlichkeit enthalten. Den bezeichnenden Akzent oder Stempel empfängt ein Zeitalter erst durch Wirkung und Auswirkungen, die das Geschichtsbewußtsein der späteren Generationen prägen. Die geschichtliche Gegenwart ist unendlich reichhaltiger als ihre zukünftige Perzeption, und es ist selten möglich vorauszubestimmen, welche Elemente innerhalb dieser Reichhaltigkeit bewußtseinsbildend und damit geschichtsbestimmend werden können, da es nicht möglich ist vorauszubestimmen, welche der politischen, sozialen oder geistigen Kräfte die Oberhand gewinnen wird und in die historische Zukunft einfließen und somit Grundstein für eine Kontinuität bilden wird.

Nur dem späteren Historiker stellt sich die Geschichte des Judentums im 12. Jahrhundert als eine Zeit der Verfolgungen und Bedrängnisse, der scharfen Polemik und der religiösen Feindschaft dar. Doch ist die Tatsache, daß seit dieser Zeit Verfolgungen und Vertreibungen niemals abrissen und sich nach einem stets wiederkehrenden Muster wiederholten,Schuld an einer optischen Täuschung, welcher der Geschichtsbetrachter nur zu leicht unterliegt. Es ist nämlich leicht, sich an dieser Kontinuität zu orientieren, einen Weg durch die verwirrende Vielfalt, die jedem Geschichtsablauf immanent ist, zu finden. Jede Gesamtdarstellung der Geschichte des Judentums im christlichen Europa vereinfacht durch die Heraushebung der Bedrängnisse und Verfolgungen das in sich selbst ruhende Bild des 12. Jahrhunderts, in dem wichtige Ereignisse stattgefunden haben, deren Wirkungen so viel schwieriger aufzuzeigen sind, als diejenigen extremer politischer Vorfälle, die aber nichtsdestoweniger, vielleicht sogar in einem viel stärkerem Maße, ihren Teil zu der Geschichtsentwicklung beigetragen haben.

Der Eiferer Petrus Venerabilis, der in seiner Schrift gegen die Juden die Bibelinterpretation in, wenn möglich noch stärkerem Maße als die patristischen Vorbilder, zur Diffamierung nicht nur der Religion, sondern vor allem des Charakters der Juden benutzt hatte, lebte zur gleichen Zeit wie Bernhard von Clairvaux und der weltweit gebildete und aufklärerisch wirkende Hugo von St. Victor. Die Verfolgungen und Vertreibungen eines Philipp Augustus sind nicht von den vorhergehenden Regierungszeiten eines Ludwigs VII., unter welcher die jüdischen Gemeinden Frankreichs zu seltener wirtschaftlicher Hochblüte gelangten, und von dem gesamten antijüdischen Arsenal der Polemik des Petrus von Cluny, die imstande war, Habgier und Willkürakte gegen die Juden zu legitimieren, zu trennen.

Abaelard, Hugo von St. Victor, Petrus Venerabilis und Bernhard von Clairvaux sind in ihrer Verschiedenartigkeit Zeugnis für potentielle Einstellungen zu Juden und Judentum, immanent den politischen und sozialen Gegebenheiten dieser Epoche.

Wirtschaftlicher Wohlstand und politische Unsicherheit, der die Katastrophengefahr stets innewohnt, traten von jeher in jeder geschichtlichen Epoche gleichzeitig auf. Nur bei rückschauender Betrachtung stellen sich die Überfälle auf jüdische Gemeinden während des Ersten Kreuzzuges als unvorhersehbares Ereignis dar, sie waren jedoch in vielen, unbedeutend scheinenden Vorfällen vorgebildet. Ebenso sind die Verfolgungen und Vertreibungen unter Philipp Augustus nicht außerhalb des historischen Kontextes zu verstehen, sie waren keine plötzliche Heimsuchung, so scheint es nur, wenn man die vorangegangenen Jahrzehnte als eine vollkommene Idylle betrachtet[1]. Doch hat man bei einer solchen Beurteilung nur den äußerlichen wirtschaftlichen Aspekt im Auge, ohne zu berücksichtigen, daß die katastrophale Entwicklung unter Philipp Augustus gerade Resultat einer so „günstigen Regierungszeit" gewesen sein kann.

Der Brauch, einen hochgestellten Juden der jüdischen Gemeinden dreimal im Jahr — Weihnachten, Ostern und Himmelfahrt — öffentlich zu ohrfeigen[2], wurde durch ein Dekret erst zu Beginn des 12. Jahrhunderts aufgehoben. Die fast zum Ritual gewordenen Überfälle auf die jüdische Gemeinde von Béziers — am Psalmsonntag und der darauffolgenden Woche war es den Christen dieser Stadt erlaubt, Steine in das jüdische Viertel zu schleudern —, wurde erst im Jahre 1160 durch eine den Juden auferlegte Geldbuße abgelöst[3].

---

1. Graetz, VI, S. 155: „Die Regierungszeit der zwei capetingischen Könige, Ludwig VI., Ludwig VII. (1108—1180) war für die Juden des Landes ebenso günstig wie unter Ludwig dem Frommen."
2. S. Baron, „A social and religious History of the Jews", Vol. IV, S. 53/55, über die Colaphisation, s. S. 83.
3. S. Baron op. cit. IV, S. 55 und S. 265, n. 72. In den Ordonnancen des St. Vincent v. Chalons lesen wir: „Judaei lapidantur a clere et populo eo quod lapidaverunt Christum", zit. von Gross, GJ, op. cit. S. 591; auch hier also eine religiöse Motivation.
C. Roth, The Eastertide Stoning of the Jews and its liturgical echoes (JQR XXXV, S. 361—370), berichtet von einer Bischofspredigt (12. Jh.), in welcher die Gläubigen aufgefordert wurden, während der Osterwoche nicht nur der Leiden Christi, sondern auch der Sündhaftigkeit derer zu gedenken, die diese Leiden verursacht hatten, und sich an ihnen

Auch eine reiche und gefestigte Gemeinde von zweihundert Familien, wie die der Stadt Arles, wurde gezwungen, an christlichen Feiertagen Steine für öffentliche Bauarbeiten auf von ihnen gestellten Eseln zu transportieren. Erst im Jahre 1178 wurde durch ein Übereinkommen mit dem Erzbischof und den Bürgern der Stadt dieser Brauch aufgehoben und stattdessen eine jährliche Geldbuße erhoben. Wenn man diese Verordnung noch als eine Form steuerlicher Abgabe bewerten könnte, der durch die Bestimmung, daß sie an den christlichen Feiertagen ausgeführt werden mußte, allerdings ein feindlicher Akzent verliehen wurde, zeugen andere Verordnungen eindeutiger für die aus Furcht, Abwehr und Aggression resultierende, charakteristische Einstellung christlicher Städter zu ihren jüdischen Mitbürgern in einer Zeit noch friedlichen Nebeneinanderlebens, das durch judenfeindliche Verordnungen von königlicher oder päpstlicher Seite kaum beeinträchtigt oder gar gestört wurde. Die Statuten der Stadt Arles, von denen einige auf die Mitte des 12. Jahrhunderts zurückgehen, sind sicher Ausdruck für Spannungen, deren Wurzeln viele Jahrhunderte vor dieser Zeit aufzuzeigen sind, die sich aus dem Zusammenleben von Juden und Christen innerhalb einer städtischen Gemeinde ergeben haben. Juden durften nicht an christlichen Feiertagen bei offener Haustür ihre Arbeit verrichten[4], und nicht das Fleisch von ihnen geschlachteter Tiere an Christen verkaufen. Übertretungen wurden mit der Zahlung der hohen Summe von 200 Solidi bestraft. Beide Verordnungen verraten die Wirkung, die eine durch abgesonderte Lebensweise erzeugte Exklusivität auf nichtjüdische Mit-

zu rächen. Erst 1160 wurde dieser Brauch aufgehoben, lebte aber in den Untersagungen verschiedener päpstlicher Bullen gewissermaßen fort, die beweisen, wie tief dieser Brauch im Volke verwurzelt war. Innozenz III. in seiner Bulle aus dem Jahre 1199 verordnet ausdrücklich, „praeterea in festivitatum suarum celebratione quisquam fustibus vel lapidibus eos ullatenus non perturbet, neque aliquis ab eis coacta servitia exigat, nisi ea que ipsi preteritis facere temporibus consueverunt". Regesta Pont. Rom., edit. A. Potthast, 1874, vol. I Nr. 834. Innozenz stützt sich auf päpstliche Verordnungen von Calixtus II. (119—24), die von den nachfolgenden Päpsten wiederholt wurde (Eugen III., Clement III., Colestin III.). Voller Text der Bulle Inn. III. bei S. Grayzel, The Church and the Jews in the XIII. Century, NY, 1966, S. 93. S. hierüber auch J. Parkes, The Jews in the Medieval Community, London 1938, S. 43.
4. Die Anwesenheit von Juden auf den Straßen an christlichen Feiertagen wurde von jeher als Hohn empfunden. Bereits Childebert I. verbot den Juden, sich während der Karwoche „wie zum Hohn" auf der Straße zu zeigen (Regest. S. 12, Nr. 32). Auf die gleiche Bestimmung ging das Konzil von Macon (581) zurück. Wenngleich die Behauptung aufgestellt wurde, daß diese frühen Konzilbeschlüsse den Juden Schutz vor christlichen Angriffen gewähren sollten (so J. Parkes, Conflict between the Church and the Synagogue, London 1934, S. 373), der die Klausel „wie zum Hohn" eigentlich widerspricht, so hatte die Stadt Arles eher Feindliches im Sinn mit einer derartigen Verordnung. Es ist nicht anzunehmen, daß die Juden in dieser Zeit die Christen durch provokatives Auftreten verärgern wollten. Ein Grund für derartige Verordnungen liegt vielleicht in der räumlichen Nähe der jüdischen Wohnviertel zu den Kathedralen; dies wurde bereits von Gregor I. als störend empfunden; ausführlicher hierüber Baron IV, S. 66, n. 76.

bürger ausübte, die als latent empfundene ständige Drohung, Aggression und Abwehr auf der Gegenseite hervorzurufen imstande ist[5].
Für Judenfeindschaft, durch sozialen Wohlstand einer konsolidierten jüdischen Gemeinde provoziert, dient die Geschichte der Stadt Paris wohl in weitestem Maße als repräsentatives Beispiel. Nicht aufgrund ihrer tatsächlichen zahlenmäßigen Größe, sondern aufgrund ihrer sowohl geistigen als auch sozialen Aktivität, wurde die jüdische Gemeinde in Paris von den jüdischen und den christlichen Zeitgenossen als einflußreich, reich und mächtig empfunden. Benjamin von Tudela berichtet, daß in der Stadt „Gelehrte wie nirgendwo in der ganzen Welt (wohnen), die das Gesetz Tag und Nacht studieren.Sie sind mildtätig und gastfreundlich zu allen Reisenden und verhalten sich wie Brüder und Freunde zu ihren jüdischen Mitmenschen"[6]. Die Behauptung eines christlichen Anonymus, daß die Juden in dieser Zeit die Hälfte der Stadt Paris besaßen[7], spiegelt wohl eher die Auffassung des Berichterstatters

5. Über die Ordonnancen der Stadt Arles, s. H. Gross, Geschichte der Juden in Arles, in MGWJ, XXXI, 1888, S. 467ff: Jüdische Fleischer, die an Christen ihre Waren verkauften, wurden mit einer Zahlung von 200 Solidi bestraft. Auf diese Verordnung berief sich bereits Innozenz III. im Jahre 1208 in einem Brief an den Grafen von Nevers. Edit. A. Potthast, op. cit., Nr. 3274, S. 280. Sie bildete die Grundlage für weitere diffamierende Maßnahmen und Verordnungen gegen Juden.
Agobard von Lyon sah bereits in dem von den Juden aus rituellen Gründen zurückgewiesenen Fleisch, das sie den Christen verkauften, eine Beleidigung: „est enim Judaeorum usus, ut quando quolibet pecus ad esum mactant ... haec tanquam immunda a Judaeis repudiata christianis venduntur et insultario vocabulo christiana pecora appellantur", De Insol..., PL 104, col. 72. Wie um sich wegen dieser Beleidigung zu rächen, wurden die Juden als solche für unrein erklärt, dies führte dazu, daß im 14. Jh. Brot und Früchte, die von Juden berührt wurden, für „unrein" erklärt wurden. — Gross, ibid., erwähnt in diesem Zusammenhang Jechiel von Paris, der Ludwig dem Heiligen ad oculos demonstrieren wollte, was der Unterschied zwischen „rituell ungenießbar" und „unrein" war, indem er das Wasser, in dem der König Hände und Füße gewachen hatte, trank.
6. Benjamin von Tudela, masaot (The Itinerary of Benjamin of Tudela, ed. M.N. Adler, NY, Engl. Teil S. 81).
7. Gross, Gal. Jud. S. 499; Bouquet, Recueil, XII, S. 215, eine Behauptung, die in dem Textzusammenhang eher soziale Mißgunst als Realität verrät: „et cum rex scivisset, quod Judaei abundarent in regno in divitiis et contra legem haberent mancipia Christiana, quae aliquando judaizare cogebant, et gravarent usuris populum sic quod medietatem villae Parisiensis obtinebant..." (Ähnlich Rigord. Recueil XVII, S. 8, dort vor allem der Vorwurf judaisierender christlicher Sklaven in jüdischen Häusern.) Auf jeden Fall erregte die reiche jüdische Gemeinde Neid und Haß bei der christlichen Bevölkerung, welche in Beschuldigungen, wie, sie benutzten ihnen verpfändete kirchliche Geräte als Trinkgefäße für ihre Kinder, und scheußlicher Verbrechen — sie kreuzigten jedes Jahr um die Osterzeit einen christlichen Knaben, gleichsam als Opfer — ihren Ausdruck fanden. Recueil XVII (Rigord), S. 6, ebenso Recueil XII, S. 217. Während der letzten Regierungsjahre Ludwigs VII. kam es zu schweren Ausschreitungen, in deren Verlauf achtzig Juden verbrannt wurden. Die Pariser Bevölkerung wurde durch Vorkommnisse in Pointoise aufgewiegelt, wo die Juden beschuldigt wurden, einen christlichen Knaben — Richard — gekreuzigt zu haben. Der Leichnam des vermeintlich Gemordeten wurde nach Paris gebracht und dort heiliggesprochen. Recueil, XVII, Rigord, S. 5; Gross op. cit. S. 443.

als die Realität wider, macht sie aber deswegen nicht weniger gewichtig. Allein der Reichtum und der Wohlstand der Juden brachten unabwendbar eine Machtstellung mit sich, die von christlicher Seite als Provokation empfunden werden mußte und machten andererseits die für manchen modernen Historiker erschreckenden Maßnahmen eines Philipp Augustus gegen die Juden verständlicher.

Beispiele für den sich verschärfenden Antagonismus zwischen einem jüdischen Gemeinwesen, das durch die gesellschaftliche Entwicklung mehr und mehr gezwungen wurde, gewissermaßen geschichtslos ein Eigenleben zu führen und der christlichen Umgebung, von deren fortschreitender Konsolidierung alles Nichtchristliche notgedrungen ausgeschlossen werden mußte, lassen sich beliebig vermehren. Ausschreitungen der Kreuzfahrer und Gewaltmaßnahmen von Herrschern spielen sich auf dem Hintergrund eines seit langem gestauten Unwillens, der von allen Schichten der nichtjüdischen Gesellschaft, aus welchen Motiven auch immer, gegenüber den Juden latent empfunden oder in irgendeiner Form manifest wurde, ab[8]. Stellungnahmen von Repräsentanten der Geistlichkeit und weltlicher Herrscher gegenüber Ausschreitungen gegen Juden, erfolgten meist bedingt und waren selten motiviert durch Humanitäts- oder Toleranzerwägungen.

Je mehr die Urbanisierung im Mittelalter fortschritt und die städtische Gesellschaft sich dem Ziel einer endgültigen Konsolidierung näherte, desto stärker wurde die Existenz des bereits konsolidierten jüdischen Gemeinwesens und der wirtschaftliche Wohlstand seiner Mitglieder im

---

8. Übergriffe von Städtern auf Juden s. S. 122.
Die Kreuzfahrerhorden des ersten Kreuzzuges legitimierten ihre Untaten mit dem antijüdischen Arsenal kirchlicher Polemik. Die Haltung der Städter gegenüber den Juden war oft feindlich, oft ambivalent. Die Bürger von Trier, die bis zum ersten Kreuzzug friedlich mit den Juden zusammengelebt hatten, wandten sich plötzlich gegen sie, nur Bestechungen konnte die jüdische Gemeinde vor ihren städtischen Mitbürgern retten. Regest. S. 83, Nr. 180. Die Juden von Worms überantworteten den städtischen Bürgern ihr gesamtes Vermögen, diese ließen sie nicht fliehen und lieferten sie den Horden aus (ibid. S. 85, Nr. 181). Ebenso vereinigten sich in der Umgebung von Worms die Bewohner mit den Horden gegen die Juden. Doch erfahren wir auch, daß die Bürger von Köln alles taten, um den Juden Schutz zu gewähren. — Beschützer erstanden den Juden eher unter weltlichen und geistlichen Fürsten. Heinrich IV. bemühte sich, auf Veranlassung des R. Kalonymus durch ein Sendschreiben an Bischöfe und Adlige die Juden zu schützen. Reg. S. 82, Nr. 178. Der Bischof von Speyer nahm die Juden in seinen Palast auf, S. 84, Nr. 183; hingegen konnten sie sich trotz Bestechungen auf die Hilfe des Eb. von Köln nicht verlassen. Lateinische Quellen: Albert von Aachen, Recueil des Hist. des Croisades, IV, S. 292; Otto von Freising, Chron. VII, 2 MGH SS, rer. G. Edit. Hofmeister, Hannover 1912, S. 311. Ekkehard, Chron. Univ. zu den Jahren 1096/97, MGH, SS VI, 208/215. Sigbert v. Gembloux MGH, SS VI, S. 367.
Hebräische Quellen: in A. Neubauer, M. Stern „Hebr. Berichte über die Judenverfolgungen während der Kreuzzüge", A. Neubauer, M. Stern, Berlin 1892 (Hebr. und deutsche Übersetzung). A.M. Habermann (Hg.) „Sefer gezarot aškenaz we zarfat", Jerusalem 1945.

Bewußtsein der christlichen Bevölkerung registriert. Bisher waren meist die eifervollen Gegner Angehörige des geistlichen Standes gewesen, die gegen die Gefahr einer Judaisierung als Folge eines zu harmonischen Zusammenlebens zwischen Juden und Christen kämpften. Jetzt reihten sich die Städter unter die aktiven Gegner der Juden, eine Gegnerschaft, von der die Juden am Ende härter betroffen werden sollten. Wohlstand und Handelsbeziehungen bedeuten nicht mehr Attraktion, sondern Gefahr für wirtschaftliche Konsolidierung der christlichen städtischen Gesellschaft.

Man hat die Frage aufgeworfen, ob die Organisationsformen des jüdischen Gemeinwesens denen der christlichen Städter vorangegangen waren. Obwohl es im Rahmen dieser Arbeit nicht meine Absicht sein kann, ausführliche Untersuchungen über die Frage der Priorität jüdischer oder christlicher Organisationsformen anzustellen, möchte ich doch erwähnen, daß die Einführung des Niederlassungsbanns[9] von der Mitte des elften Jahrhunderts für die jüdischen Gemeinden der rheinischen Städte und Nordfrankreichs verpflichtend gewesen war. Somit waren es nicht allein die strengen Vorschriften des jüdischen Religionsgesetzes, die jedes jüdische Gemeinwesen zu einer geschlossenen Gesellschaft stempelten, es kam noch ein entscheidendes, sozial bestimmtes Element hinzu. Doch wenn die christliche Bürgerschaft des 11. und 12. Jahrhunderts noch eine geschlossene jüdische Gemeinschaft zu tolerieren vermochte, weil sie sich selber noch auf der Suche nach festen Organisationsformen befand und durch den Kampf mit geistlichen und weltlichen Stadtherren um für Handel und Wandel unverzichtbare Privilegien in Anspruch genommen war, so wurde von Beginn des 12. Jahrhunderts das stete Unbehagen gegenüber einer in Wohlstand lebenden organisierten nicht-christlichen Gemeinschaft manifest, doch auch wei-

---

9. L. Rabinowitz, „The Herem Hayyishub", London 1945, S. 102, über die Frage der Priorität des Herem (Niederlassungsbann) oder der Gilde, beweist die talmudische Herkunft des Herem, der nachweisbar im christlichen Raum bereits z.Z. Gerschoms ben Jehudah praktiziert wurde. Im 12. Jh. zur Zeit des Jacob Tam wurde er Gesetz für alle deutschen und nordfranzösischen Gemeinden. In der talmudischen Zeit (die Quelle stammt aus dem 4. Jh.) wurde der Bann nur über Gewalttätige und Übeltäter verhängt, Jacob Tam wollte diese Verordnung auch auf solche ausdehnen, die ihre Steuern nicht bezahlen wollten. Es bildete sich eine starke rabbinische Opposition gegen die Ausdehnung des „Herem" auf wirtschaftlich mißliebige Personen, doch wurde diese durch die starken Handelsinteressen der Verfechter des „Herem" gebrochen.
Rabinowitz, op. cit. S. 102ff, kommt zu dem Schluß, daß einerseits der Herem der Gilde vorangegangen war, und daher deren Entstehung gefördert hatte, aber daß andererseits der „Niederlassungsbann" der jüd. Gemeinden durch die Entwicklung des Handels durch die Gilden, in seiner Weiterentwicklung entscheidend beeinflußt wurde.
Bibliographie über den „Herem": L. Finkelstein, Jewish Selfgovernment in the Middle Ages, 2. Vol. NY 1924; L. Rabinowitz, The Talmudic Basis of the Herem ha-Yishub, JQR, NS, XXVIII, 1938, S. 217—223; J. Parkes, Jews in the Medieval Community, London 1938.

terhin durch religiöse Argumentation legitimiert. Von Anbeginn des 12. Jahrhunderts begannen die Juden ihre dominierende wirtschaftliche Position, vor allem im Fernhandel mit dem Orient, der sich durch den Fernhandel der Allgemeinheit erschlossen hatte, einzubüßen. Gleichzeitig erzwang der, durch die Erschließung der Ost- und Nordseegebiete ungeheuer erweiterte Handelsraum, die christlichen Kaufleute und Handwerker ihre Organisationsformen, Zechen und Gilden, durchzubilden. Der religiöse Charakter, den die Vereinigungen annahmen[10], gleichzeitig ihre Herausbildung nicht nur zu einer gewerblichen Schutzgemeinschaft, sondern auch zu einer gemeinsamen sozialen Lebensvereinigung, stellte den jüdischen Kaufmann nicht nur beruflich, sondern auch sozial außerhalb der allgemeinen wirtschaftlichen Entwicklung der Städte, bis er im Verlauf des 13. Jahrhunderts aus den wichtigsten Berufszweigen in Handel und Handwerk verdrängt wurde. Einer wohl durchorganisierten christlichen Mehrheit gegenüber, die alle Mittel in die Hand bekam, sich jeglicher wirtschaftlicher Konkurrenz zu erwehren, war Widerstand von seiten der Juden aussichtslos. Verfolgungen und Vertreibungen nahmen bereits im zweiten Kreuzzug, obwohl unblutiger und weiterhin religiös motiviert, deutlicher als zuvor den Charakter wirtschaftlicher Verfolgungen an[11].

Wenn man überhaupt von Widerstand der Juden gegen den zunehmenden, auf wirtschaftlicher Konkurrenz basierten Antijudaismus der christlichen Umwelt sprechen kann, so drückte sich dieser stets in noch intensiverem Zusammenschluß aller Mitglieder eines jüdischen Gemeinwesens aus. Es gehört zu den Absurditäten der Geschichte der christlich-jüdischen Beziehungen, daß der Vorwurf der Exklusivität christliche Gegenmaßnahmen provozierte, welche ihrerseits die verhaßte und als unheimlich empfundene Exklusivität verstärkte[12]. Im 12.

---

10. Über den religiösen Charakter der Zünfte s. F. Keutgen: Ämter und Zünfte, Jena 1903, Neudr. Aalen 1965, S. 169.

11. Über Verlauf des zweiten Kreuzzuges, Graetz, VI, S. 163; Caro, I, S. 220ff; Baron IV, S. 116ff.
Obwohl das Leben der Juden meist geschont wurde, vielleicht weil umfassendere Vorsichtsmaßregeln getroffen werden konnten, waren die Verfolgungen von tiefer psychologischer Wirkung auf die Juden, weil sich die Stadt- und Landbevölkerung ausnahmslos gegen sie stellte. Beschützer erstanden ihnen aus der Reihe weltlicher und geistlicher Fürsten (Lothar III., Erzbischöfe von Köln und Mainz). Der Zinserlaß, den die Bulle Eugen III. den Kreuzfahrern versprach, hatte wohl kaum Einfluß auf den Judenhaß der Stadt- und Landbevölkerung; Geldnehmer der Juden waren Prälaten und Adlige: Bauern und Städter kamen als solche kaum in Betracht. Darüber hinaus gewährten zahlreiche Burgherren den Juden Schutz. Hierzu Caro, I, S. 225ff (Bernhard v. Clairvaux über jüdische und christliche Geldverleiher, s. S. 179), Kreuzzugsberichte: Otto v. Freising, Gest. Frid., MGH, SS, rer. G., Edit. Waitz, v. Simson, Hannover 1912, S. 58. (Kreuzzugsbulle Eugens III., ibid. S. 371) Aronius, Regst. Nr. 233—243; Neubauer-Stern, op. cit. S. 187 (Bericht des Efraim ben Jacob).

12. Bereits der heidnische Antijudaismus wirft den Juden Absonderung vor (Quellenhin-

Jahrhundert wurde das Gemeindeleben durch zwei Elemente entscheidend intensiviert: Durch äußerst kreative Beschäftigung mit der Gesetzeslehre und im engen Zusammenhang damit, wohl auch in Anlehnung
an christliche Vorbilder, im Einberufen von Synoden, deren Gesetzes-
beschlüsse verpflichtend wurden für die Gemeinden Deutschlands und
Nordfrankreichs[13]. Während Raschi mit seinen Kommentaren zum Talmud den Grundstein überhaupt zum Verständnis und somit zur weiteren Beschäftigung mit der Gesetzeslehre geschaffen hatte, wurde der
Lerneifer seiner Nachkommen durch die Notwendigkeit motiviert, die
von Babylonien völlig verschiedenen Verhältnisse und Lebensbedingun-
gen, unter denen die Juden im christlichen Europa lebten, gesetzlich zu
erfassen und zu regeln. Die Glossatoren — Tossafisten —, das heißt diejenigen, die dem Talmud Erklärungen hinzufügten — sind eigentlich
nur im formalen Sinn als solche zu bezeichnen[14]. Wohl sahen sie ihre
Hauptaufgabe darin, Zufügungen zu den Talmudkommentaren Raschis
zu verfassen, doch beschränkten sie sich nicht im entferntesten darauf,
sondern verfaßten eigene „Hinzufügungen" — Tossafot — nicht zum
Raschikommentar, sondern zum gesamten Talmud. So wurden die

weise bei M. Simon, op. cit. S. 243, n. 1). Als die Gefahr der Judaisierung akut wurde, forderte man diese in vehementer Form. Beispiel: Chrysostomos, bei dem man bereits die
Stimmen der ersten Kreuzfahrer heraushört: „man soll ihnen gegenüber die Märtyrer
nachahmen, die, weil sie Christus geliebt hatten, die Juden haßten, man kann nicht das
Opfer lieben ohne die Mörder zu hassen, man sollte sie meiden wie die Pest ect." zitiert
von Marcel Simon, op. cit. S. 263 aus Hom. 1, 7 PG 48, 853. Über Konzilbeschlüsse, die
die Absonderung von den Juden forderten, mit der Begründung, daß sich diese von den
Christen fernhielten, s. S. 15. Diese Spannung zwischen dem Vorwurf der Absonderung
und der Forderung derselben ist eine der Hauptelemente christlich-jüdischer Beziehungen
aller Epochen.
13. Über die rabbinischen Synoden, Graetz, VI, S. 198ff. Sie erließen zeitgemäße Beschlüsse, nicht nur auf religiösem, sondern vor allem auf zivilrechtlichem Gebiet, noch standen
die jüdischen Gemeinden unter weitestgehend eigener Gerichtsbarkeit. Die Erste Synode
trat unter dem Vorsitz des Jacob Tam zusammen. Die Zusammenkunftsorte waren die
größeren Marktstädte, wie Troyes, Reims u.a. Man nimmt an, daß das Verbot, daß kein
Jude Kirchengeräte oder Kruzifixe in seinem Besitz haben sollte, auf einer solchen Synode
beschlossen wurde. Wie sehr die Juden sich in Gefahr begaben, wenn diese Dinge sich in
ihrem Besitz befanden, haben die Ereignisse bewiesen (s. S. 168, n. 7).
Die übrigen Bestimmungen betreffend das Gerichtswesen bezeugen die Bemühungen, das
Gemeindewesen in stärkerem Maße gegen eine feindliche Außenwelt zu schützen. Z.B.:
Gegen Gerichtsverfahren gegen Juden vor nichtjüdischen Gerichten, es sei denn unter bestimmten Bedingungen; gegen die Anrufung christlicher Machthaber für die Beschaffung
eines Gemeindeamtes, gegen Denunziationen und Verräter (ausführlich, Grätz, ibid.).
Übertretungen der Synodalbeschlüsse wurden mit dem Bann, de facto mit völligem Aus-
schluß vom Gemeindeleben bestraft (Synoden, vgl. L. Finkelstein, Self Government, S.
36—56).
14. Die ersten Tossafisten rekrutierten sich aus den Nachkommen Raschis: Seine Schwie-
gersöhne, Meir ben Samuel und Jehudah ben Nathan, seine Enkel: Jacob Tam, Samuel
ben Meir und ein anderer Verwandter Raschis, Isaak ben Ascher Ha-Levy aus Speyer.
Über die Tossafisten, E. Urbach, Ba'ale ha-Tossafot (hebr.), Jerusalem 1968.

„Tossafot" zu einem der drei Hauptelemente der gesamten Gesetzeslehre: Gemara — Raschikommentar — Tossafot. Sie wurden sowohl für das Talmudstudium als auch für die Gesetzesanwendung im täglichen Leben unentbehrlich. Doch wäre es einseitig, diese Aktivität nur als eine Form der zusätzlichen Abgrenzung von der christlichen Umwelt zu betrachten. Der Anstoß zum Lernen, zum Studium und somit zur Textauslegung ist, wie wir bereits bei den Betrachtungen der Bibelkommentare festgestellt haben, weit zurückzuverfolgen. Doch die ungeheure Aktivität, die die Tossafisten in einer Zeit, die an sozialer Sicherheit der Juden bereits viel zu wünschen übrig ließ, entwickelten, findet sicher eine zusätzliche Erklärung in der Erkenntnis der Notwendigkeit, sich in einer zunehmend feindlichen Welt behaupten zu müssen.

Es ist mit Recht darauf hingewiesen worden, daß die Lernaktivität der Juden im 12. Jahrhundert erstaunliche Parallelen zur christlichen Umwelt aufweist[15]. Doch halte ich es für müßig, Überlegungen anzustellen, wer von wem in der Schrift oder in der Gesetzesauslegung beeinflußt worden war[16]. Ein ständiges Zusammentreffen beider Gruppen auf allen Gebieten des Lebens, ein räumlich nahes Zusammenleben muß notwendigerweise ähnliche Erscheinungen auf den verschiedenen Ebenen hervorbringen, selbstverständlich entsprechend den religiösen und sozialen Bedürfnissen einer jeden Gruppe. Wenngleich im Bibelstudium die Juden im Mittelalter in manchem den Christen vorausgegangen waren — zumindest, was die Suche nach dem einfachen Schriftsinn oder dem „sensus historicus" betrifft —, so erwachte das Interesse an der Kommentierung des Gesetzestextes — bei den Juden des Talmuds, bei den Christen des Codex Justinian und des Kanonischen Rechts — in der gleichen Epoche[17].

---

15. Urbach, op. cit. S. 25/26.
16. Güdemann, op. cit. S. 34, wendet sich gegen die Auffassung, daß das jüdische Lernen im 12. Jh. „eine Folge des Aufschwunges gewesen sei, welchen die allgemeine Wissenschaft daselbst ... genommen hat" (so A. Geiger, Parschandatha, S. 5, hebr. Teil). Güdemann hat m.E. bei seinen Ausführungen nicht die Entwicklung des Lernens (die Victoriner) und nicht die Glossatoren zum Römischen und zum Kanonischen Recht berücksichtigt.
17. Ende des 11. Jahrhunderts legte Guarnerius von Bolonia mit der Glossierung des corpus juris civilis den Grundstein zu der, Mitte des 13. Jh. abgeschlossenen, Glossa Ordinaria. Seine Schüler setzten die Arbeit fort, und Accursius compilierte alle Elemente (einzelne Glossae, die bereits zusammengestellten Apparatus und Quaestiones) zur Glossa Ordinaria.
Die Glossae zur Hl. Schrift entstanden zu Beginn des 12. Jh. in zwei Zentren, in Auxerre und in Laon. Gilbert de Porée (Schüler des Urhebers, Anselm) und Petrus Lombard verbreiteten bereits Glossae zur Hl. Schrift Mitte des 12. Jh. als Standardtext. — So wie man zu den Tossafot immer neue hinzufügte, so fügte man auch zu den Glossae immer wieder neue hinzu; viele Autoren blieben anonym, so daß hier eine Ähnlichkeit in der Prozedur zu erkennen ist. Doch während man zur Vulgata bereits im 12. Jahrhundert Glossae hin-

Zwischen religiösem und sozialem Antagonismus zu Juden und Judentum schwankt nicht nur die ländliche oder städtische Bevölkerung, sondern ‚für den heutigen Betrachter in noch stärkerem Maße, weltlicher Herrscher oder Repräsentaten der Kirche, deren Motivationen für ihre Entscheidung, sich entweder auf Seiten der Juden oder gegen sie zu stellen, nicht so leicht zu bestimmen sind. Die moderne Geschichtsschreibung neigt dazu, die christlichen Herrscher, entweder als judenfreundlich oder als religiöse Eiferer, gemäß ihrer Einstellung zu den Juden, darzustellen. Ludwig VII. erfreut sich demnach des Rufes eines Wohltäters der Juden, während die judenfeindlichen Handlungen Philipps Augustus als Resultat seines religiösen Fanatismus verurteilt werden[18]. Sowohl die eine als die andere Bewertung verführt zu einer Vereinfachung der geschichtlichen Zusammenhänge. Ludwig VII. hat kaum judenfreundliche Handlungen vollbracht[19], und sicher war Religiosität im Spiel, als er sich entschloß, sich dem zweiten Kreuzzug anzuschließen. Religiöse Gegnerschaft zu den Juden ist einem Zeitalter, das einerseits die Judaisierung mehr als je als akute Gefahr empfand[20] und andererseits

zufügte, erschienen die Tossafot zur Gemara erst mit den gedruckten Exemplaren. Sowohl bei Juden als bei Christen widmete man sich intensiv dem Studium der Glossae oder der Tossafot, bei diesen wie bei jenen erkannte man die Gefahr und warnte davor: bevor man die „Hinzufügungen" studiere, solle man sich erst bemühen, in die Tiefe des eigentlichen Textes einzudringen. S. Smalley, S. 74, Kritik des Robert von Melun, Kritik der Rabbinen, bei Urbach op. cit. S. 27.

18. Graetz, VI S. 227 über Ludwig VII., Über Philipp Augustus S. 228.

19. Über die Judenfreundlichkeit Ludwigs VII, Recueil (Bouquet) XII, S. 286: „... in hoc graviter Deum offendit, quod in regno suo Judaeos ultra modum sublimavit et eis multa privilegia, Deo et sibi et regno contraria, immoderata deceptus cupiditate (concessit) (Fragmentum Hist. Vitam Ludov. VII.). Hingegen erließ er im Jahre 1144 eine Verfügung, die es den getauften Juden verbot, zum Judentum zurückzukehren. Bei Übertretung wurden sie aus der königlichen Domäne verwiesen. Es ist nicht geklärt, ob es sich um Zwangsgetaufte gehandelt hat; dies würde die Verordnung in ein ungleich schärferes Licht rücken, doch wären diese eher bereit, zu ihrer Mutterreligion zurückzukehren. Getaufte Juden, die trotzdem dem Judentum anhingen oder gar zu ihm zurückkehrten, galten als Ketzer und nicht mehr als Ungläubige. Die Verordnung sagt weiter, daß sie die Strafe des Todes oder der Verstümmelung zu erleiden hätten, wenn sie gefaßt würden, Recueil, XVI, S. 8, Nr. 19. Aus dem Jahre 1174 finden wir eine Verordnung für die Stadt Chateau Landon: Juden durften weder bei Tag noch bei Nacht ohne rechtsgültige Zeugen auf Pfand leihen. Martène-Durand Thes. Anecdot. I, S. 576. Ludwigs Haltung war nicht konsequent, abhängig von Konstellation und Motivation, so stellte er sich z.B. gegen den Beschluß des Laterankonzils vom Jahre 1179, der Juden verbot, christliche Bedienstete zu halten. Brief Alex. III. in dieser Frage: Recueil (Bouquet) XV, S. 968, Nr. 408.

20. Über judaisierende französische Adlige berichtete bereits Radulfus Glaber, s. S. 17. Eine andere Mitteilung über einen judaisierenden Grafen von Soisson von Guibert von Nogent (Recueil XII, S. 241). — Wahrscheinlich war es auch judaisierender Einfluß, der Ende des 12. Jh. zu den religiösen Versammlungen in Metz führte, wo öffentlich ins französische übersetzte Bibelabschnitte verlesen wurden, jedenfalls bewogen sicher derartige Befürchtungen Inn. III. zu einem Verbot dieser Veranstaltungen. Innoc. Regest. II, S. 141,

für alle Geschehnisse und Erscheinungen seiner Gegenwart eine christologische Deutung findet, und dessen Menschen ihr Geschichtsverständnis dem Studium der Heiligen Schrift verdanken, immanent. Vielleicht nutzte Philipp Augustus den vermeintlichen Einfluß der Geistlichkeit[21] für die Legitimierung seines Vertreibungsaktes der Juden aus der königlichen Domäne aus[22], doch war es sicher nicht nur religiöse Überzeugung, die ihn zu dieser Maßnahme veranlaßte, und gewiß nicht Humanität, die ihn bewog, einige Jahre später den Juden die Rückkehr in sein Herrschaftsgebiet zu gestatten[23].

ed. Migne S. 695, zit. von Güdemann, op. cit. S. 36. Die judaisierenden Tendenzen innerhalb der Albigenserbewegung hatten ihre Geschichte und sind nicht im 13. Jh. entstanden. Grätz, VII, S. 8, zitiert: aus den „articuli in quibus erant moderni Heretici", 10: „... dicunt quod lex Judaeorum melior est quam lex Christianorum". Hier auch eine Motivation für Inn. III. scharfe antijüdische Gesetze auf dem IV. Laterankonzil im Jahre 1215. Einflußreiche Adlige unter den Albigensern verdankten ihre Kenntnisse der jüdischen Schriften Juden, mit denen sie freundschaftlich verkehrten. Zu den Verbrechen des Raymond IV. von Toulouse wurde gezählt, daß er Juden nicht nur begünstigte, sondern sie auch zu gräflichen Beamten ernannte. Grätz, VII,S. 9.
21. Hauptberichterstatter über die Regierungszeit Philipp Augustus', Rigordus, der ihn als „rex christianissimus" lobt, der die Kirche vor den Feinden, den Juden, geschützt hatte („... eam (ecclesiam) protegens ab inimicis et defendes exterminando Judaeos, fidei christianae inimicos...", Recueil, XVII, S. 6.) Von ihm auch die Mitteilung, daß der König sich mit einem Mönch „vir sanctus et religiosus" beraten hatte, als man ihm über die verwerflichen Taten der Juden berichtete (ibid. S. 8). Noch im Jahre 1180 stützte Philipp Augustus seinen Vater in seinem Widerstand gegen den Beschluß des Laterankonzils vom Jahre 1179 (s. S. 174).
Über Philipp Augustus' Auseinandersetzungen mit dem Eb. von Sens, A. Luchaire in Lavisse III, S. 78; Caro I, S. 360, Brief Alex. III. an den Eb. v. Sens, Bouquet XV, S. 968, Nr. 408. Noch im Jahre 1179 gab der junge König den Juden von Etampes Schutz, er erkannte die Legitimität eines jüd. Prevost an, dessen Aufgabe es war, jüdische Schuldner gefangenzusetzen. Jetzt erschien in ihrem Sündenregister die Beschuldigung, daß sie christliche Schuldner in ihren Häusern gefangenhielten. Rigord, ibid. S. 8.
22. Im Januar des Jahres 1180 setzte Philipp Augustus die Juden seines Bereiches gefangen „dum sabbatizarent et innullo regem offenderent" (Rad. Diceto, RS 68 B. 2, S. 4) und ließ sie erst nach Bezahlung eines hohen Lösegeldes frei. Ende des Jahres erklärte er Schuldenfreiheit für christliche Schuldner der Juden und behielt ein Fünftel der Summe für den Fiskus (relaxavit omnes christianos de regno suo a debitis Judaeorum quinta parte totius summae sibi retenta, Rigord, Recueil XVII, S. 8). Im April 1182 wurden die Juden aus der königlichen Domäne vertrieben. Die Intervention einiger weltlicher und geistlicher Herrscher verhinderte die Vertreibung aus weiteren Gebieten Frankreichs. Die Juden durften die mobile Habe verkaufen; Immobiliarbesitz verfiel dem Fiskus (Quellen: Rigord, Rad. Diceto, ibid.). Mehrere Erzbischöfe versuchten, den König von seinem Plan abzubringen, so daß der „religiöse Einfluß" nicht so groß gewesen sein kann.
23. Im Jahre 1198 entschloß sich der König, die Juden in seine Domäne zurückzuholen (Rigord, Recueil XVII, S. 6, 10, 36, 48ff, Guill. Brit. Amoricus Gesta Phill. Augusti, ibid. S. 66, 71, 73, XX, S. 740, 748, 760). Wie wenig Liebe zu den Juden im Spiel war, bezeugt sein rücksichtsloses Vorgehen wenige Jahre später gegen die Juden von Bray, die einen Untertanen des Königs zum Tode verurteilt hatten. Obwohl sie die gräfliche Erlaubnis für die Hinrichtung erhalten hatten, ist eine Provokation der Juden nicht auszuschließen.

Sie hängten den Mörder am Purimfest, wohl zum Andenken an den Hamangalgen. Dem König wurde berichtet, die Juden hätten dem Opfer eine Dornenkrone aufgesetzt und durch die Straßen geschleift. Hunderte von Juden starben eines schrecklichen Todes. Bericht, Rigord, Recueil XVII, S. 36, aus dem Jahre 1192.

VIII. Petrus Venerabilis:
Ein Wendepunkt im Antijudaismus des Mittelalters?

Kein Dokument gibt deutlicher das Ineinanderwirken religiöser und sozialer Motive wieder und ist gleichzeitig Zeugnis für die Rolle, die die Juden in demBewußtsein ihrer christlichen Mitmenschen im 12. Jahrhundert spielten, als der Brief des Petrus Venerabilis aus dem Jahre 1146 an Ludwig VII., König von Frankreich[1]. Indem er das den Juden so bekannte Argument der kreuzfahrenden Horden aufnimmt — es ginge nicht an, gegen die Sarazenen zu ziehen, so lange die Juden, die eigentlichenFeinde Christi, in unserer Mitte verschont bleiben[2] — kommt er einer offenen Aufforderung zur Tötung der Juden gefährlich nahe. Die auch von ihm in diesem Zusammenhang proklamierte traditionelle Auffassung der Kirche, daß die Juden letztlich am Leben gelassen werden müssen, mildert kaum den scharfen und aggressiven Ton seines Briefes, und wird im Kontext der unheimlich modern klingenden Diffamierung der Rolle des Juden in der christlichen Gesellschaft[3] beinahe überhört. Es scheint fast, als handelte es sich hier um mehr als um die traditionelle Judenfeindschaft eines eifervollen Mönches, der die Feinde der Kirche, die Juden, auf religiöser Ebene angreift, man fühlt sich versucht zu behaupten, daß uns hier von der Struktur her ein echter Juden-

---

1. Recueil, XI, S. 641ff, G. Constable, Letters of Peter Venerabilis, Cambridge 1967, Bd. 1, S. 327, Nr. 130.
2. Petrus Venerabilis: „sed quid proderit inimicos christianae spei in exteris aut remotis finibus insequi ac persequi si nequam blasphemi longeque Sarracenis deteriores Judaei non longe a nobis, sed in medio nostri, tam libere, tam audacter Christum cunctaque christiana sacramenta impune blasphemaverint conculcaverint deturpaverint..." (ibid. S. 328) entspricht den Worten der „To'im", wie sie uns aus hebräischen Berichten vorliegen. „... Wir gehen einen weiten Weg ... um uns an den Sarazenen zu rächen ... und siehe die Juden, deren Väter Jesus getötet und gekreuzigt haben, leben in unserer Mitten. Nehmen wir vorerst an ihnen Rache..." Habermann, op. cit. S. 24; Neubauer Stern, op. cit. S. 82. Dies scheint fast ein „Slogan" geworden zu sein, Guibert von Nogent drückt sich nicht anders aus: „nos Dei hostes Orientum versus longis terrarum tractibus transmissis desideramus aggredi cum ante oculos nostros sunt Judei, quibus inimicitior existat gens nulla Dei...", Recueil, XIII, S. 241.
3. Die Juden müssen leben, sie sind „testes iniquitatis suae et veritatis nostrae" sagt Augustin, sie müssen gezeichnet sein wie Kain, niemand darf sie töten, denn „necessarii sunt credentibus gentibus" (Enarr. in Ps. LVIII, 1, 22). An dieser Auffassung hat sich niemals etwas geändert, sie kann nur in verschiedener Weise akzentuiert werden, Beispiele hierfür sind Petrus und Bernhard, s. S. 179.

haß entgegentritt, der sich nicht nur gegen die verstockten Angehörigen
des verstoßenen Gottesvolkes, sondern auch gegen den Repräsentanten
einer verhaßten gesellschaftlichen Minderheit richtet[4].

Ich möchte Petrus Venerabilis nicht unterstellen, daß er die Kreuzfahrer
aufhetzen wollte, nach dem Muster des Jahres 1096 jüdische Gemeinden
zu überfallen und zu verwüsten. Es war lediglich seine Absicht, den König mit allen ihm zu Gebote stehenden Argumente zu bewegen, eine
nach seinem Verständnis durch den Reichtum verursachte soziale Unge-
rechtigkeit abzuschaffen. Vielleicht waren auch Sprache und Ton so eindringlich und die Anklagen gegen die Juden entsprechend scharf formuliert, weil ihm des Königs Duldsamkeit gegenüber den Juden bekannt
und seit langem ein Ärgernis gewesen war, und er hoffte, anläßlich des
Entschlusses des Königs, sich dem Kreuzzug anzuschließen, dessen Haltung gegenüber den Juden zu ändern. Doch da Petrus Venerabilis nicht
im 19. Jahrhundert, zur Zeit der Judenemanzipation, geschrieben hatte,
in welcher der religiöse Antijudaismus durch ein völlig anderes Unbehagen, hervorgerufen durch die total veränderte Stellung der Juden innerhalb einer bürgerlichen Gesellschaft im modernen „Nationalstaat",
deutlich überlagert wurde, in einem Maße, das die religiöse Argumentation fast zum Verschwinden brachte, sondern im 12.Jahrhundert,
drängt sich die Frage auf, ob irgendein persönliches Erlebnis einen derartigen Eifer gegen die Juden auszulösen imstande gewesen ist. Sicher
darf man sich bei derartigen Überlegungen nur auf vorsichtige Vermu-
tungen beschränken, doch scheint mir, daß ein bestimmtes Ereignis in
seinem Leben einen Hinweis liefern könnte.

Ich denke hierbei an den Überfall des vormaligen Abtes von Cluny,
Pontius, mit seinem Anhang und „fugitivi" auf das Kloster[5], an die dort
angerichteten Zerstörungen und an die Plünderungen von Klostergü-
tern, über die Petus selber ausführlich berichtet[6]. Man darf annehmen,

---

4. Wir hören, daß die Juden wie Parasiten innerhalb einer schwer und ehrlich arbeitenden
Gesellschaft leben: „non enim de simplici agri cultura, non de legali militia, non de quolibet honesto et utili officio horrea sua frugibus cellaria vino, marsupia nummis archas auro
sive argento cumulant quantum de his quae... Christicolis dolose subtrahunt, de his quae
furtim a furibus empta vili: praecio res carissimas comparunt" (S. 329). Zur Strafe soll ihnen der Besitz zwar nicht fortgenommen, doch erheblich geschmälert werden „et christianus exercitus ... Judaeorum thesauris tam pessime adquisitis non parcat" (S. 330).
Von Diebesgut, vom Raub wertvoller Geräte, hätten sie sich bereichert. Die Diebe wären
zu ihnen gekommen und hätten ihnen die Kostbarkeiten verkauft. Es ist bemerkenswert,
daß er nicht Zinswucher als Quelle des Reichtums der Juden angreift, vielmehr prangert
er einen Mißstand an, bei dem es scheint, als hätte er ihn selber beobachtet.
5. Über die Absetzung des Pontius und das Problem, daß er sich trotz der Stabübertra-
gung an seinen Nachfolger Petrus noch als der rechtmäßige Abt von Cluny betrachtete, s.
G. Tellenbach: „Der Sturz des Abtes Pontius von Cluny und seine geschichtliche Bedeutung", in: Quellen und Forschungen aus Italienischen Archiven und Bibliotheken, Bd.
42/43, 1963, S. 13—55.
6. „Convertit statim manum ad sacra et aureas cruces, aureas tabulas, aurea candelabra,

daß die Räuber ihre Beute so schnell wie möglich in bare Münze umzutauschen suchten, und daß jüdische Käufer williger und aus wirtschaftlichen Gründen eher als andere in der Lage waren, ihnen dabei dienlich zu sein, und es scheint einleuchtend, daß sie, wie Peter behauptet, diese Kostbarkeiten „für einen billigen Preis" erworben hatten. Denn, so hören wir weiter, „wenn ein Dieb zur Nacht Weihrauchgefäße, auch heilige Kreuze oder geweihte Kelche wegträgt, so flieht er die Christen und flüchtet sich zu den Juden"[7]. Derartige Behauptungen könnten auf der Erfahrung eines solchen, in der Klostergeschichte einmaligen Vorfalls beruhen, und somit einen Schlüsselpunkt für Petrus' Zorn bilden.

Das Rundschreiben Bernhards von Clairvaux aus dem gleichen Jahre[8] wird im Vergleich mit dem Schreiben von Petrus Venerabilis gern als Gegenbild, als Zeugnis der Duldsamkeit und der Humanität betrachtet[9], doch sollte man, wenn man beide Schriftstücke miteinander vergleichen will, auch das Anliegen beider vergleichen. Petrus wollte dem König raten, sich durch eine veränderte Judenpolitik, die ihm zur Zeit der Kreuzzüge erforderlich schien, notwendige Geldquellen nutzbar zu machen, während Bernhard den raubenden und mordenden Horden Einhalt gebieten wollte. Der eine wollte etwas veranlassen, der andere etwas verhindern, der eine aufstacheln, der andere beruhigen, daher müssen notgedrungen Ton und Argumentation anders ausfallen. Doch wenn man von den entgegengesetzten Ausgangspunkten beider Briefschreiber absieht, entdeckt man, daß in wichtigen Punkten die Verschiedenartigkeit der Argumentation nicht allzu groß ist. Gerade Bernhard sollte es sein, der durch seine Wortwahl die gefährliche, zum Sprichwort gewordene, Gleichsetzung von Judaisieren und Geldgeschäften vorgenommen hatte, demnach wäre ein Geldverleiher im gleichen Maße der jüdischen Religion zugeneigt, wie solche, die mit Juden speisen oder die Feste gemeinsam feiern. Außerdem stellt er die Behauptung auf, daß christliche Wucherer, die es zuweilen schlimmer als die Juden trieben, getaufte Juden gewesen seien[10]. Hingegen erwähnt Peter von Cluny, obwohl sonst nicht gerade zurückhaltend mit Beschuldigungen,

aurea thuribula et quaeque alia multa et multi ponderis vasa invasit. Rapit et ipsos calices maxime sacros, nec thecis vel scriniis aureis sive argenteis, multorum martyrum ac sanctorum ossa continentibus parcit..." Petrus Venerab. de Miraculis, cap. XII, PL 189, col. 924 A.
7. „Si fur nocturnus christi ecclesiam fregerit si sacrilego ausu candelabra, urceos thuribula, ipsas etiam sacras cruces vel consecratos, calices asportaverit cum Christianos fugiat ad Judaeos confugit", Constable, S. 329.
8. Sendschreiben Bernhards „ad Archiepiscopis Orientalis Franciae et Bavariae", St. Bernardi, Opera, Vol. VIII, Epistolae, Edit. J. Leclerc, H. Rochas, Nr. CCCLXIII, S. 311—317.
9. Grätz, VI, S. 166; Caro, I, S. 224. Ausführlich über beide Schriftstücke, Caro, I, S. 222ff.
10. „Taceo quod, sicubi illi desunt, pejus judaizare dolemus christianos feneratores si tamen christianos et non magis baptizatos Judaeos, convenit appellari...", op. cit. S. 316.

den Wucher der Juden nicht. Auch Bernhard stützte sich mit seiner
Aufforderung, das Leben der Juden zu schonen, weniger auf Gesetze
der Humanität, sondern auf die traditionelle Einstellung der Kirche zu
der Rolle des Judentums in der christlichen Welt[11] und weicht hierin im
wesentlichen nicht von der Auffassung des Petrus von Cluny ab, obwohl dieser auch in diesem Punkt gemäß dem Anliegen, das er mit seinem Schreiben verband, eine für die Juden unversöhnlichere Note
annimmt[12].

Die Kreuzfahrer haben schwerlich nach dem Diktat des Petrus Venerabilis gehandelt, dessen Brief allein an den König gerichtet war, und es ist
uns nichts bekannt, was darauf hinweisen könnte, daß er auf diesen ir-
gendeine Wirkung ausgeübt hatte. Erst sein Sohn Philipp sollte, aus welchen Gründen auch immer, die Lehren des Mönches von Cluny annehmen. Bernhards Haltung hingegen hatte Wirkung erzielt. Wie wir aus
einem hebräischen Bericht erfahren, hatte sein Auftreten in den rheinischen Städten größeres Unheil verhütet[13].

Es ist unerheblich zu untersuchen, in welchem Maße Bernhard ein
Freund der Juden gewesen war, ich möchte beinahe annehmen, daß
kein wesentlicher Unterschied zwischen ihm und Petrus von Cluny in
seiner Grundeinstellung zu den Juden bestanden hat. Beide sind entsprechend Temperament und Anliegen, ähnlich wie Ludwig VII. und Philipp Augustus auf dem Gebiet der Politik, im geistlichen Bereich beispielhaft für mögliche Einstellungen zu Juden und Judentum im 12.

11. Die Juden sind nicht zu verfolgen und nicht zu töten, denn „Deus ostendit mihi ... ne
occidas eos (inquit ecclesia), nequando obliviscantur populi mei" (Ps. 58, 12). Es ist ihre
Bestimmung, als lebendes Zeugnis die Passion Christi darzustellen, sie sind „testes ... nostrae redemptionis". Doch Israel wird nach den Worten des Apostels gerettet werden:
„cum introierit gentium plenitudo, tunc omnis Israel salvus erit" (Röm. XI, 26). Doch
läßt sich bei ihm trotzdem ein gewisses Maß christlicher Milde herauslesen: „est autem
christianae pietatis ut debellare superbos, sic et parcere subjectis", die Virtus Romana
wird zur Virtus Christiana „his praesertim quorum est legislatio repromissa, quorum pa-
tres et ex quibus Christus secundum carnem, qui est benedictus in saecula" (Röm. IX, 5),
ibid. S. 317.
12. Hingegen Petrus: „Nam cum Cain post fraterni sanguinis effusionem Deo diceret:
Omnis qui invenerit me, occidet me, dictum est ei: non ... morte morieris, sed gemens et
profugus eris super terram... Qui quoniam Christi sanguinem ... fuderunt, servi miseri,
timidi, gementes ac profugi sunt super terram." Hier steht die Bestrafung im Mittelpunkt,
der Sieg des Christentums, doch aus dieser Misere wird Israel herausfinden: „... jam voca-
ta gentium plenitudine, convertantur ad Deum, et sic secundum Apostolum, omnis Israel
salvus fiat", S. 329. Über seine noch schärfere Einstellung zur endlichen Zukunft Israels
in seinem Tractatus, s. S. 185.
13. A. Neubauer, M. Stern, Hebräische Berichte über die Judenverfolgungen während der
Kreuzzüge, aus dem Bericht des Ephraim bar Jacob, hebr. S. 59, dtsch. S. 188, dort wird
Bernhard als der „größte und angesehenste Mönch, der das Gesetz kennt", geschildert.
Ausdrücklich betont der Berichterstatter seine „Heiligkeit", und daß er keinerlei Bestechung genommen hätte für sein Eintreten für die Juden. Von Israel wäre „kein Rest und
Flüchtling" geblieben, hätte Gott nicht diesen Mönch geschickt.

Jahrhundert, doch hat der Mönch von Cluny in seinem leidenschaftli-
chen Zorn Akzente gesetzt für eine kompromißlose Unduldsamkeit,
die vor allem in seiner religiösen Auseinandersetzung mit den Juden
laut hörbar wird. Die Auswirkungen einer Intoleranz, die den Juden als
Gegner des Christentums mit dem Mitglied einer Minderheit, die tiefes
Unbehagen auslöste, gleichsetzte, und von weltlichen Machthabern je
nach Bedürfnis, unangefochten sowohl von der Geistlichkeit wie von
anderen Bevölkerungsschichten, zum politischen Instrument gemacht
werden konnte, bestimmen gewiß vom Ende des 12. Jahrhunderts an, in
steigendem Maße die Geschicke der Juden in der christlichen Welt.
Vollkommen deutlich kommt die neuartig scharfe Komponente im Antijudaismus des Petrus Venerabilis in seinem Traktat: „Adversus Judaeorum inveteratam duritiem" zum Ausdruck[14]. Nicht wie seine Vorgänger begnügt er sich damit, christliche Schrifterklärungen dem Schriftverständnis der Juden gegenüberzustellen, obwohl er dabei schärfer, als
man es je zuvor vernommen hat, die Verstocktheit und das Unverständnis der Juden anprangert, er beschuldigt sie darüber hinaus der Abtrünnigkeit von ihrer eigenen Lehre, vom traditionellen jüdischen Schriftverständnis. Somit wirft er ihnen Schlimmeres als Verstocktheit vor, ihre eigentliche Sünde ist die Pervertierung ihres eigenen Gottesbegriffes,
wie aus ihrem neuen, von ihnen geschriebenen Glaubensbuch ersichtlich ist: dem Talmud! Petrus von Cluny ist nicht der erste, der die Juden
in gewissem Sinne — obwohl nicht so benannt — der Häresie, der Abweichung von ihrer eigenen Religion anklagt[15], doch verleihen der hi-

---

14. PL 189, col. 507—650.
15. Bereits Agobard stützte seine Angriffe auf den „Aberglauben der Juden", auf Hieronymus (de superstit. Jud. PL 104, col. 72ff), der über die „Aniles fabulae" der Juden
spricht und die „traditiones pharasaeorum", die von den Juden δευτερῶσεις genannt
werden, angreift. Als Beispiel bringt er Vorschriften über die Sabbateinhaltung, welche
die Juden von ihren Gesetzeslehrern „Barakhibas, Symeon et Helles" (Akiba, Schammai
und Hillel) übernommen haben, und behauptet, daß die Juden „doctrinas hominum prae-
ferentes doctrinae Dei" (Epist. CXXI, ad Algas. CSEL, I, 3 S. 49). Bei ihm klingt also bereits der Vorwurf an, als hätten sich die Juden ein neues Glaubensbuch geschrieben, so
hören wir ihn an anderer Stelle: „contemnentes (Judaei) legem Dei et sequentes traditio-
nem hominum..." (in Is. 69, 12, PL 24, col. 603). Agobard griff den Midrasch Agadah an,
Hieronymus den Midrasch Halachah. „Fabulae inutiles" kannte sowohl Origines, „Judaicae istae sunt et inutiles fabulae speciem quidem pietatis habentes virtutem vero ipsius
denegantes" (in Levit. hom. 3 PG 12col. 427c) (s. S. 199) wie auch Augustin, von welchem
wir erfahren, daß die Juden außer der Bibel „quasdam traditiones suas, quas non scriptas
habent, sed memoriter tenent, et alter in alterum loquendo transfudit, quas deuterosin
vocant" (Pl 42, S. 637). Wie sehr die mündliche Lehre ein Stein des Anstosses war, beweist das Verbot der „deuterosis", das in der Novella 146 des Cod. Justinian. ausgesprochen wurde, mit der Begründung, daß sie nichts mit der Hl. Schrift zu tun habe, sondern
von Menschenhand geschrieben worden wäre. Das Verbot wandte sich gegen jede Art
mündlicher Auslegung des Bibeltextes während des synagogalen Gottesdienstes. Gleichzeitig wurde in dieser Novella angeordnet, daß die Bibel in lateinischer und griechischer
(bei dieser hatte man zu wählen zwischen der Septuaginta und der Übersetzung des Aqui-

storische Kontext, die Gesamteinstellung Petrus zu den Juden, wie wir
sie aus seinem Brief an den König von Frankreich kennengelernt haben,
und die Tatsache, daß es der Talmud ist, der seinen Zorn derartig maß-
los erregt, seinen Angriffen eine stärkere geschichtliche Bedeutung. Bereits Agobard bewies erstaunliche Kenntnisse jüdischer Midraschliteratur und prangerte die dort manifestierten vermenschlichten Glaubensvorstellungen der Juden eifervoll an. Doch hat Agobard nicht behauptet, daß die Juden sich ein neues Glaubensbuch geschrieben und das alte
verworfen haben, im Gegenteil, er berichtet, daß die Juden sich brüsteten, daß man sie am Hofe schätze wegen der Patriarchen[16], das heißt ihrer Verbindung mit den von Gott erwählten Gerechten. Petrus behauptet, daß sie ihr eigenes, nicht von Gott gegebenes Buch, den Talmud,
über die Schriften der Bibel, über die Propheten und über die Worte
Abrahams stellen[17].

Vielleicht lassen sich Parallelen zwischen den Beweggründen beider,
Agobards und Petrus aufzeigen, die sie zu ihren Angriffen motiviert haben. Beide nahmen Anstoß an dem Wohlstand, der gehobenen sozialen
Stellung, und gewiß an der Toleranz, die weltliche Herrscher in ihrer
Einstellung zu den Juden übten. Allerdings lebte Petrus nicht innerhalb
einer christlichen Gemeinde, die sich sowohl gesellschaftlich als auch religiös zu den Juden hingezogen fühlte, doch es erhebt sich die Frage, ob
er nicht auch judaisierende Tendenzen befürchten zu müssen glaubte,
die bis zur endgültigen Trennung des jüdischen von dem christlichen
Gemeinwesen akut werden konnten. Gewiß konnte er in seiner Umgebung Anerkennung jüdischer Gelehrsamkeit und eine Bereitschaft, sich
mehr als zuvor mit jüdischen Exegese-Kategorien auseinanderzusetzen,
beobachten. Erschöpfend allerdings läßt sich diese eigenartige Leidenschaft, lassen sich diese Haßausbrüche gegen die Juden und gegen den
Talmud, hundert Jahre vor der Verbrennung in Paris durch Ludwig den
Heiligen, nicht erklären.

Zuweilen erhebt sich der Eindruck, als wollte Petrus die ewigwährende
Diskussion über das rechte Schriftverständnis abbrechen, sich den
fruchtlosen Auseinandersetzungen einerseits und dem Alleinanspruch
der Juden auf die Bibel andererseits gewaltsam entziehen: Die Juden sel-

la) Sprache gelesen werden sollte. Wahrscheinlich war der Sinn beider Anordnungen, den
Widerstand des rabbinischen Judentums gegen die missionierende Tätigkeit der Christen
zu brechen (s. Parkes, Conflict, S. 251ff). In welchem Maße Petrus Venerabilis sich in eine
weit zurückgehende Entwicklung einreihte, oder ob sein Auftreten eine entscheidende
Wendung in der christlich-jüdischen Beziehung bedeutete, wird zu untersuchen sein.
Über diese Frage s. A. Funkenstein, Changes in the Pattern of Christian anti-jewish Polemics in the 12. Century, in Zion 33, 1971, S. 38 (hebr.) — Interpretation der Novella 146
des Cod. Just. bei Juster, op. cit. I, 369, Baron III, S. 11f, Graetz I, S. 357, n. 7.
16. De Insol. Jud., PL 104 col. 75.
17. PL 189, col. 602 C/D.

ber haben die Heilige Schrift verworfen, sich eine neue Bibel geschrieben, den Talmud. Demnach erübrigt sich jetzt die übliche Auseinandersetzung über Voraussagungen in der Hebräischen Bibel, über die Menschwerdung Gottes, über die Dreifaltigkeit, das Schicksal der Ecclesia etc. Nun kann er seinen Eifer, seinen Zorn auf einen völlig unumstrittenen Gegenstand richten, der dem christlichen Leser die Absurdität und die Unglaubwürdigkeit der Juden viel deutlicher vor Augen führt als die Bibelinterpretation, deren Veritas Hebraica man sich niemals, und gewiß nicht im 12. Jahrhundert, entziehen konnte und wollte. Seinen Diffamierungen des Juden per se, wie wir sie in seinem Brief an Ludwig VII. kennengelernt haben, begegnen wir auch hier, wenngleich, da es sich um einen theologischen Traktat handelt, und er seine Angriffe wie es üblich ist, durch Bibelverse belegt und legitimiert, in gewissem Maße formelhafter, grundsätzlich neu ist der Ton nicht, obwohl stärker und eifervoller und seit der Antike in diesem Ausmaß an Leidenschaft nicht mehr vernommen.

Der Jude ist kein Mensch, er ist ein Tier, denn „audiet nec intelliget asinus, audiet nec intelliget Judaeus"[18], behauptet er, indem er sich — wie üblich — auf die Gottesrede im Offenbarungskapitel des Buches Jesaja stützt[19]. Einzig, um der ganzen Welt zu beweisen, daß der Jude „vere jumentum esse"[20], hat er diesem seinem Tractatus ein fünftes Kapitel „de ridiculis atque stultissimis fabulis Judaeorum" hinzugefügt. Die Juden haben sich selber der Menschenwürde beraubt, sich den Tieren gleichgestellt. Hemmungslos wird Petrus in seinem Zorn: „Profero tibi coram universis o Judaee, bestia, librum tuum ... illum Talmuth tuum, illam egregiam doctrinam tuam, prophetiis libris et cunctis sententias praeferendam"[21]. Die Verstockten sind zu Tieren geworden, Petrus kommt im Verlauf seiner Streitschrift immer wieder auf diese und ähnliche Beschimpfungen zurück[22]. Aber noch eine andere, gefährlichere Anschuldigung, die wohl von jeher unter den breiten Volksmassen in ihrem Verhalten zu den Juden das größte Unheil angerichtet hat, die mehr als jede andere geeignet ist, die Phantasie bis ins Krankhafte zu steigern, läßt sich seinen Worten entnehmen: Der Talmud ist die Geheimlehre der Juden, sie enthält die „secreta judaica ... intima ... occultissima", die ihm, dem Mönch, enthüllt worden sind durch Christus, „quem negas,

---

18. Col. 602 B.
19. „Aure audietis et non intelligetis et videntis videbitis et non per spicietis..." (Jes. cap. VI, 5).
20. Ibid.
21. Ibid.
22. Bereits im III. Cap. seines Tractats, wo es noch um die „richtige" Schriftinterpretation ging, hören wir: „nescio plane utrum Judaeus homo sit, qui nec rationi humanae cedit, nec auctoritatibus divinis et propriis acquescit. Nescio ... utrum homo sit de cujus carne, nondum cor lapidum ablatum est...", col. 551 A.

illa veritas denudavit falsitatem tuam, discooperuit ignominiam tuam", ruft er aus. Das Unheimliche, Geheimnisvolle, vor Christus kann es nicht bestehen[23].

Es stellt sich die Frage, was Petrus Venerabilis mit seinem Traktat bezwecken, was er erreichen wollte. Wenn er die Absicht gehabt haben sollte, die Juden zur Vernunft zu bringen, sie zum wahren Glauben zu führen, dann hat er es in jeder Weise ungeschickt angestellt. Zu grob sind seine Scheltreden, zu beleidigend seine Redeweise, als daß er hätte erwarten können, auch nur einen duldsamen Zuhörer unter den Juden zu finden[24].

Petrus kannte nicht nur die talmudische Agadah, er war auch in einem gewissen Maße bewandert in der rabbinischen Bibelexegese. Er kannte rabbinische Auslegungen sowohl nach dem „pešuto šel miqra" wie auch nach dem Midrasch Agadah, gerade zu Bibelstellen, die von christlicher Seite als Voraussagungen auf das Neue Testament ausgelegt werden[25]. Es

23. Col. 602 D.
24. Er selber formuliert seine Absicht folgendermaßen: „remitto ergo vos ad vestri generis homines, remitto ad proprias quas a Deo accepistis, Scripturas, et ex his testimonia profero, quibus cedere quantalibet lis Judaica compellatur. Non ignoro autem, quod ex aliqua parte nobiscum sentitis, ex plurima vero pertinaciter dissentitis."
Mit uns glaubt ihr, daß das Kommen Christi vielfach durch die Propheten angekündigt wurde, doch glaubt ihr weder, daß Christus der Sohn Gottes ist, noch daß er bereits nicht als zeitlicher sondern als ewiger immerwährender König gekommen ist „eo igitur ordine, quo proposita sunt a nobis contra vos, capitula jam dicta exsequenda sunt", col. 509 CD.
25. Er kannte jüdische Auslegungen zu den Psalmen, Beispiel Ps. II (Filius meus es tu, ego hodie genui te) „dicitis verba illa non ad Christum non ad quemlibet alium, sed ad ipsum tantummodo David pertinere, qui super Sion olim vestram super Jerosolymitanum montem ... a Deo rex constitutus sit" (col. 510 D). — Zu Psalm CX kennt Petrus die Abrahaminterpretation (s. S. 110, n. 44). Zu dem Vers: bis daß ich hinlege die Feinde zu Deinen Füßen, bemerkt er: Abraham hatte keine Feinde, die Könige (Gen. XIV) kämpften unter sich und nicht gegen Abraham, dieser mischte sich nur in den Kampf, als sein Bruder Lot gefangen genommen wurde: „claret ergo, quia nec isto modo invenire poterit Judaeus inimicos Abrahae..." (col. 517 A). — In dem gleichen Sinne greift er heftig und in ausführlicher Weise die rabbinischen Auslegungen zu Ps. II, XLIV, LXXXI u.a. an (col. 510, 522, 533), die auf David bzw. auf Salomo bezogen werden. Er wendet sich gegen die rabbinische Auslegung zu Gen. XIX (Pluit Dominus a Domine, s. S. 148) und verkündet: „nullus eorum Dominus dici potest quia uterque angelus, uterque nuntius dicitur (wendet sich also gegen die traditionelle wie auch diejenige des Josef Bechor Schor), col. 520 D.
Jesaja spricht selbstverständlich über das Kommen Christi (Cap. IX), es gäbe keinen judäischen König, über den man sagen könnte „multiplicabitur ejus imperium". Insbesondere geht er auf eine Josia-Interpretation ein, als ob er eine derartige Auslegung von jüd. Seite gehört hätte, erstaunlicherweise erwähnt er nicht Hiskija, auf den sowohl Raschi als auch die christlichen Exegeten deuten (s. S. 108). Gleich Amulo (lib. cont. Jud., PL 116, col. 148 A) kennt auch er die Agadah über den in Rom in Lumpen geborenen Messias ben David, in dem die Juden — so Petrus — den leidenden Gottesknecht (Jes. LIII) sehen (col. 549 BC). Über die Frage, in welchem Maße Amulo Petrus als Vorlage gedient hatte, s. L. Williams, Adversus Judaeos. A Birds Eye View of Christian Apologiae until the Renaissance, Cambridge, 1935, der aufgrund der unterschiedlichen Version des Petrus zu dem Schluß

erhebt sich der Eindruck, als wollte er durch eine zusammenfassende christologische Auslegung die Hebräische Bibel vor jüdischer Gegenargumentation verteidigen, und vielleicht läßt sich hierin eine teilweise Erklärung für seinen Zorn und für seine Leidenschaft finden. So lange es sich um Auslegungen der Heiligen Schrift handelte, war Petrus noch willig, auf die Argumente der Juden einzugehen. Doch wird jede Auseinandersetzung zum Absurdum, zum Irrsinn, wollte man mit Vernunft gegen ihre Gottesvorstellungen in der talmudischen Literatur vorgehen. Wer solches unternehmen will, muß selbst als sinnesverwirrt betrachtet werden: „An non judicaretur insanus, qui homini vel insaniam patienti ... responderet? An non furiosus videretur, qui cum hujusmodi homini in quo toto ratio sepulta est ... velut rationabiliter disputare conaretur", fragt er[26]. Es kann also keine Disputatio mehr geben; in diesem seinem letzten Kapitel kann er die „stultitia", die „insania" und, was schlimmer als alles ist, die „blasphemia" nur vor aller Welt anprangern. Die Juden, die noch in einem gewissen Sinne Gesprächspartner in den vorhergegangenen Kapiteln gewesen waren, sind völlig disqualifiziert, es wird nun allen klar, daß man auch ihren vorher angeführten Argumentationen kein Gewicht beizulegen braucht, auch dort kann keine Vernunft gewaltet haben, die Gegner sind demaskiert als vernunftlos, als sinnesverwirrt. Man kann sie nicht mehr zu den Menschen zählen, nicht einmal mehr zu den Tieren, sie stehen auf einer tieferen Stufe als diese, da man in deren Verhalten noch Vernunft beobachten kann[27].
Eine Bekehrung der Juden am Ende der Tage findet in diesem Zusammenhang keinerlei Erwähnung. Für alle Ewigkeiten gibt es keine Versöhnung. Schlimmer sind sie als Kain, der Brudermörder, gleich ihm sind sie verflucht, nachdem sie das Blut Christi „quantum ad carnem fratris vestri, quantum ad deitatem Domini vestri" vergossen haben, auf der Erde herumzuirren, was schrecklicher ist als der Tod „in praesenti longo opprobio hominibus, in futuro sempiterno ludibrio daemonibus"[28].

kommt, daß diesem vielleicht eine verkürzte Version derselben Überlieferungsquelle vorgelegen hatte. Petrus selber behauptet, daß die Geschichte „a quibusdam audivi".
26. Col. 603 B.
27. Praeferantur ergo ... quas supra exempli causa, commemoravi turtur, hirundo et ciconia, praeferantur bos et asinus ... apes et formicae et quaecunque animalia aliquid pro caeteris ad quamlibet intelligentiam pertinens spirituale, naturae propriae inditum habere videntur, col. 621 D.
28. Während er sowohl in seinem Brief an Ludwig VII. (s. S. 177) als auch in seiner „Summa totius Haeresis Saracenorum" (ed. J. Kritzeck, Petrus Venerabilis und Islam, Princeton 1964, S. 25) die Rettung der Juden am Ende der Tage wie selbstverständlich erwähnt, ist er in diesem Tractatus bei weitem unversöhnlicher: „darum seufzt ihr bereits 1100 Jahre unter den Füßen der Christen, ihr seid ein Gespött nicht dieser sondern auch der Sarazenen,

Daß Petrus Venerabilis die Schrift des Petrus Alfunsi, eines zum Christentum konvertierten spanischen Juden[29], gekannt hat, ist erwiesen[30], doch hat ihm diese nicht als einzige Quelle und Vorlage für seine Kenntnisse des talmudischen Midrasch-Agadah gedient. Da weder Einzelheiten noch ganze Erzählungen des von ihm wiedergegebenen Materials bei Petrus Alfunsi zu finden sind, und sich auch nicht auf rabbinische Quellen zurückführen lassen, ist man zu dem Schluß gekommen, daß Petrus andere Quellen zur Verfügung gestanden haben[31], und daß er wahrscheinlich einen nicht geringen Teil seiner Kenntnisse Gesprächen mit Juden zu verdanken hatte. Im Rahmen dieser Arbeit ist es von Interesse, aus der Wiedergabe talmudischer Agadot des Petrus Venerabilis durch Vergleich mit rabbinischen Vorlagen aufgrund seiner Abänderungen, Hinzufügungen und Weglassungen sein Verständnis von den Glaubensvorstellungen der Juden seiner Zeit herauszulesen.

Im Mittelpunkt der ersten Agadah stehen Gott und die Juden, welche sich im Himmel über die Frage beraten, welche Art des Ausschlages als Aussatz zu bezeichnen und somit „unrein" ist. Da Rabbi Nehemias den Ruf hat, äußerst bewandert in diesen Fragen zu sein, wird der Todesengel zu ihm geschickt, mit dem Auftrag, seine Seele in den Himmel vor die Versammlung zu bringen. Der Engel trifft den Rabbi beim Talmudstudium an, konnte ihn aber nicht mit sich führen, da der Todesengel, so lange der Rabbi den Talmud studierte, keinerlei Macht auf ihn ausüben konnte; Gott gab darauf dem zurückkehrenden Engel den Ratschlag, den Rabbi durch einen Sturm abzulenken, so daß er gezwungen sein würde, sein Studium zu unterbrechen, dann könnte er den Rabbi vor die himmlische Versammlung führen. Der Anschlag auf den Rabbi gelingt, und dieser, aufgefordert, im Himmel in dem Streit zwischen Gott und den gelehrten Juden Partei zu ergreifen, gibt letzteren Recht. Daraufhin errötete Gott und sprach: „meine Söhne haben mich besiegt."

Bei dieser Wiedergabe handelt es sich um die Zusammensetzung mehre-

---

ebenso allen Völkern und Dämonen ... was hält unsere Hand von Eurem Blut ab, als das Gebot ... ne occidas eos?" PL 189 col. 615 A/B.

29. Petrus Alfunsi ex Judaeo Christianus Dialogi in quibus impiae judaeorum opiniones evidentissimis cum naturalis, tum coelestis philosophiae argumentis confutantur, quaedamque prophetarum abstrusiora loca explicantur, PL 177, 536 ff.

30. S. Liebermann, Shkiin, a few words on some jewish legends and customs and litterary sources found in Karaite and Christian works, Jerusalem 1970 (hebr.), hat an einem Beispiel bewiesen, daß Petrus Venerabilis fast wörtlich eine Version einer Talmud-Agadah übernommen hat. Es handelt sich um die Erzählung über Gott, der das Schicksal seines Volkes beweint (s. S. 188). Bei Petr. Alf. col. 550, Petr. Venerab. col. 622, Liebermann, S. 28.

31. Williams op. cit. S. 390, Liebermann, op. cit. S. 27, über nicht talmudische Quellen des Petrus Venerabilis s. S. 190.

rer Agadot, die eine über Rabbi Nachmani[32] und eine andere über Rabbi
Elieser und Rabbi Josua[33]. Die himmlische Gelehrtenversammlung, an
welcher Gott teilnimmt, ist Teil der Agadah über Rabbi Nachmani;
Gottes Ausspruch „meine Söhne haben mich besiegt" gehört zu der
Agadah über Rabbi Elieser und Rabbi Josua, während die Auseinandersetzung zwischen Rabbi Nachmani und dem Todesengel zu einer drit-
ten Agadah über Rabbi Josua ben Levy[34] gehört.

Mehrere Motive erregten in der von ihm wiedergegebenen Fassung den
Zorn des Petrus Venerabilis: Gott muß bei den Juden zur Schule gehen,
er lernt den Talmud, verliert in der Argumentation gegen die Juden, er-
rötet und spricht demnach beschämt: „meine Söhne haben mich besiegt"[35].

Die talmudische Agadah über Rabbi Nachmani berichtet, daß dieser, als
er vor den Soldaten der Regierung floh, die ihn verfolgten, sich unter eine Dattelpalme setzte, um das Gesetz zu studieren. Als er ein Windes-
rauschen vernahm, meinte er irrtümlich, seine Verfolger seien nahe. Da
sagte er: lieber soll meine Seele Ruhe finden als der Regierung ausgeliefert werden, und als seine Seele Ruhe fand, waren seine letzten Worte
„rein, rein".

Nicht Gott hat ihn also durch den Todesengel überlistet, aus seinem eigenen Willen hat er sich dem Tode ergeben. Auch wurde er nicht vor
den Gelehrten und Gott im Himmel um seine Meinung befragt. In der
vorangehenden Auseinandersetzung zwischen Gott und den Gelehrten
sagte Gott, daß diese bestimmte Krankheit im Zweifelsfalle „rein" sei,
während die Gelehrten für „unrein" plädierten. Rabbi Nachmani recht-
fertigte also Gott vor den Gelehrten. Nachdem der Rabbi „rein, rein"
gerufen hatte, ertönte ein himmlischer Widerhall und rief: „Gesegnet
seist Du... Deine Seele ist rein und mit ‚rein' verschieden", und in Pum-
beditha fiel ein Zettel vom Himmel: „Rabbi Nachmani ist in das himmlische Kollegium berufen worden." Rabbi Nachmani studierte auch
nicht den Talmud, sondern das Gesetz, ebenso beriet Gott im Himmel
sich nicht über das Gesetz, sondern über dessen Anwendung.

Die talmudische Agadah über Rabbi Nachmani rückt nicht den von den

---

32. TB, Baba Mezia, fol. 85 B, Rabbi Nachmani und nicht wie bei Petrus: Nehemias.
33. TB, Baba Mezia, fol. 59 A.
34. Geschichte von Rabbi Josua ben Levy, Bet ha-Midrasch, Hg. A. Jellinek, 3. Aufl.,
Jerusalem 1967, Bd. 2, S. 48—51 (hebr.).
35. „Nihil aliud facit Deum in coelo nisi legere scripturam Talmuth (col. 606 C)? Dicis ...
docere Deum ab hominibus aeternam mutuare sapientiam a mortalibus, coelestem a ter-
renus summam sapientiam a insipientibus (col. 611 A). Hominis judicio victus, rubore in-
dice victus professione propria victus, quid moras facit in solio omnipotentiae Deus? De-
positus est a Judaeis Deus, projectus est a Judaeis, nec omnipotens, nec omnia sciens probatur a majoribus, eoque sapientioribus Judaeis" (col. 614 C, 615 A).
Dies sind nur einige seiner Aussprüche, die er in endlosen Variationen wiederholt.

Juden lernenden Gott in den Mittelpunkt, sondern die Reinheit der Seele des Rabbi Nachmani, der auch angesichts der größten Gefahren sich
auf das Gesetzesstudium konzentrierte und lieber sterben wollte als den
Beamten der Regierung in die Hände zu fallen. Sein Ruf „rein, rein"
wird von dem himmlischen Widerhall nicht so sehr als rechtsverbind-
lich gepriesen, sondern als sinnbildliche Aussage für die Integrität des
Rabbi.

Die Agadah über Rabbi Elieser berichtet, daß dieser in einem Streitgespräch mit Rabbi Josua Zeichen für die Wahrhaftigkeit seiner Gesetzesauslegung verlangte[36]. Als letzten Zeugen rief er den Himmel an, und
der himmlische Widerhall rief, man solle nach der Auslegung des Rabbi
Elieser entscheiden. Darauf erzürnte sich sein Widersacher, Rabbi Josua, und rief: „die Gesetzeslehre ist nicht im Himmel". Es solle also
nicht nach dem himmlischen Widerhall entschieden werden, da die Gesetzeslehre bereits am Berge Sinai den Menschen gegeben wurde, und
dort wurde bereits bestimmt, daß nach der Mehrheit entscheiden werden solle. Was tat Gott zu dieser Stunde? Man berichtete, daß er sich ge-
freut habe und ausgerufen hatte: „Meine Söhne haben mich besiegt."
Hier steht der Streit der Gesetzes-Autoritäten im Mittelpunkt, der die
Einheit Israels bedrohte. Über Rabbi Elieser wurde der Bann verhängt,
seine eifervollen Widersacher erlitten Gottes Bestrafung. Erst als Rabbi
Gamliel Gott anrief und beteuerte, daß, um die Ehre Israels zu retten,
und nicht Streitigkeiten zu mehren, man so grausam gegen Rabbi Elie-
ser hätte verfahren müssen, „wurde die Welt nicht mehr geschlagen".
Gott „errötete" nicht, war also nicht beschämt. ER freute sich wie ein
Vater über seine Kinder, denn wahrlich, die Gesetzeslehre ist nicht im
Himmel, sie ist den Menschen gegeben worden.

Petrus Zorn ergießt sich in gleichem Maße über eine andere Fabula, in
welcher berichtet wird, daß Gott jeden Tag Tränen über die Leiden seines Volkes Israel vergießt, mit den Füßen stampft gegen das Himmelsgewölbe, ein Gurren wie das einer Taube ertönen läßt und mit Trauer
erfüllter Stimme ausruft: „heu mihi, heu mihi, ut quid domum meam in
dersertum redegi et templum meum cremavi et filios meos in gentes
transtuli. Heu patri, qui transtulit filios suos."[37] Abgesehen von den
Entstellungen, die auch diese talmudische Agadah bei ihm erfahren

---

36. BM, fol. 59 b; das erste Zeichen erbat er von einem Johannisbrotbaum, dieser rückte
daraufhin um hundert Ellen von seinem Ort. Das zweite Zeichen — vom Wasserlauf — da
wich das Wasser zurück, und das dritte von den Wänden des Gebetshauses, diese neigten
sich und drohten einzustürzen. Da mischte sich sein streitbarer Widersacher Rabbi Josua
ein, und die Wände blieben geneigt und stürzten nicht ein, zu Ehren beider Gesetzeslehrer.

37. Col. 622 D.

hat[38], verschließt er sich vor ihrem Sinn, vor der Spannung zwischen dem „midat ha din" und dem „midat ha raḥamim", die das Verhalten Gottes gegenüber seinem sündigen Volk bestimmen. Er sieht nur die „Blasphemia", die „insania", „ut ea de Deo audaciter praedicent, quae aures humanae vix tolerent. Nam quis flet sine oculis, quis rugit sine voce, quis manus pedesque collidit, si non habeat ... taceo furorem irascentis, tristitiam dolentis, miseriam clamantis: heu mihi..."[39].

Es ist sehr schwer zu entscheiden, ob Petrus Venerabilis wirklich davon überzeugt gewesen war, daß die Gottesvorstellungen der Juden litteraliter in den Agadot des Talmud manifest geworden sind, oder, ob er, aus welchen Gründen auch immer, absichtlich Akzente gesetzt hatte, die nicht nur den Inhalt der betreffenden Erzählungen in gefährlicher Weise vereinfachten, sondern, da er sie als von den Juden neu erschaffene Glaubensquellen anprangert, die Juden von einem zwar zeitlich verworfenen, doch endlich zurückkehrenden Gottesvolk, zum ewig abergläubischen Volk gestempelt hat, das mit den primitivsten Heiden gleichzusetzen ist und innerhalb einer christlichen Welt keinerlei Duldung mehr zu erwarten hat.

In dem letzten Kapitel seines Traktates lassen sich Hinweise, sowohl für absichtliche Übertreibung als auch für gezielte polemische Steigerung finden. Einige der von ihm wiedergegebenen „Fabulae" sind nicht auf talmudische Vorlagen zurückzuführen, und unter diesen eine, über die Tochter des Propheten Jeremias und die Geburt des Ben-Sira, die abstrus und bar jeglichen tieferen Sinnes ist[40]. Diese merkwürdige Fabel hat man auf eine Anekdoten- und Geschichtensammlung „Alfa Beta des Bensira" zurückgeführt und versucht, den Nachweis zu erbringen, daß Petrus diesem Literaturwerk noch andere Fabeln entnommen hat[41].

---

38. TB Berachot, fol. 59 A; nur die Tränen weint Gott um sein Volk, die Gesten versinnbildlichen Eigenschaften Gottes.

39. Col. 623 A/624 A; midat ha din = Maß der Gerechtigkeit, midat ha rahamim = Maß der Barmherzigkeit.

40. Eine obskure und gar obszöne Moritat: der Prophet Jeremias wurde Zeuge, daß Knaben während des Badens in einem Fluß ihren Samen in das Wasser ergossen, tat, nachdem er dies erst mißbilligte, dann nach einigem Zögern dasselbe, und als seine Tochter später ebenfalls in demselben Gewässer badete, wurde sie von dem Samen ihres Vaters schwanger, gebar einen Knaben, den sie Ben-Sira nannte. Folgen Berichte über unglaubliche Wunder, die dieser Knabe vollbrachte, die an Abstrusität dem bisherigen entsprechen (col. 645/646).

41. I. Levy, La nativité de Ben Sira, REJ, XXIX, 1894, S. 197ff, über die außerjüdischen Quellen, christliche und persische, die dieser Geschichtensammlung zugrunde liegen. Herkunftsort ist unbekannt, Zeit der Entstehung zwischen dem 8. und 11. Jh. Die Tatsache, daß Petrus Venerabilis diese Geschichte zitiert und sogar rückhaltlos, könnte ihre Verbreitung in Frankreich beweisen. (Edit. von M. Steinschneider, Alfabethum Siracide utrumque cum expositiones antiqua, Berlin 1856; für andere Manuskripte und Versionen s. Levy op. cit.S. 199, n. 1.) Über die Zugehörigkeit zu dieser Geschichtensammlung auch

Vielleicht hat diese Legendensammlung Petrus in einer französischen Version vorgelegen, aus welcher er sich ausgiebig bediente. Petrus' Version über Rabbi Josua ben Levy, dessen Himmel- und Höllenwanderung, könnte demnach ebenfalls ihren Ursprung in dem „Alfa Beta des Ben-Sirah" finden. In der Wiedergabe des Petrus stoßen wir auf eine Einzelheit, die Aufschluß über seine Intention geben könnte, die der Auswahl, die er unter den Materialien, die ihm zur Verfügung standen, getroffen hatte, zugrunde lag.

Als der Engel Rabbi Josua ben Levy in die Hölle führte, sah er dort alle Völker dieser Erde und Könige, wie Pharao und diejenigen, die von Josua besiegt wurden und viele andere. Da fragte er den Engel[42]: „Cur Christiani damnati sunt?", und der Engel antwortete: „quia credunt in filium Mariae, et non observunt legem Moysi et maxime, quia non credunt Talmuth(!)". Die Erzählung über Rabbi Josua ben Levy ist in den verschiedensten Versionen in die Midraschliteratur eingegangen, doch enthält keine derartig viel Ausschmückungen, wie die Wiedergabe des Petrus Venerabilis, und sicher erklärt keine die Nichtbeachtung des Talmud als Todsünde, die mit ewigem Höllenfeuer bestraft werden muß. Die Version, die im „Bet-Ha-Midrasch" enthalten ist, läßt die zum Höllenfeuer verdammten Nichtjuden, von Christen ist gewiß nicht die Rede, antworten: „Wir haben gesündigt, weil wir nicht die ‚Torah' angenommen haben", entsprechend einer alten Midraschtradition, nach welcher Gott, bevor er die Torah den Israeliten gab, mit der Aufforderung, die Torah zu empfangen, sich an alle anderen Völker gewandt hatte. Erst nachdem kein Volk die Gesetzeslehre annehmen wollte, ging Gott zu dem Volk Israel und dieses antwortete: „Wir werden sie annehmen und hören."[43]

Bemerkenswert ist, daß Petrus zugibt, die Geschichte über die Geburt des Ben-Sira nicht dem Talmud entnommen zu haben, sondern einem anderen Glaubensbuch „non tamen de minoris auctoritatis libro, quam

noch anderer „Fabulae Judaeorum" des Petrus von Cluny, s. Liebermann, op. cit. S. 32; z.B. eine Geschichte über Isaak und seinen Knecht Elieser, die sich in ähnlicher Version bei den Tossafot zum Pentateuch, die in Handschriften „Zufügungen Frankreichs" genannt werden, befindet, ohne daß uns dort ihr Ursprung verraten wird, bei P.V. col. 643.

Nach Liebermanns Ansicht (ibid.) hatte Petrus Venerabilis drei Quellen: Alfunsi, den er manchmal fast wörtlich abschrieb, und dessen Belege alle talmudischen Ursprungs sind, den „Alfabeta des Ben-Sira", von dem ihm wahrscheinlich eine französische Version vorgelegen hatte, und mündliche Berichte.

Wenn wir Petrus Glauben schenken wollen, dann hat er die Geschichte über die Geburt des Ben-Sira von einem Juden erfahren: „audio a Judaeo, quod nec a Diabolo audire possem" (col. 644 B). Demnach könnte es auch sein, daß ihm eine Version aus dem Alfabeta des Ben-Sira als Zusammenfassung mündlich vorgetragen worden ist.

42. Col. 631 D, col. 632 A.
43. Sifre Deut. 33, 2, Mechilta (Schmot) 20, 2.

est Talmud apud Judaeos excerpta est" betont er, um gleich darauf wieder in einen seiner Zornesausbrüche zu verfallen: „haec sunt mysteria vestra o Judaei, haec intima sacramenta, haec sapientia..."[44], und da nicht anzunehmen ist, daß irgendein zeitgenössischer Jude ihn verraten hatte, daß das Buch ‚Alfa beta des Ben-Sira‘ den Juden in dem gleichen Maße teuer ist wie der Talmud[45], haben wir einen Hinweis für die Willkür seiner Auslegungen.

Eine Gegenargumentation, die anführen könnte, daß die Juden in Gleichnissen gesprochen haben, um ihrem transzendenten Gottesbegriff eine legendäre Form zu geben, würde er von vornherein entschieden zurückweisen. Denn „wenn in irgendeiner der Gleichnisse (derer viele in der Heiligen Schrift zu finden sind) der sensus Judaicus, auch wenn sie (die Juden) dies verabscheuen würden, mit dem sensus Christianus übereinstimmt, würde ich ihnen erwidern, und, wie ich es früher getan habe, nicht für unwürdig erachten, mit ihnen zu disputieren"; wenn aber, so fährt er fort, „sie keine Metapher, keine Allegorie und keine der vielen üblichen Redeweisen, die auf Gott, angemessen seiner Würde, angewandt werden, übernehmen wollen, sondern allein den tödlichen Buchstaben wahrnehmen, was gibt es (dann) zu reden?"[46]

Auch eine Gegenüberstellung dieser Fabeln mit denen der klassischen heidnischen Literatur, der Griechen oder der Römer, läßt er nicht gelten, denn diese „homines erant et rationabiles et licet a cultu divino remoti ... sapientes"[47]. Auch in der Heiligen Schrift wird zuweilen berichtet, was „juxta litteram falsus est, sed eorum intellectus verax et necessarius est"[48] und gemeint sind die Gleichnisse über die Bäume, die sich einen König wählen wollen, und über des armen Mannes einziges Lamm[49]. Aber auch wenn die Juden — so Petrus — ihre Talmudfabeln in einem ähnlichen Sinne interpretieren würden, so könnte er dies nicht gutheißen, denn diese „Fabulae" gehören nicht zum Heiligen Kanon, nicht zum Gesetzestext und nicht zu den Prophetensprüchen[50].

---

44. Col. 648 B.
45. Über die Wertschätzung dieser Geschichten bei den Juden,Liebermann, S. 33; er zitiert abschätzige rabbinische Äußerungen über dieses Machwerk, das in seiner Art, als unterhaltende Geschichten, Parallelen in der christlichen zeitgenössischen Literatur findet. Beispiele bei Levy, op. cit. S. 199.
46. „Si in aliquo horum vel similium (nam multa similia in sacris Litteris de Deo dicta inveniuntur) si plane in aliquo horum Judaicus sensus Christiano, vel si hoc abhorrent, rationabili intellectu consonaret, responderem adhuc, ut prius feci Judaeis, nec cum ipsis loqui de talibus dedignarer", col. 623 C. Sed cum nec metaphoram, nec allegoriam, nec aliquem de usitatis et multis loquendi modis, per quos omnia ista digne Deo adaptantur Judaei suscipere velint, sed solam in his litteram occidentem intelligant, quid loquerer? Ibid.
47. Col. 626 D.
48. Col. 627 A.
49. Richter IX; II Könige XII.
50. Col. 627 C.

Es ist deutlich, er läßt keinen möglichen Einwand gelten, der seine Behauptungen und Anschuldigungen, die Fabeln des Talmuds enthielten gotteslästerliche Vorstellungen, welche die Dummheit und die Unmenschlichkeit der Juden unter Beweis stellen, entkräften könnten.

Unter den zahlreichen Traktaten gegen die Juden oder die Synagoge nimmt die Schrift des Petrus Venerabilis zweifelsohne mit ihrer Schärfe und Aggression einen besonderen Platz ein. Es handelt sich um mehr als um die auf beiden Seiten üblichen Verunglimpfungen. Seine Ausdrucksweise und Argumentationsform gehen über den „Zeitstil" hinaus, und Mäßigkeit oder gar Milde lassen sich ihnen gewiß nicht entnehmen[51].

Man ist so weit gegangen, ihm Liebe zu den Juden zuzusprechen, man wollte seinen Eifer, mit dem er sich in das talmudische Schrifttum versenkte, unter einem solchen Aspekt begreifen[52]. Doch hat er seine Studien nicht vorgenommen, um das Judentum zu verstehen, sondern um es unglaubwürdig zu machen, um jeglichen weiteren Auseinandersetzungen zwischen Ecclesia und Synagoge die Grundlage zu entziehen. Es ist nicht anzunehmen, daß er hebräische Sprachstudien betrieben hatte, denn wäre dies der Fall gewesen, wäre es ihm weniger leicht gefallen, seine jüdischen Quellen mit einem derartigen Maß an Willkür zu handhaben.

Seine Einstellung erscheint noch erstaunlicher, als es manchem seiner Zeitgenossen durchaus nicht an Verständnis für Juden und Judentum fehlte. Abälard erkannte die Wichtigkeit des Studiums nicht nur der griechischen, sondern auch der hebräischen Sprache[53]. Kritiklos übernahm er eine Auslegung zu einem Text aus den Königsbüchern, die er von einem Juden gehört hatte[54]. In seinem „Dialogus inter Philosophum, Judaeum et Christianum" verzichtet er auf jegliche noch so übliche abwertende Bezeichnung für den Juden. Dem Juden selbst kann

---

51. J. de Ghellinck, L'Essor de la Litterature Latine au XII. siècle, Brüssel, 1955, S. 168: A Pierre Venerable aussi malgré sa lettre à Louis VII beaucoup plus animée (!) on se plait à reconnaître le même mérite de moderation et de douceur remarquable en ce siècle, qui voit montrer l'hostilité grandissante contre les juifs.

52. Kritzeck, Peter the Venerable and Islam, Princeton 1964, S. 26, zitiert Leclerc, Pierre le Venerable, S. 241 „if there is any illusion there, it has but one excuse and that is (Peters) love for the Jews", indem er diese Meinung übernimmt.

53. Er rät Héloise und ihren Nonnenschwestern, die hebräische Sprache zu erlernen. PL 178, col. 325 (Epist. IX) Über Abälards Kenntnisse des Hebräischen bei J.G. Sikes, Peter Abelard, Cambridge 1932, S. 29/30, kommt zu dem Schluß, daß Abälard nur sehr oberflächliche Kenntnisse, die er Gesprächen mit Juden verdankte, besessen hätte. Abälard selber betont die Notwendigkeit hebräischer Sprachkenntnisse, wenn man mit Juden diskutieren will: „unde et illud saepe accidet quot cum aliquibus testimoniis Judaeos arguere nitimur, facile nos refelli solent, qui Hebraicum ignoramus, ex translationum, ut aiunt, nostrarum falsitate", Epist. IX, col. 331 C.

54. PL 178, col. 718 A Prob. Heloissae.

man aufgrund seiner ausführlichen Selbstdarstellung ein gewisses Maß an tragischer Größe keineswegs absprechen[55].

Ein Schüler des Abälard äußert sich bewundernd über die Rolle, die Studium und Lernen bei der gesamten Judenheit spielten. Während die Christen ihre Söhne des Gewinnes wegen studieren lassen — so der Autor —, da derjenige, der sich dem geistlichen Stand zuwendet, seinen Eltern und seinen Brüdern hilft, weil er, da selber kinderlos, ihnen sein Erbe überläßt. „... Judaei vero zelo Dei et amore legis, quot-quot habent filios, ad litteras ponunt, ut legem Dei unusquisque intelligat... Judaeus enim quantumcumque pauper, etiamsi decem habet filios, omnes ad litteras mitteret, non propter lucrum sicut Christiani, sed propter legem Dei intelligendum et non solum filios sed et filias." Es war also auch möglich, freundliche Worte über die Juden zu finden[56].

Begegnungen zwischen Juden und Christen waren im 12. Jahrhundert, in noch größerem Maße als zuvor, Bestandteil aller Lebensbereiche. Wenn Petrus Damiani noch behaupten konnte, daß Disputationen mit Juden nicht von Wichtigkeit wären, da die Juden so gut wie vom Erdboden verschwunden seien[57], war es eine der Auswirkungen der Wiedergeburt des Lernens, daß sowohl Christen als auch Juden das Gespräch miteinander suchten, wobei von christlicher Seite mehr denn je ein ernsthaftes Interesse an jüdischen Auslegungsmethoden Motivation für eine Begegnung wurde.

Dem Traktat eines anonymen Autors ist zu entnehmen, daß die Juden bei Gelegenheit eines Streitgespräches den christlichen Kontrahenten wegen seiner Unwissenheit beleidigten[58]. Aus dem einleitenden Brief des Petrus von Blois zu seinem „liber contra perfidiam Judaeorum"[59] er-

---

55. „Quibus etiam adeo constrictis et oppressis, quasi in nos solos conjurasset mundus, hoc ipsum mirabile est si vivere licet, nec agros aut vineas aut terrenas aliquas possessiones habere conceditur, quia non est qui eas nobis ab infestatione manifesta vel occulta protegere possit. Unde nobis praecipue superest lucrum, ut alienigenis fenerantes hinc miseram sustentemus vitam, quod nos quidem maxime ipsis efficit invidiosos, qui se in hoc plurimum arbitrantur gravatos..." Dialogus,Edit. R. Thomas, Stuttgart 1970, S. 51. So schildert der Jude sein bitteres Los. Es klingt fast wie eine Apologetik, die wir aus späteren Zeiten kennen. Geldgeschäfte der Juden sind Schicksal, nicht freier Wille zwecks unrechtmäßiger Bereicherung. Man kann daraus schließen, daß Abälard freimütig und freundschaftlich mit Juden gesprochen hat, und dies nicht nur zwecks Unterweisung rabbinischer Bibelauslegung.
56. Commentarius Cantabrigiensis in Epistolas Pauli E Schola Abaelardi, ed. A. Landgraf 1939, Neudruck 1960, S. 434.
57. S. S. 88.
58. E. Martène, U. Durand, Thes. Nov. Anecdot. Paris 1717, Neudr. 1969V, S. 1509: „Scribimus ergo non ut nostra laudentur, sed ne Judaeis risum nostrae imperitiae praebeamus qui totiens nobis insultant, et quodammodo cum Golia dicunt: eligite ex vobis unum, qui ineat nobis cum singulare certamen" (I Reg. XVII, 8). Geschrieben etwa um 1166.
59. PL 207, col. 825ff.

fahren wir, daß christliche Würdenträger sowohl von Häretikern wie
von Juden gegen ihren Willen zu Streitgesprächen genötigt wurden[60], in
deren Verlauf sie oft hilflos der Überlegenheit des Gegners ausgeliefert
waren. Heftig warnt Petrus von Blois die Unerfahrenen und die Unwissenden vor Disputationen mit Häretikern und mit Juden, der Christ
war in der Schriftauslegung häufig dem andersgläubigen Gegner, den er
bekehren wollte, unterlegen[61]. So wie Petrus Damiani von einem niederen Geistlichen gebeten wurde, ihn mit Argumenten gegen die jüdische
Schriftauslegung zu versorgen, so wandten sich im 12. Jahrhundert hohe Geistliche an christliche Schriftgelehrte um Hilfe, um sich gegen Juden und Häretiker behaupten zu können[62].
Man fühlte sich sichtlich ermüdet von den Disputationen, deren Nutzlosigkeit und Erfolglosigkeit sich zu oft erwiesen hatten[63].
Während Bibelstudium bei den Juden aller Schichten verbreitet war, beschränkte sich es bei den Christen nur auf einen Teil der Geistlichkeit,
und je mehr die Häresiegefahr empfunden wurde, desto strikter hielt
man den Laien vom Bibelstudium fern[64]. Man kann fast sagen, daß jeder
Jude, der mit einem Christen in Handelsbeziehungen trat, zum potentiellen Diskussionspartner und somit zum Angreifer des christlichen
Kontrahenten werden und dessen Glauben erschüttern konnte. Eine
Gefahr, die deutlich von christlicher Seite empfunden wurde. In den
Statuten des Odo von Paris vom Ende des 12. Jahrhunderts finden wir,
neben dem Verbot, mit den Juden Handel zu treiben, gleichzeitig die
Verordnung für jeden Laien, unter Androhung der Exkommunikation,
mit Juden zu diskutieren[65].

60. „Quia tamen lamentabili querela deploras, te ab haereticis et Judaeis obsessum, nec
habere ad manum, unde possis eorum machinamenta elidere..., col. 827 D.
61. „Utinam nemo qui exercitatos non habeat sensus cum haeretico disputet aut Judaeo!
Nam propter disputationes illicitas et incautas virulenta haeresum seges circumquaque sil-
vescit. Dum hi, qui ignorant et errant volentes obstruere os loquentium iniqua, ponunt
lucem tenebras et tenebras lucem (Jes. V, 20), et dum alios a suis volunt relevare erroribus,
se ipsos in deteriora praecipant...", col. 825 D.
62. Petrus von Blois an den Bischof von Worcester: „Querelam in tuis litteris longam
et anxiam texuisti, quod Judaeis et haereticis circumseptus jugiter impugnaris ab iis, nec
sacrae scripturae auctoritates habes in promptu quibus possis calumnias eorum refellere",
col. 825 C.
63. „Quod autem disputare affectas cum Judaeis, ut eos convincas et convertas ad fidem,
eo ipso te minus approbo, quia verberas aerem, te stulto et inani studio consumens", col.
827 B.
64. Formuliert wurde dies auf dem Konzil von Toulouse vom Jahre 1229 auf dem Hintergrund der Häresiegefahr: „ne laici habeant libros scripturae. Praeter psalterium et Divinum officium at eos libros ne habeant in vulgari lingua..." Mansi XXIII. S. 197, cap. XIV.
65. Mansi XXII, S. 685, can. I: „Prohibeant sacerdotes publice laicis sub anathemate cum
Judaeis commercia facere,mutuo ab eis pecuniam ad usuram rei aliquid acciperem eis ven-
dere vel mutuo dare, vel ab ipsis emere, quorum enim dispar est cultus, nullus debet esse
animorum consensus."

Der bereits erwähnte Anonymus riet zu einer zusätzlichen Vorsichts-
maßnahme. Der christliche Diskussionspartner sollte nicht nur seine
Bibelkenntnisse erweitern, sondern sich auch auf die Auslegungsmethode der Juden einstellen, damit diese nicht die Verleumdung ausbreiten
könnten,mittels der Sophistik und nicht der Wahrheit und der Vernunft in der Disputation überwunden worden zu sein[66].

Die Verbreitung des Bibelstudiums bei den Juden, ihre gründliche Text-
kenntnis und Beschlagenheit in der Auslegung, ihre daraus resultierende
Überheblichkeit gegenüber den oft weniger gebildeten Christen, die
Anerkennung, die sie bei manchen gerade der bedeutenden unter den
christlichen Gelehrten fanden, waren imstande, einen Mann wie Petrus
Venerabilis in eine Art von Verteidigungssituation zu drängen, welche
seinem Glaubenseifer Antrieb gab und ihm eine überaus scharfe und in
der damaligen Zeit ungewohnte Form verlieh. Der eindringliche Stil des
Traktats beweist des Autors intensiven Willen, seine Umwelt, die sich
in seinen Tagen mehr denn je jüdischen Interpretationsmethoden zu-
wandte, von der Absurdität jüdischer Glaubensvorstellungen zu überzeugen. Nicht nur Christen, auch Juden stellten sich auf die Auslegungsmethoden ihrer Kontrahenten ein und unterlagen damit zwangsläufig christlichem Einfluß[67]. In einem Jahrhundert erhöhter Aktivität
auf allen Gebieten des Lernens blühten gegenseitiger Gedankenaus-
tausch und Belehrung, und nicht jede Begegnung mußte notgedrungen
zu einem Streitgespräch werden. Sicher verdankte auch Petrus Venerabilis seine Kenntnisse rabbinischer Bibelauslegung wie mancher Talmudtexte eher freundlichen Begegnungen mit Juden. Es zeichnete sich
eine neue Art der Judaisierung ab, nicht wie im Antiochia des Chrysostomos, und im Lyon des Agobard bei den breiten Schichten der städtischen Bürger, sondern bei den geschlossenen Kreisen einiger Gelehrter.
Für Petrus Zorn auf die Juden seiner Tage, wie er in seinem Brief an
Ludwig VII. zum Ausdruck kommt, habe ich versucht, eine mögliche
Motivation aufzudecken[68], und vielleicht läßt sich in dieser Aufzeich-

---

II: „Insuper laicis prohibeatur sub poena excommunicationis ne praesumant disputare
cum Judaeis de fidei Christianae articulis."
66. „Ideo modo inscribendo tenemus, quo novimus eos velle contendere, ne possint ca-
lumniari se magis sophisticis disputationibus quam veritate vel ratione superari", op. cit.
S. 1567.
67. In dem späteren Buch der Frommen (sefer chassidim) können wir aus einer Warnung
ableiten, daß christliche Interpretationsmethoden (ad allegoriam, ad anagogam) auch bei
Juden verbreitet waren: „der Mensch soll die Torah lernen zur Gottesfurcht ... (nur) damit soll sich jeder Mensch beschäftigen und nicht mit den anderen Weisheiten, wie mit
der Dialektik der Nichtjuden (gojim), nur mit der Lehre und der Gottesfurcht soll er sich
beschäftigen. Und wenn man ihm ein Rätsel aufgibt, damit er seine Weisheit unter Beweis
stellt, dann soll er sich nicht eine Minute damit aufhalten lassen ... auf daß die Nichtjuden
seine Weisheit erkennen." Buch der Frommen, op. cit., S. 191, Nr. 752.
68. S. S. 178.

nung eines Gesamtbildes der Schlüssel für seine Einstellung zum Judentum finden. Die dargelegten Verhältnisse verleiteten ihn, von Angriffen auf rabbinische Bibelinterpretation auf den Talmud auszuweichen. Dieser war auch den Gebildeten unter den Christen noch verschlossen und konnte somit zu einer wahren Fundgrube von Behauptungen, Anklagen und Beschuldigungen gegen das Judentum werden.

Die Form der Judaisierung, gegen die Petrus Venerabilis sich — wie ich annehmen möchte — zu wehren versuchte, gilt es jetzt darzulegen und zu untersuchen. Es stellt sich hierbei die Frage, ob es sich bei den Lehr- und Lernmethoden einiger Gelehrtenkreise dieser Epoche um bewußte Annahme jüdischer Auslegungsmethoden, die zum rabbinischen Schriftverständnis führten, gehandelt hat, oder ob vorerst ganz andere Intentionen imSpiel gewesen waren, so daß die Anlehnung an jüdische Interpretationsmethoden nur als Sekundärerscheinung und nicht als eigentlicher Zweck zu betrachten wäre.

IX. Hugo von St. Victor: Wandlung in der christlichen Einstellung zur „littera occidens" der jüdischen Exegese?

1. Der „sensus ad litteram" in der Schriftauslegung vor Hugo

Ein Zentrum für Lernen und Studium war schon zu Beginn des 12. Jahrhunderts das Chorherrenstift von St. Victor in Paris, sein bedeutendster Gelehrter, Hugo[1]. Es ist nicht meine Absicht, eine detaillierte Darstellung seines philosophischen Denkens, seines Geschichtsbildes und seiner wissenschaftlichen Theorien zu geben[2]. Ich will mich auf ganz bestimmte Aspekte beschränken: auf Hugos Exegese-Kategorien im allgemeinen und auf seine Einstellung zum „einfachen Schriftsinn" — ad litteram bei den Christen — pešuto šel miqra bei den Juden — im besonderen, und auf die möglichen Einstellungen zu Juden und Judentum, die sich aus seinem Schriftverständnis herauslesen lassen.

Die Auffindung des „einfachen Schriftsinns", „ad litteram" oder auch „ad historicam" wurde von Anbeginn des Bibelstudiums als eine von drei oder vier Auslegungsmethoden oder textimmanenten Bedeutungen der Heiligen Schrift als unentbehrlich für das Bibelverständnis vorausgesetzt. Die Notwendigkeit, erst einmal zu erfassen, was der Text litteraliter mitzuteilen hat, wurde erstmalig von Origines formuliert: „primo intelligamus ea quae secundum litteram referuntur, et ita, praestante

---

1. Hugo von St. Victor, genaues Geburtsdatum unbekannt, man nimmt an zwischen den Jahren 1097 und 1101. Als Herkunftsort kommen Flandern und Sachsen in Frage, doch ist die „sächsische These" haltbarer. Im Jahre 1108 trat er in das Chorherrenstift St. Victor bei Paris ein und stand vom Jahre 1125 bis zu seinem Tode der dortigen Schule vor.
2. Seine Hauptschriften: In die Zeit vor 1125 fallen wahrscheinlich seine „Notulae" zum Pentateuch und zu einem Teil der historischen Bücher der Hebräischen Bibel, sowie der Didascalicon, die sogenannten propaedeutischen Schriften und der Kommentar zum Areopagiten (in Hierarchiam caelestem). Den späteren Jahren, 1125—1130/31, sind die Schriften „de tribus diebus, de arca noe morali, de arca noe mystica, de scripturis et scriptoribus sacris, de sacramentis legis naturalis et scriptae dialogus" u.a. zuzuschreiben. Das Hauptwerk, „de sacramentis" folgte in den darauffolgenden Jahre.
Über Hugos Lehre und Werk: M. Grabmann, Die Geschichte der scholastischen Methode, Bd. II, Freiburg 1911, S. 299—322. G. Paré, A. Brunet, P.Tremblay: La renaissance du XII siècle, Paris/Ottawa 1933, S. 214ff. J. de Ghellinck, Le Mouvement Théologique de XII siècle, Brüssel/Paris 1948, S. 180; R. Baron, Science et sagesse chez Hugo de St. Victor, Paris 1957. W.A. Schneider, Geschichte und Geschichtsphilosophie bei Hugo von St. Victor, Münster 1933.

Domino, ab intellectu litterae ascendemus ad intelligentiam spiritualem"[3].

Origines verglich die Schrift mit einem Gebäude, dessen „fundamentum" die „historia" oder die „littera" ist, „quoddam in inferioribus posita est". Auf diesem erhebt sich die Mystica „superior et excelsior". Als drittes Element wird, wenn es möglich ist, der moralische Schriftsinn hinzugefügt[4]. Das Bild von der Schrift als von einem kunstvollen Bauwerk ist von vielen Bibelgelehrten der späteren Jahrhunderte immer wieder übernommen und wortreich dargelegt worden[5]. Wie die menschliche Natur enthält auch die Schrift: corpus, anima et spiritus[6], von diesen drei Elementen ist das erste absolut notwendig, und Origines versäumt nicht, dies öfter zu betonen[7], doch liegt seine Bedeutung darin, daß es zu den beiden letzteren führt[8]. Die Schrift kann nämlich zuweilen auf den litteralen Schriftsinn verzichten, doch enthält sie immer eine spirituale Bedeutung[9].

Der Buchstabe, littera, ist nicht gemäß seiner eigentlichen sprachlichen Bedeutung zu begreifen, er ist „historia", das, was sich als „primus intellectus"[10], als Abfolge der äußeren Ereignisse, als „res gestae" dem Lernenden darbietet[11]. Immer wieder, von Origines, Augustin, Hierony-

---

3. In Num. hom 5, 1 PG 12, col. 602 B.
4. Prima (expositio) quae praecessit, historica est, veluti fundamentum quoddam in inferioribus posita. Secunda haec mystica superior et excelsior fuit. Tertiam si possumus moralem tentimus adjicere (In Genes. hom. 2, PG 12, col. 173 A).
5. S. S. 197 besonders ausführlich bei Hugo v. St. Victor.
6. „Sicut ergo homo constare dicitur ex corpore et anima et spiritu, ita etiam sancta scriptura quae ad hominem salutem divina largitione concessa est", in princ. lib. IV, cap. IV, PG 11 col. 368 A.
7. „Possunt haec necessaria videri et utilia etiam secundum litteram" in Num. hom. 28, 1 PG 12, col. 801. „Etiam secundum litteralem sensum haec historia magnas habet utilitates", in Num. hom 22, 4, col. 578 C. „Quanta igitur sit utilitas in hoc primo quem diximus historiali intellectu", de princ. lib. IV, 12, col. 367 A.
8. "Tripliciter ergo describere oportet in anima sua unumquemque divinarum intelligentiam litterarum. Id est ut simpliciores quique aedificentur ab ipso, ut ita dixerim, corpore Scripturarum, si enim appellamus communem istum et historialem intellectum, si qui vero aliquantum jam proficere coeperunt et possunt, amplius aliquid intueri, ab ipsa Scripturae anima aedificentur...," de princ. lib. IV, cap. IV, 11 PG 11, col. 364 B.
9. „Illud sane non ignorandum esse quaedam in Scripturis in quibus hoc quod diximus corpus id est consequentia historialis intelligentiae non semper invenitur, sicut in consequentibus demonstrabimus. Et est ubi ea quam diximus anima vel spiritus solummodo intelligenda sunt", in princ. ibid. col. 366 B.
10. Orig. in Gen., hom. 2, 6, de princ. I, IV C II, n. 6, cit. von H. de Lubac, L'exégèse Médiévale, Paris 1959, 2 Bd., I S. 425, n. 2.
11. Erstmalig formuliert von Gellius, Noct. Att. V, 18, indem er zwischen Annalen und Historie unterscheidet: „Historiam ab annalibus quidam differe eo putant quod cum utrumque sit rerum gestarum narratio earum tamen proprie rerum sit historia quibus rebus gerendis interfuerit is qui narret, quod ἱστορία Graece significet rerum cognitionem praesentium."

mus, über Gregor, Beda bis zu Hrabanus Maurus, wird die „veritas historiae" als unabdingbare Grundlage des Bibelstudiums verkündet, auch wenn die Auslegungsmethode mancher Autoren wenig einer solchen Proklamation entspricht.
„Servata dum taxat primitus historiae veritate"[12], hören wir Augustin. Man soll das Fundament der res gestae nicht erschüttern, da man sonst in der Luft bauen würde. Erst wenn sich der Text, die narratio, dem Verstand eingeprägt hat, ist der Zeitpunkt gekommen, die Allegorie aufzufinden: „prius in fundamento posita rerum gestarum firmitate, significantiam debemus inquirere, ne subtracto fundamento, in aere aedificare videamur"[13]. „Non ad litteram esse accipienda quaedam quae scripta sunt, sed figurate intelligenda"[14], sagt gleich Origenes auch Augustin.
Josefs Traum ist nur verständlich, wenn man ihn auf Christus deutet. Seine Mutter war bereits tot und konnte sich nicht vor ihm verbeugen, noch tat dies später sein Vater[15]. Nicht um seinen Schwiegervater zu überlisten, richtete Jacob Stäbe aus verschiedenen Holzarten auf, dies würde keinen Sinn ergeben, die Erzählung kann demnach nur eine Prophezeiung auf das Kommen Christi enthalten[16].
Doch enthalten die meisten biblischen Erzählungen sowohl einen einfachen als auch einen tieferen Sinn. Es gilt die Narratio als solche zu verstehen und sie als Voraussage auf künftiges Geschehen zu begreifen[17].
Es ist gewissermaßen verlockend, den Wert, den ein christlicher Bibelexeget dem sensus historicus verleiht, im Kontext mit Begegnungen und Auseinandersetzungen mit Juden oder Häretikern zu sehen. Origines hatte häufigen Umgang mit Juden[18], beriet sich mit ihnen und ließ sich

---

Übernommen von Isidor v. Sevilla „... apud veteres enim nemo conscribebat historiam, nisi is qui interfuisset et in quae conscribenda essent vidisset", Ethym., lib. I, XLI,Edit. W.M. Lindsay, Oxf. 1911.
12. De civ. Dei, cap. XVII, 4 CCL XLVIII, S. 554, PL 41, col. 526.
13. Serm. VII, PL 38, col. 67, CCL XLI, S. 80.
Ähnlich Serm. II, cap. 7, PL 38, col. 30, CCL XLI, 14.
14. De utilit. Cred. cap. III, 5, zit. v. Lubac, op. cit. I, S. 242, n. 4.
15. Quaest. in Gen. (zu Gen. XXXVII, 10) CCL XXXIII, S. 48, PL 34 col. 582: „in Christi ergo persona facile intelligi potest, etiam de mortuis secundum illud quod dicit Apostolus, quia ,donavit ei nomen quod est super omne nomen, ut in nomine Jesu omne genu flectatur, caelestium terrestrium et infernorum'" (Phil. II, 10).
16. Quaest. in Gen. CCL, ibid. S. 65, PL ibid. col. 594.
17. So hören wir ihn zu Gen. XXV, 23 (duae gentes in utero tuo sunt et duo populi de ventre tuo seperabantur, et populus populum superabit et major serviet minori): „... in Esau figuratus sit major populus Dei hoc est Israeliticus secundum carnem, per Jacob autem figuratus sit ipse secundum spiritalem progeniem." Erst nach dieser allegorischen Auslegung erfahren wir den sensus ad litteram: „sed etiam historica proprietate hoc responsum invenitur esse completum...", daraus folgt, daß es sich hier um eine Voraussage auf den Sieg Davids über die Edomiter, die Nachkommen Esaus handelt, PL 34, col. 567, CCL, XXXIII, S. 28.
18. S. M.G. Bardy, Les Traditions Juives dans l'œvre d'Origene, in Revue Biblique 34, 1925, S. 215—252.

von ihnen über die nichtbiblische jüdische Literatur belehren. Bereits er, wie später Augustin und Hieronymus, erwähnt die „fabulae inutiles" der Juden, aus denen er gelernt hätte, daß sie einer primitiven Gottesvorstellung, eines Gottes mit menschlichen Gliedern, anhängen[19]. Augustin hatte mit seinen bibelexegetischen Schriften als vornehmliches Ziel im Auge, die Argumentation der Manichäer zu entkräften[20], während Hieronymus in seinen exegetischen Schriften mehr als mancher andere in scharfer polemischer Form gegen Juden und Judaisanten — unter letzteren versteht er diejenigen, die sich das litterale Schriftverständnis der Juden zu eigen gemacht hatten — vorgeht. Vielleicht liegt hier ein Grund, daß Augustin, weil er sich weniger gegen die Juden als gegen die Häretiker wandte, seiner Ankündigung, die „historia" zu erforschen, in stärkerem Maße treu geblieben ist, als Hieronymus, der Autor der „Veritas Hebraica", der zwar niemals versäumte, die Notwendigkeit der „historia" zu betonen[21], doch sich oft über sie hinwegsetzte, da es ihm darauf ankam, den verstockten und verblendeten Juden, die allein den „tötenden Buchstaben" begreifen, den spiritualen Sinn entgegenzuhalten[22].

Sein enger persönlicher Umgang mit Juden, denen er nicht nur seine Kenntnisse des Hebräischen, sondern vor allem der rabbinischen Überlieferungen verdankte, von denen zahlreiche in seine Kommentare eingeflossen sind[23], ließ ihn die Gefahr jüdischen Einflusses erkennen. So-

19. In Levit. hom. III, 3, PG 12, 427 C, hom. V, ibid. 477 B. In Gen. hom. III, 175 AB: „Judaei quidem... Deum quasi hominem intelligendum putaverunt, id est humanis membris habituque distinctum..."
Einer der Gesprächspartner des Origines scheint ein konvertierter Juden gewesen zu sein, da er — wie er berichtet — von diesem gehört hätte, daß die Engel der Jesaja-Vision (Jes. VI) „de unigenito filio Dei et Spiritu Sancto essent itelligenda" (de princ. I, cap. III, 148, ebenso ibid.col. 400), wahrscheinlich meint er denselben, wenn er sagt: „ex scripturae verbis intellige, quae ego a Magistro quodam ex Hebraeis crediderat exposita didice...", PG 12, 672. Über den von Origenes erwähnten Jullus, s. Grätz „Hillel, der Patriarchensohn" in MGWJ XXX, 1881, S. 422ff, dort auch Quellenhinweise, der ihn mit dem Sohn des Patriarchen Gamliels III., Hillel (nicht Jullus), identifiziert. Hieronymus nennt diesen Huillus (Adv. Rufin. zit. v. Grätz, ibid. S. 434). Da Origines offen über diejenigen berichtet, die die hebräische Sprache beherrschen, nimmt man an, daß er selber nur über die elementarsten Kenntnisse verfügte. Ausführlich hierüber Bardy, op. cit. S. 225.
20. S. Sermo I, PL 38, col. 23 A, CCL XLI, S. 3, De Gen. contr. Manich. I PL 34, col. 173; hierüber auch Lubac, op. cit. I, S. 178; Augustin hatte die vier Textkategorien, in die sich die Schrift aufteilt (weniger Exegese-Kategorien, wie es die mittelalterlichen Autoren verstanden hätten): Historia, Aetiologia, Analogia, Allegoria als methodisches Mittel postuliert, um der manichäischen Argumentation zu begegnen.
21. PL 24, col. 129 A, 250 A, 250 B, 181 B, Epist. 73, 9 in Psalm LXVII etc.
22. Verherrlichung der Allegorie und der Tropologie: Epist. CXX, 12. in Ezech. 30, 31, PL 23, 1005; in Amos IV, PL 25, 1027 etc.; Hinweise bei Paré, Brunet-Tremblay, op. cit. S. 221, n. 1; Lubac, op. cit. I, 425ff, 492ff.
23. M. Rahmer, Die hebräischen Traditionen in den Werken des Hieronymus, MGWJ, 42, 1898, S. 97—107, 537—550.

wohl Juden als auch Judaisanten sind seine Kontrahenten. Diese wie jene gehen nicht über das Verständnis der Historia des Textes hinaus, begreifen nicht den eigentlichen Sinn der Schrift[24]. Offen wendet er sich
gegen „Judaei et Judaizantes" und prangert ihre sehr irdischen messiani-
schen Vorstellungen an[25]. Er bittet seine Leser „ne judaica deliramenta
sectari"[26], und bedauert tief die judaisierenden Tendenzen des ungebil-
deten Volkes[27].

Selbst seine „Quaestiones ad genesim", die sich vor allem mit den Fragen der Linguistik, die sich aus den Übersetzungsschwierigkeiten ergeben, befassen, und daher den litteralen Schriftsinn in den Vordergrund
stellen, sind nicht frei von allegorisierenden Interpretationen. Melkise-
deq ist die „praefiguratio Christi"[28], seine Gaben an Abraham — Brot
und Wein — Sinnbild für die Eucharistie. Der Segensspruch Jacob für
Juda ist in allen Einzelheiten eine Prophezeiung auf die Person und das
Leben Christi; ebenso erfahren die Segenssprüche für Levi, Simeon und
Dan eine christologische Auslegung[29].

Da Hieronymus im Mittelalter für die Bibelauslegung gleicherweise „ad
litteram" — immer wieder berief man sich auf die „veritas hebraica" —
wie auch „ad Allegoriam" richtunggebend wurde[30], ist es in Hinblick
auf manche christliche Autoren des 12. Jahrhunderts nicht unwichtig,
auf die zuweilen mangelnde Konsequenz des Hieronymus in der Verfolgung und Anwendung des „sensus historicus" hinzuweisen.

Gregor der Große verfolgte mit seinen bibelexegetischen Schriften ein
ganz bestimmtes Ziel. Seine „moralia in Job" und seine Homiliae dienten zur geistlichen Erbauung und zur moralischen Stütze für die Mönche und den Klerus Roms in einer Zeit schwerster politischer Not[31]. Allegorie und Anagogie werden zum Instrument der Erfüllung dieser Aufgabe; eine Exegese „ad litteram", obwohl auch bei ihm

L. Ginsburg, Die Haggadah bei den Kirchenvätern und in der apokryphen Literatur,
MGWJ, 43, 1899, S. 17—22, 61—75.

24. In Ezech. PL 25, 480 D: „... habentibus Judaeis legis litteram et nobis spiritum, illisque
tenentibus membranas et nobis eum qui scriptus est in membranis." „Dicamus Judaeis et
nostris judaeizantibus, qui simplicem tantum et occidentem sequuntur historiam...", in
Jer. (Cap. XIII, 16/17), PL 24, 766 D.

25. „Est Judaeorum vere de resurrectione talis opinio, quod resurgunt quidem, sed ut car-
nalibus deliciis et luxuriis caeterisque voluptatibus corporis perfruantur...", in Is. 36, PL
24, col. 378. Weitere Hinweise bei Simon op. cit. S. 381.

26. In Is. 49, 14, ibid. col. 488.

27. „Videntur igitur observatione judaicae apud imperitos et vilem plebeculam imaginem
habere rationis humanaeque sapientiae", Epist. 121 ad Algas.

28. Quaest. in Gen. (zu Gen. XV), CCL LXXII, S. 19.

29. Quaest. ad Gen. (zu Gen. XL) CCL LXXII, S. 53/54.

30. Über die Abhängigkeit mittelalterlicher Autoren von Hieronymus, s. Smalley op. cit.
S. 21ff.

31. Er spricht selber über die Spontaneität seiner Reden, die kaum einen Anspruch auf
methodisches Bibelstudium erheben können. Hom. in Ezech. II, 3, PL 76.

„fundamentum", auf dem das eigentliche Gebäude errichtet werden soll, bleibt bei einem derartigen Anliegen im Hintergrund[32].

Nichtsdestoweniger betont auch er häufig die Notwendigkeit einer Auslegung „ad litteram", doch nur „ut, aspirante Domino, interior intellectus aperiat"[33], und bemühte sich mit seiner Behauptung „prius servanda est veritas historiae"[34] der patristischen Tradition treuzubleiben, obwohl er diesem Prinzip in geringerem Maße als seine Vorgänger gerecht geworden ist. Doch der Leser soll wissen, daß es gilt, die Historia aufzufinden, denn ohne diese wird das Licht der Wahrheit verdunkelt[35]. Allerdings ist sie wesenlos, kalt; erst durch das Feuer des mystischen Sinns, das aus den Worten der Schrift herauszuschlagen ist, kann die Seele „spiritaliter" entbrennen[36]. Derjenige, der sich mit dem Buchstaben der Schrift begnügt, verfällt in Irrtum[37], doch liegt eben darin seine Bedeutung, da man nur durch ihn hindurch zur Allegorie gelangen kann[38]. Es ist die Sitte der Juden, den wertlosen Buchstabensinn zu verfolgen[39], der niemals einen Anspruch auf Beachtung erheben könnte, „si in hujus vilitatis arcano magna quaedam et pretiosa valde mysteria non signaret"[40].

Beda Venerabilis und nach ihm Hrabanus Maurus berufen sich auf Augustin, indem sie die von ihm aufgefundenen Textkategorien als Interpretationsmethoden verstanden[41]. Doch geht Beda mit der Anwendung des litteralen Schriftsinns noch sparsamer um als Gregor, und es ist si-

---

32. „Sciendum vero est, quod quaedam historica expositione transcurrimus et per allegoriam quaedam typica investigatione perscrutamur ... nam primum quidem fundamenta historiae ponimus deinde per significationem typicum in arcem fidei fabricam mentis erigimus..." Epist. Miss. Cap. III, PL 75, col. 513 C. Die significatio typica enthält allegorie und anagogie, d.h. figuratio der Vergangenheit und der Zukunft der ecclesia wie auch die Eschatologie (s. Smalley op. cit. S. 33/34).
33. In Ezech. Hom. X, lib. II, PL 76, col. 1058 D.
34. „... et postmodum requirenda spiritalis intelligentia allegoriae. Tunc namque allegoriae fructus suaviter carpitur, cum prius per historiam in veritatis radice solidatur"; Hom. in Evang. Lib. II, col. 1302 A.
35. „Aliquando autem qui verba accipere historiae juxta litteram negligit, oblatum sibi veritatis lumen abscondit", Epist. Miss. Cap. III, PL 75, col. 514 D.
36. „Sic et enim sic verba sunt sacri eloquii, quae quidem per narrationem litterae frigida tenentur. Sed in quis haec ... intento intellectur pulsaverit de mysticis ejus sensibus ignem producit, ut in eis verbis post animus spiritaliter ardeat, quae prius per litteram ipse quoque frigidus audiebat", PL 76, col. 1058 BC, Hom. X, in Ezech. lib. II.
37, „Valde namque in errorem labitur qui beati Job verba ad solam prolata historiam suspicatur", PL 75, col. 772 A.
38. Mor. lib. II, in Job XXII, PL 75, col. 554 C.
39. „Haec profecto si more judaico secundum litterae vilitatem pensantur, non solum despicienda sunt sed nec auditu digna", in Reg. I, 3 c. IV, PL 79, col. 184 B.
40. PL 79, col. 184 C.
41. „In libris omnibus sanctis intueri oportet quae ibi aeterna intimentur, quae facta narrentur, quae futura praenuntientur, quae agenda praecipiantur vel moneantur", Augustin, PL 34, 247 A; Beda, PL 91, 410 B; Hrab. Maur. PL 108, 147.

cher kein Zufall, wenn seine Auslegungen von Bonifatius als äußerst geeignet für seine Missionspredigten erachtet wurden[42].

Beda versäumt es nicht, auf die „historia" eines Textes hinzuweisen,
und häufig findet der Leser bei ihm die Bemerkung „patet litterae sensus", „patet juxta litteram" oder „constat juxta litteram"[43], doch verweilte er nicht lange auf der „res secundum litteram" und fertigte sie
mit äußerster Eile ab, um zu dem allegorischen oder mystischen Sinn
emporzusteigen, den nur einige wenige in der Lage sind, wirklich zu begreifen; „multi passim scriptura verba legimus, sed quam celsa in Christi
mysteriis splendeat, perpauce perfectiones intelligunt", verkündet er[44].
Daher sollte man den „superficiam litteram" wenig beachten und sich
bemühen, den „sensum purissimum" aufzufinden, „et sub carnalium fi-
guris caeremoniarum spiritualia latuisse mysteria"[45]. Wie für Gregor bedeutet auch für ihn der litterale Schriftsinn „more judaico", bei dessen
Beachtung man weder etwas zur Verbesserung seiner Sündhaftigkeit
beitragen, noch etwas zur Tröstung oder zur Belehrung erfahren würde.
Denn, was würden vor allem wir Männer der Kirche, fragt Beda seinen
Leser, die im Zölibat leben, von der Erzählung über Elkana und seine
zwei Frauen lernen, wenn wir nicht imstände wären, den allegorischen
Sinn aus Schriftstellen gleich dieser herauszufinden[46]? Geradezu in poe-
tischer Form preist er die Allegorie, zu der man emporsteigen sollte, um
ihre duftenden Früchte zu pflücken[47].
Beda konnte sich an litteralen Auslegungen erfreuen, vor allem, wenn es
darum ging, Worte oder ungebräuchliche Redewendungen zu erklären[48],

42. Smalley, op. cit. S. 36, basiert auf MGH, EP III, 398.
43. PL 91, 844/845 / PL 91, 952 D, 963 B / PL 91, 983 D.
44. „Historia namque est, cum res aliqua quomodo secundum litteram facta sive dicta sit,
plano sermone refertur", PL 91, col. 410 BC.
45. PL 91, col. 1011 D.
46. „Nam si vetera tantummodo de thesauro Scripturarum proferre, hoc est, solas litterae
figuras sequi Judaico more curamus, quid inter quotidiana peccata correptionis ... saeculi
consolationes, inter ... errores spirituales doctrinae legentes vel audientes aquirimus, dum
aperto libro ... beati Samuelis, Elcanam virum unum duas uxores habuisse reperimus. Nos
maxime quibus ecclesiasticae vitae consuetudine longe fieri ab uxoris complexu, et coeli-
bes manere propositum est. Si non etiam de his et hujusmodi dictis allegoricum noveri-
mus exsculpere sensum, qui nos vivaciter interius castigando, erudiendo, consolando refi-
cit?" Samuel. Prophetae Allegorica Expositio, Prol. PL 91, col. 499 C, 500 A.
47. „Ad carpenda allegoriae spiritualis odorifera poma scandamus", in Sam. lib. III, PL
91, col. 624 B.
48. Jes. V, 7: „expectavi et faceret judicium et ecce iniquitas et justitiam et ecce clamor", von dem Propheten, so Beda, „elegantissime" formuliert: „hebraice enim ‚judicium', lemiŝ(p)at dicitur, mispah — iniquitas, sedaqa — justitia, zeaqah — clamor apella-
tor" und fügt hinzu, indem er sich über das Wortspiel, das nur im hebräischen Text zum
Ausdruck kommt, freut: „pulchre itaque una vel addita vel mutata littera, sic verbarum
similitudinem temperavit, ut pro dicitione diceret ‚mispah', et pro le zedeqah poneret sea-
qah". Doch basiert diese Veritas Hebraica auf Hieronymus, s. PL 24, 79 C (Beda, de
schematis et tropis, PL 90, 178 B).

doch kannte auch er nur die „veritas hebraica" des Hieronymus[49].
Die Bedeutung des Hrabanus Maurus liegt bei weitem weniger in seiner
Originalität als in seiner compilatorischen Tätigkeit. Hierin sah er selber seine Hauptaufgabe. „Er hätte es als einen Vorwurf empfunden, hätte man ihm gesagt, etwas Neues schreiben zu wollen"[50], und obwohl er
unter den Autoren, denen er seine Kommentare verdankte[51] auch den
„hebraeus modernis temporibus" erwähnt, beeilt er sich zu betonen,
daß er diesem keinerlei Autorität beimessen würde, er wolle es seinem
Leser überlassen, sich ein Urteil darüber zu bilden[52]. Auch er läßt es
nicht an Beteuerungen fehlen, wie wichtig ihm die Bedeutung der „littera" für das Textverständnis ist. „Primum exponamus historiam"[53], oder
„historiae indagare possit veritatem"[54], und „habet litteram non parve
instructionem"[55], hören wir ihn. Doch bildet sie auch für ihn nur die
unumgängliche Notwendigkeit, um zum eigentlichen Schriftsinn zu

---

49. E.F. Sutcliffe, The Venerable Bedes Knowledge of Hebrew, Biblica, 16, 1935, weist
Hieronymus als Quelle von Bedas Sprachkenntnissen nach, ebenso C. Jenkins, Bede as
Exegete and Theologian, in „Bede, his Lifetimes and Writings" (Essays in Commemoration of the 12th Centenary of his Death), Oxford 1969, S. 163.
50. A. Hauck, Kirchengeschichte, Bd. II, Leipzig 1912, S. 652.
51. Seine Quellen: Cyprian, Hieronymus, Augustin, Ambrosius, Cassiodor, Gregor, Isidor von Sevilla; häufig zitiert er Beda, und zu den Königsbüchern Flavius Josephus. Über
Hrabanus' Quellen, s. J.B. Hablitzel, Hrabanus Maurus, in Bibl. Studien, XI, Heft 3, Freiburg 1906.
52. „Praeterea Hebrei cuiusdam modernis temporibus in legis scientia capitulis traditio-
nem Hebraeorum habere non paucis locis simul cum nota nominis eius inserui, non quasi
ingerens alicui auctoritatem ipsius sed simpliciter potius quod scriptum reperi, eius proba-
tionem lectoris judicio derelinquo", PL 109, col. 10, in Paralip. prol. 109, col. 18 AB, in
Gen. 4,9 PL 107, col. 646.
Es war nicht möglich, diesen „hebraeus" zu identifizieren. Da viele der Kommentare, die
Hraban diesem zuschreibt, sich bereits in den „Quaestiones hebraicae in libros Regum et
paralipomenem", PL 23, 1329ff (s. S. 71) auffinden lassen, könnte man zu der Auffassung
gelangen, daß der Autor der Quaestiones dieser Judaeus gewesen war (so Hablitzel, op.
cit. S. 8ff). Hingegen nimmt Smalley (op. cit. S. 43) an (in Übereinstimmung mit Berger,
Quam notitiam, S. 1—4), daß der Autor der Quaestiones ein Christ gewesen sei, der
sich mit Juden beraten hätte. Blumenkranz, Auteurs, S. 174, n. 1, gibt eine Aufstellung
derjenigen jüdischen Kommentare des Hraban, die sich nicht in den „Quaestiones" auffinden lassen.
Hebräische Gesprächspartner christlicher Bibelgelehrter blieben meist anonym, und es
wäre demnach durchaus möglich, daß Hraban außer dem Autor der „Quaestiones" noch
ein jüdischer Gesprächspartner zur Verfügung gestanden hatte. Dagegen würde die Tatsache sprechen, daß in der ersten Hälfte des 9. Jahrhunderts von Niederlassungen gelehrter
Juden in Deutschland noch nichts bekannt ist, die Familie Kalonymus ließ sich erst Ende
des 9. Jh. in Mainz nieder. Aber auch Agobard und Amulo bezogen zu derselben Zeit viele ihrer rabbinischen Kenntnisse aus Gesprächen mit Juden, die als Gelehrte nicht in die
Geschichte eingegangen sind.
53. PL 110 in Ezech. col. 648 A.
54. Exposit. in libr. Judith, CIX,col. 543 C.
55. Exposit. in Levit. lib. VII, col. 533 B. PL 108.

gelangen[56], denn: „allegoriae in universam Sacram scripturam", betont er[57]. Aus dem vierfachen Schriftsinn errichtet er ein kunstvolles Gebäude und aus seiner Schilderung wird klar, welchen Wert er dem „sensus ad historiam" beimißt: „in nostrae ergo animae domo historia fundamentum ponit, allegoria parietes erigit, anagogia tectum supponit, tropologia vero tam interius per affectum quam exterius per effectum boni operis,variis ornatibus depingit"[58].

„Ad historiam" kann bei ihm eine grammatikalische, eine Worterklärung oder eine historische Bedeutung im wörtlichen Sinne haben: zu den Königsbüchern zitiert er häufig Flavius Josefus und zu dem Buch Judith schreibt er eine historische Einleitung, allerdings um dann dem ganzen Buch eine ausführliche allegorische Bedeutung zu geben[59]. Ebenso enthalten nach seiner Meinung viele biblische Berichte, wie auch Gesetze, nur einen „sensus ad allegoriam". Es kann nicht der Sinn des Bibelstudiums sein, behauptet er, Gesetze, wie solche über den Aussatz, litteraliter erklären zu wollen, sie können nur einen spirituellen Sinn enthalten[60]. Die Allegoria ist „altius, apertius"[61]. Man muß sich bemühen, von der historia zur allegoria, wie von der Finsternis zur Wahrheit zu gelangen[62].

Es ist mir im Rahmen dieser Arbeit möglich, nur eine begrenzte Auswahl unter den Autoren zu treffen, deren Einstellung zum litteralen Schriftsinn ich kurz darzulegen versuchte, doch können diese wenigen als repräsentativ für alle christlichen Bibelgelehrten des Mittelalters bis zum 12. Jahrhundert gelten. Kein Autor hat sich wesentlich anders geäußert als diese. „Littera" und „Historia" waren unumgänglich, allerdings als Stufe innerhalb des Gebäudes der Schriftbedeutungen, die es wohl zu betreten, doch so schnell wie möglich zu übersteigen galt.

Hieronymus spricht von Judaisanten und meint mit diesen nicht Christen, die mit Juden speisen, den Sabbath feiern oder Synagogen besu-

56. Super Deutor. PL 108, col. 948 D (zu Deut. cap. XXVIII, über die Aufstellung der Stämme am Berge Gerisim und am Berge Eval): „et haec quidem veteris historiae referunt gesta. Sed inspiciendum quid in narratione mysticae intelligentiae referatur." — Und an anderer Stelle: „sed prius historiae fundamenta ponenda sunt, ut aptius allegoriae culmen priori structurae superponatur", Gen. Komment. PL 107, 655 A (entlehnt von Hieronymus, PL 23, col. 1038).

57. PL 112, col. 849.

58. PL 112, col. 849 C.

59. PL 109, col. 649. Die Erzählung von David und Abigail (I. Sam. XXV) kann nur eine allegorische Bedeutung haben: „Historia quae de Nabal et Abigail uxore ejus narrat,mysticum intellectum quaerit" (Comment. in libro IV Reg. PL 109, col. 64).

60. Exposit. in Levit. PL 108, col. 388 C: „unde nos oportet ad solam intendere litteram, sed ad fructum spiritus, qui quaemadmodum sub folio ita sub littera legalis vineae custoditur."

61. Comment. in Exod. PL 108, col. 158 A.

62. „Ipsa enim verba sacri eloquii ab historia ad allegoriam et ab umbra ad veritatem transferentes", in Paralep. II, 2, PL 109, col. 457 C.

chen, sondern diejenigen, die die Bibel, wie später es auch Gregor und
Beda formulierten, „more judaico" auslegten. Sicher lag auch hierin ein
Grund, auf dieser Stufe nicht verharren zu wollen. Es kam hierauf nicht
an, nicht zuletzt darum, weil auf ihr das verwerfliche Schriftverständnis
der Juden beruhte. Jeder christlichen allegorischen Schriftauslegung ist
im gewissen Maße antijüdische Polemik immanent. Erst eine Auslegung
„ad allegoriam" ermöglicht die Legitimierung des Christentums durch
die Hebräische Bibel.

Es erhebt sich die Frage, ob nach der langen Unterbrechung von mehr
als zweihundert Jahren, mit einem Wiederaufleben des Lernens im 12.
Jahrhundert, sich etwas Entscheidendes in der Einstellung zum „sensus
historicus" und zu seiner Anwendung geändert hatte.

2. Hugo und der „sensus ad litteram"

Hugo von St. Victor spricht gleich Origines und Hieronymus[63] von
dem dreifachen Schriftsinn „de triplice intelligentia sacrae scripturae",
dieser unterteilt sich in historia, allegoria und tropologia: „primo omnium sciendum est, quod divina Scriptura triplicem habet modum intelli-
gendi id est historiam, allegoriam, tropologiam[64]." Er kennt außerdem
noch eine andere Unterteilung, nach welcher die Allegoria zwei Stufen
beinhaltet, nämlich Allegoria und Anagoga[65].
Doch ermöglicht nicht jeder Text der Heiligen Schrift die Auffindung
des dreifachen Schriftsinns. Einige Schriftstellen lassen sich nur „ad historiam", andere „ad allegoriam" oder „ad tropologiam" auslegen. Es
wäre daher müßig, in jedem Text der Bibel alle drei Auslegungsmöglichkeiten erforschen zu wollen: „sed singula in suis locis prout ratio postu-
lat, competenter assignare"[66].
Aber nicht wenige Stellen enthalten den dreifachen Sinn[67], bei denen es

---

63. Origin. in princ. IV, 2 PG 11, 364; Hier. PL 24: 27, 50, PL 25: 61, im Gegensatz zu Beda und zu Hraban, die sich auf Augustin berufen, s. S. 202. Hingegen stützen sich sowohl
Abälard (PL 178: 770/71, 791) als auch die Schüler von Hugo, Richard (PL 177: 205) und
Peter Comestor (PL 198: 1054) auf den dreifachen Schriftsinn.
64. Didascal. PL 176, col. 789 C; H. Buttimer (Butt), Hugonis de Sancto Victore Didascalicon de Studio Legendi, Washington 1939, S. 95.
Und an anderer Stelle: „de hac autem materia tractat divina scriptura secundum triplicem intelligentiam: hoc est historiam allegoriam tropologiam", De Sacramentis, PL 176,
col. 184 C.
65. „Dicitur allegoria quasi alieni loquium, quia aliud dicitur et aliud significatur, quae
subdividitur in simplicem allegoriam et anagogen."
De script. PL 175, col. 12 B.
66. Didascal. col. 790 B, Butt. 96.
67. „Saepe tamen in una eademque littera omnia reperiri possunt, sicut historiae veritas et
mysticum aliquid per allegoriam insinuet et quid agendum sit, pariter per tropologiam de-
monstret", ibid.

dann gerade die „Veritas historiae" ist, aus welcher sowohl die Allegoria als auch die Tropologia zu entnehmen ist. Es kommt aber auf die Weisheit des Lernenden an, die richtige Deutungsweise einer jeden Textstelle anzupassen. Hugo berücksichtigt bei seinen exegetischen Arbeiten durchaus diese Richtlinien. Die Klagelieder Jeremias legt er „secundum multiplicem sensum et primo litteralem" aus[68]. Jede Textstelle wird dreifach erklärt, wobei der sensus „ad historiam" nicht weniger als die beiden anderen berücksichtigt wird und zur Geltung kommt. Seine Notulae zum Pentateuch und zu einem Teil der historischen Bücher der Bibel, beinhalten nur eine Auslegung ad litteram in äußerst lapidarer Form[69], während er wiederum bei anderen Schriften fast ausschließlich entweder den allegorisch-mystischen oder den tropologischen Sinn berücksichtigt[70]. Als Beispiel für einen Text, der den dreifachen Schriftsinn enthält, in diesem Fall Historia, Allegoria und Anagoga, nennt Hugo das Buch Hiob. Der historische Sinn dieser Geschichte eines vormals reichen Mannes, der in tiefes Elend geriet, tritt klar zu Tage, „sensus historiae patet". Hiob bedeutet Christus, der von den Reichtümern der Herrlichkeit des Vaters hinuntergestiegen ist in das weltliche Elend. Das ist die „simplex allegoria, cum per visibile factum aliud invisibile factum significatur", Hiob bedeutet aber auch jeden gerechten Menschen oder jede büßenden Seele, das ist die „Anagoga", „cum per visibile invisibile factum declaratur"[71].

Den Begriff ‚historia' übernahm Hugo von Isidor von Sevilla: „Historia dicitur a verbo graeco, ἱστορέω, historeo, quod est video et narro"[72], doch soll man diesen Begriff nicht zu eng auffassen. Historia bedeutet nicht nur die Erzählung vergangener Ereignisse, historia bedeutet ebenfalls die Bedeutung eines Wortes, „der einfache Wortsinn": „Si tamen hujus vocabuli significatione largius utimur, nullum est inconveniens, ut scilicet historiam esse dicamus, non tantum rerum gestarum narrationem, sed illam primam significationem cujuslibet narrationis quae secundum proprietatem verborum exprimitur"[73].

68. PL 176, col. 255ff.
69. „Adnotationes Elucidatoriae in Pentateuchum" (PL 175, col. 29ff) in Librum Judicum (ibid. col. 87ff) in Libros Regum (ibid. col. 95ff).
70. Z.B. De Arche Noah Mystica PL 176, col. 682ff, „expositio Moralis in Abdiam", PL 175, col. 371ff.
71. De scripturis et scriptoribus sacris, PL 175, col. 12 BC. Trotz der Unterteilung von Allegoria und Anagoga besteht für Hugo auch hier nur ein dreifacher Schriftsinn. Anagoga steht für Tropologia.
72. De script. col. 12 A, Isidor v. Sevilla in Ethymol: „Historia est narratio rei gestae per quam ea quae praeterito facta sunt dignoscuntur. Dicta autem Graece historia ἀπὸ τοῦ ἱστορεῖν, id est, „videre vel cognoscere". Edit. Lindsay, lib. I, XLI, Oxf. 1911.
73. Didascal. col. 801 BC, Butt. 115. — Ebenso in De script. col. 12 A: „sed solet largius

Hugo weist seine Schüler an, als erstes die Historia zu studieren und sich die geschichtlichen Tatsachen ins Gedächtnis einzuprägen. Vier Dinge sind es, die bei diesem Studium zu beachten sind: „Was, wann, wo und durch wen" irgend etwas vollbracht wurde, gemäß den vier Themen, die erforscht werden müssen: persona — negotium — tempus et locus[74].

Eindringlich versucht er seinen Schülern darzulegen, daß diese elementaren Dinge nicht zu verachten sind. Denn wenn man das Alfabet nicht erlernt hat, kann man noch nicht einmal seinen Namen unter denjenigen finden, die Grammatik studieren. Hugo weiß, daß es Leute gibt, die ohne sich mit etwas anderem aufzuhalten, sogleich mit der Philosophie beginnen wollen und meinen, daß man die Geschichte den Pseudoaposteln überlassen sollte. Gegen diese wendet er sich mit aller Schärfe und Verachtung: „Die Weisheit dieser Leute gleicht derjenigen von Eseln, nimm dir nicht vor, derartiges nachzuahmen."[75]

Dieses gilt nicht nur für das Studium eines Textes „ad historiam" im Sinne „quod est video et narro", sondern auch für das Studium der Historia im Sinne der „significatione vocabuli". Die intelligentia mystica ist nur dann aufzufinden, wenn man zuvor bedacht hat, was der Buchstabe aussagt[76]. Hugo äußert Verwunderung, daß manche Doktoren sich um die Bedeutung der Sprache, des Wortes oder des Buchstabens nicht kümmern und sich sogleich um die Auffindung der Allegorie bemühen. Er kennt die Argumente seiner Kontrahenten genau: „Wir — sagen diese — lesen die Schrift und nicht den Buchstaben, wir kümmern uns nicht um den Buchstaben, wir lehren die Allegorie." Aber, antwortet Hugo, „wie könnt ihr die Schrift und nicht den Buchstaben lesen? Wenn ihr den Buchstaben aufhebt, was ist (dann noch) die Schrift?" „Wir lesen nicht den Buchstaben, sondern den Sinn des Buchstabens, wir legen den Buchstaben allegorisch aus", erwidern die Doktoren. „Was bedeutet denn das, den Buchstaben auslegen", fragt Hugo, „wenn man nicht (vorerst) auf seine Bedeutung hingewiesen hat?" „Der Buchstabe", behaupten die anderen, „hat zwei Bedeutungen, eine litterale und eine allegorische", und als Beispiel führen sie an: „Leo ... secundum historiam bestiam significat, secundum allegoriam Christum significat, ergo vox ista leo, Christum significat."[77]

accipi, ut dicatur historia sensus, qui primo loco ex significatione verborum habetur ad res."
74. Didascal., col. 799 C, Butt. 114.
75. „Quorum scientia formae asini similis est. Noli hujusmodi imitari", Didascal. PL 176, col. 799, Butt. 114.
76. De script. PL 175, col. 13 B.
77. De script., PL 175, col. 13 BD.
Übergeordnet dem dreifachen Schriftsinn unterscheidet Hugo zwischen „vox" und „res": per voces primorum rerum notitia acquiritur ... per significationem rerum earum-

Dies ist die Argumentation derjenigen, die mit der Allegorie Mißbrauch treiben und gegen die sich Hugo vor allem wendet. In ausführlicher und subtiler Weise legt er dar, daß es ja nicht das Wort Leo ist, das die Bedeutung Christus hat, es sind die besonderen Eigenschaften dieses Tieres, das nämlich mit offenen Augen schläft, die es erst ermöglichen, es als Symbol für Christus zu begreifen: „hoc enim est quod ... apertis oculis dormit, secundum quod aliqua similitudine illum figurat, qui in somno mortis susceptae dormivit humilitate, sed oculos habuit apertos vigilans divinitate". „Rühme Dich also nicht des Schriftverständnisses", wendet sich Hugo wieder an seinen Leser, „solange Du nicht dem Buchstaben Beachtung geschenkt hast: ‚litteram autem ignorare est ignorare quid littera significet, et quid significetur a littera'[78]".

Doch hat der Buchstabe auch seine Tücken, nicht immer ist er so einfach zu begreifen. Manchmal ist ein Wort überflüssig, nicht notwendig für eine bestimmte Mitteilung. Manche Verse ergeben erst dann einen sprachlichen Sinn, wenn die Wortfolge abgeändert wird: „nisi in aliam resolvatur"[79] und gemeint sind die der hebräischen Sprache eigentümlichen Nominalsätze, deren Satzbau bei einer wörtlichen Übersetzung ins Lateinische ungewohnt klingt: „Dominus in coelo sedes ejus" wird erst verständlich, wenn wir lesen „sedes Domini in coelo"[80], oder „filii hominum, dentes eorum arma et sagittae" erst, wenn wir den Satzbau verändern: „filiorum hominum dentes..."[81]. Hugo weist darauf hin, daß

---

dem intelligentia" (de script. col. 20). Vox entspricht der Historia (sub eo igitur sensu qui est in significatione vocum ad res continetur historia). Res entspricht der Allegorie und der Tropologie (sub eo autem sensu, qui est in significatione rerum ad facta mystica continetur allegoria, et sub eo sensu qui est in significatione rerum ad facienda mystica, continetur tropologia) (de Sacram. col. 185 C). — Die septem liberales artes enthalten sowohl die Zweiheit vox — res, wie auch den dreifachen Schriftsinn: „Septem liberales artes huic scientiae (historia — allegoria — tropologia) subserviunt. Trivium ad significationem vocum — Quadrivium ad rerum significationem respicit", De Script., col. 20 C. Historia oder significatio vocum ist gleich der pronuntiatio und der significatio, diese enthalten: Grammatica rhetorica und dialectica. Die cognitio rerum (Allegoria — Tropologia) unterteilt sich in Forma — diese enthält: Musica, Arithmetica, Geometria und Astronomia — und Natura, diese enthält: Physica: „Ad interiorem rerum naturam" (De Sacram. col. 185 AB).

Ich gebe hier nur das äußerste Gerüst von Hugos kompliziertem Methodengebäude wieder. In diesem Zusammenhang ist die Unterscheidung zwischen ‚Vox' und ‚Res' von Interesse, die Hugo für unerläßlich hält. Er erhärtet seine Forderung durch folgendes Beispiel: „Vigilate quia adversarius vester diabolus tam quam leo rugiens" (I. Petrus V, 8). In diesem Text bedeutet das Wort (vox) ‚Leo', das Tier, doch hat dieses auch eine innere Bedeutung (res), und die ist ‚Diabolus'. „Et cetera omnia, ad hunc modum accipienda sunt, ut cum dicimus vermem vitulum, lapidem, serpentem et alia huiusmodi Christum significare", Didascal. col. 791 AB, Butt. S. 97.

78. De script. col. 13 D.
79. Didascal. lib. VI, c. IX PL 176, col. 807 B, Butt. S. 126.
80. Ps. X, 15.
81. Ps. LVI, 5.

beim Studium des buchstäblichen Schriftsinns Satzbau und Kontinuität
zu beachten sind[82].

Man hat sich zu fragen, ob Hugos Einstellung zum litteralen Schriftsinn
ein grundsätzlich anderer ist, als der seiner Vorgänger, oder mit anderen
Worten, ob er der historia einen eigenständigen, unabhängigen Wert
verleihen wollte. Stellt man Hugos Aussprüche über die Gewichtigkeit
der historia nebeneinander, gewinnt man tatsächlich den Eindruck, als
ob hier ein völlig neuer Ansatz zum Schriftstudium vorliegt, betrachtet
man aber dieselben im Kontext seiner Gesamtdarlegungen der Methode
des Bibelstudiums, merkt man bald, daß die immer wiederholten Auf-
forderungen, sich dem ersten Schriftsinn intensiv zuzuwenden, einem
anderen, eigentlichen Anliegen untergeordnet sind. Einen Grund für
den Wortreichtum, mit welchem er für die „historia" eintritt, verrät er
selber; für die Notwendigkeit, die Allegorie in der Schrift aufzufinden,
müßte er keine ausführlichen Erläuterungen geben, denn „ipsa res per
se digna appareat"[83]. Jeder wüßte, wie hoch man die Allegorie zu schätzen hätte, daher beeilten sich alle, sich diesem Schriftsinn zuzuwenden.
Aber gerade dies ist es, was Hugo verhindern will, „neque ego te perfec-
te subtilem posse fieri puto in allegoria, nisi prius fundatus fueris in historia"[84], lautet seine Anweisung und beschwört förmlich seinen Leser:
„Verachte diese minderen Dinge nicht", nämlich die historia oder den
litteralen Schriftsinn, sie sind elementar, ohne diese kann man nicht
vorangehen. Als geduldiger Pädagoge erzählt er ausführlich, auf welche
Weise er, als er noch ein Schüler gewesen war, den „minima" Beachtung geschenkt hätte: „qui puerilia quidam fuerant sed tamen non inuti-
lia". Viel Begeisterung erweckt das Studium der historia auch bei ihm
nicht, denn: auch wenn man zugeben muß (hören wir ihn), daß einiges
in der Schrift als wertlos erscheint, darf man doch nicht darauf verzichten. Manches erhält seinen Wert erst durch Vergleich mit anderen Texten und durch Herstellung eines Gesamtzusammenhanges. Daher „omnia disce, videbis postea, nihil esse superfluum"[85].
Hugo übernimmt das traditionelle Bild von der Schrift als kunstvollem
Bauwerk, bei welchem die historia das Fundament bildet. Auf diesem
erhebt sich das Gebäude der Allegorie, die Tropologie dient der Verschönerung und Vervollkommnung: „fundamentum autem et princi-
pium doctrinae sacrae historia est, de qua quasi mel de favo veritas allegoria exprimitur"[86], sagt Hugo und geht sogleich zur Beschreibung des

82. „Ad litteram constructio et continuatio pertinet", ibid. PL 176 col. 807 C.
83. Didascal. col. 802 B, Butt. S. 117.
84. Didascal. col. 799 C, Butt. S. 114.
85. Ibid., col. 800 C, Butt. S. 115.
86. Didascal. col. 801 C, Butt. S. 116; so auch an anderer Stelle: „sic et mel in favo gratius,
et quidquid maiori excercitio quaeritur, maiori etiam desiderio invenitur", Didascal. 790
B, Butt. S. 96.

Gesamtbauwerks über: „aedificaturus ergo primum fundamentum historiae pone, deinde per significationem typicam in acrem fidei fabricammentis erige.at extremum vero, per moralitatis gratiam quasi pulcherrimo superducto colore aedificium pinge"[87]. Die Essenz (mel) ist die Allegoria und die Funktion der Historia macht sie ihr untergeordnet, doch bleibt sie elementar notwendig. Sie ist ihr Behälter (favus). Auch dieses Bildnis beschreibt das Verhältnis der Historia zur Allegoria nicht anders, als es bisher auch von Hugos Vorgängern begriffen und von vielen auch mit den gleichen Worten formuliert wurde[88].

Immer wieder wendet sich Hugo fast beschwörend an den Lernenden, nicht die Historia zu mißachten, das fundmentum nicht zu überspringen: „noli ergo saltum facere, ne in praecipitium incidas, ille rectissime incedit, qui incedit ordinate."[89] Es kommt ihm auf die Systematik, auf die methodische Gründlichkeit an. Auch wenn nicht alles, was in der Bibel geschrieben steht,ad litteram zu erklären ist, wie die Widersacher behaupten — und Hugo ist bereit dies zuzugeben —, sollte man sich stets vergegenwärtigen, daß „quasi non existimemus omnia quae per litteram dicuntur sic omnino accipienda ... nam in eo etiam quod figurative dictum accipitur littera suam significationem habere non negatur"[90] und zum Schluß einer wortreichen und bildreichen Argumentation, die die Nutzlosigkeit des Allegorisierens, das nicht auf einer gründlichen Auslegung ad litteram basiert, zum Thema hat, fordert er in kategorischer Form: „... lege ergo scripturam et disce primus diligenter quae corporaliter narrat"[91].

Völlig klar wird die Funktion der historia in Hugos Methodenlehre der Schriftinterpretation bei seinen Ausführungen über das Studium der Allegorie. Bereits seine ersten Worte verraten tiefe Besorgnis vor einem nicht angemessenen Umgang mit der Anwendung des zweiten Schriftsinns. Der Lernende muß im Besitz ausgereifter geistiger Fähigkeiten

---

87. Ibid. Er wendet dieses Bild öfter an: „... primum quidem fundamentum ponitur, dehinc fabrica superaedificatur et ultimum consummato opere domus colore superdicto vestitur", col. 799 B, Butt. 113. — Der dreifache Schriftsinn steht nicht nur für die septem liberales artes, sie dienen auch zur Versinnbildlichung der drei Stadien der Gotteserkenntnis: „habes in historia quo Dei facta mireris, in allegoria, quo ejus sacramenta credas, in moralitate, quo perfectionem ipsius imiteris". Didascal. Lib. VI, col. 801 D, Butt. S. 116.
88. S. S. 202.
89. De script. col. 14 A.
90. De script. col. 14 B.
91. De script. col. 15 A. Mit größter Intensivität erklärt er wieder und wieder die Notwendigkeit durch die „niederen körperhaften" Dinge hindurchzugehen. Basiert auf dem Text „teste namquam apostolo, quod carnale est prius est, deinde quod spirituale (I. Cor. 15)", führt er aus: „ipsa Dei sapientia nisi prius corporaliter cognita fuisset,nunquam lippientis mentis acies ad illam spiritualiter contemplandam illuminari potuisset. Noli igitur in verbo Dei despicere humilitatem quia per humilitatem illuminaris ad divinitatem...", de script. col. 14/15.

sein, damit er mit der erforderlichen Subtilität seine Studien betreiben kann[92]. Da dieses Studium gleich der Einnahme solider fester Nahrung ist, die man gut zerkauen muß, ehe man sie hinunterschlucken kann[93], soll man Zurückhaltung wahren, schnelles und kühnes Vorgehen werden das Studium nicht zum Erfolg führen[94].

Das Lernen des historischen, litteralen Schriftsinns hat für Hugo die Funktion, den ungezähmten Drang zur Allegorie einzudämmen, doch ist Hugos Besorgnis auch bei Erfüllung dieser ersten Voraussetzung des Bibelstudiums noch nicht aus dem Weg geräumt. Wenn er auch nicht, wie bei der Historia, den Wert und den Sinn einer allegorischen Schriftauslegung darlegen muß, so empfindet er doch die bittere Notwendigkeit, wieder und wieder Mäßigung im Umgang mit ihr zu verlangen. Als erstes soll sich der Schüler im Glauben festigen, nur die richtigen Glaubenserkenntnisse werden ihm den rechten Weg zum allegorischen Sinn der Schrift weisen. Es gibt unter den Schriften „multa obscure et multa aperte, multa ambigue". Die „scripta obscura" sind es, die die größte Vorsicht verlangen. Wenn der Schüler nicht in der Lage ist, Licht in sie zu bringen, ist es besser, sie zu übergehen, als Gefahr des Irrtums zu laufen. Es ist das Beste, gerade wenn man glaubt, eine Schriftstelle verstanden zu haben, aber dadurch die bisher erarbeiteten Glaubensdoktrinen erschüttert werden, sich an diejenigen zu wenden, die gelehrter sind „et maxime quid fides universalis, quae numquam falsa esse potest, inde jubeat sentiri agnoveris"[95]. Der Lernende soll wissen, daß viele von denen, die die Schrift studieren in verschiedenartige Irrtümer verfallen, indem sie ihre Meinungen ändern, weil sie den wahren Glauben nicht besitzen[96].

Und wieder veranschaulicht Hugo seine Darlegungen, indem er den dreifachen Schriftsinn mit einem vielschichtigen und kunstvollen Bauwerk vergleicht. Das unterste Fundament ist unvollkommen, ist nicht aus glatten ausgefeilten Steinen zusammengesetzt. Die Vollkommenheit ist der „fabrica" der „aedificatio" über der Erde vorbehalten. So ist es auch bei dem göttlichen Bauwerk, der Heiligen Schrift. Die Historia, das fundamentum, enthält vieles Absurde und Unverständliche; nicht so die Allegorie, die aedificatio: „sic divina pagina multa secundum litteralem sensum continet, quae et sibi repugnare videntur, et nonnum-

---

92. „Nosse tamen te volo, o lector, hoc studium non tardos et hebetes sensus, sed matura expetere ingenia, quae sic in investigando subtilitatem teneant, ut in discernendo prudentiam non amittant." Didascal. col. 802 B; Butt. S. 117.

93. Ibid.

94. „Tali ergo te moderamine uti oportet, ut, dum, in quaerendo subtilis fueris, in praesumendo temerarius non inveniaris", ibid. 802 B; Butt. S. 118.

95. Didascal. col. 804 Cff; Butt. S. 121.

96. „Vides multos scripturas legentes quia fundamentum veritatis non habent in errores varios labi, et toties fere mutare sententias, quot legerint lectiones", ibid.

quam absurditatis aut impossibilitatis aliquid afferre. Spiritualis autem intelligentia nullam admittit repugnantiam, in qua diversa multa adversa nulla possunt"[97]. Ein vollständiges und einheitliches Bauwerk ist also die Allegorie, aber ein vollkommenes und einheitliches, das keinerlei Widerspruch enthält.

In drei Scalen hat sich der Lernprozeß zu vollziehen: littera — sensus — sententia. Unter Littera ist die grammatikalische Form des Wortes, die Wortbedeutung zu verstehen[98]. Sensus ist die „aperta significatio" und sententia ist die „profundior intelligentia". Auf diese Reihenfolge hat der Lernende absolut zu achten[99].

Dem Gegensatz historia — allegoria entspricht das Gegensatzpaar sensus — sententia. Sensus ist nicht in jedem Text aufzufinden, das heißt, nicht jeder Text enthält einen litteralen Sinn. Hierin spricht Hugo dieselbe Meinung aus wie viele seiner Vorgänger, doch warnt er vor der Gefahr einer zu raschen Schlußfolgerung. Manche Texte sind nur scheinbar sinnlos, nämlich wenn man sie losgelöst von dem Gesamtzusammenhang studiert[100]. Auch hier fürchtet er vor zu eilfertigem Allegorisieren. Doch ein tieferer Sinn — sententia — ist jeder Schriftstelle immanent, viele enthalten sogar mehr als nur eine „sententia". Hier kommt es darauf an, die richtige Sinngebung, für deren Auffindung der wahre Glaube Richtlinie zu sein hat, herauszulesen. Auch wenn der Text in seinen „circumstantia", in seinen Zusammenhängen und sprachlichen Gegebenheiten eine bestimmte „sententia" eigentlich nicht ermöglicht, soll man sich an den Glauben allein halten. Wir sollen uns immer um die sententia der Heiligen Schrift bemühen, doch sollte es schwer sein, diese aufzufinden, soll sich der Lernende bei der Ergründung des „tieferen Sinnes" durch den rechten Glauben leiten lassen[101]. Aber nicht nur undiszipliniertes Allegorisieren ist in Hugos Augen verderblich, derjenige, der nur den litteralen Schriftsinn verfolgt, ist im glei-

---

97. Didascal. col. 802 Dff; Butt. S. 118ff.

98. Littera est congrua ordinatio dictionum, Didascal. col. 771, Butt. S. 58.

99. Ibid.

100. Als Beispiel für einen Text, in dem jedes Wort für sich keinerlei Unklarheiten enthält, doch der Inhalt scheinbar keinen Sinn ergibt, führt Hugo Jes. cap. IV an: „apprehendent septem mulieres virum unum in die illa dicentes: panem nostrum comedemus, et vestimentis nostris operiemur, tantummodo invocetur nomen tuum super nos, aufer opprobium nostrum." Der Leser weiß nicht — so Hugo —, ob hier eine Heils- oder Unheilsbotschaft ausgesprochen wird, daher wird er versuchen, den Text allegorisch zu deuten: die sieben Frauen sind die sieben Gaben des Heiligen Geistes (übernommen von Origines, de sept. mulieribus, hom. III, bei Hier. PL 24, col. 910ff). Doch Hugo weist auf den „sensus ad litteram" des Textes hin, der sich aus dem Textzusammenhang ergibt. Da vorher das Unheil verkündet wurde, wird jetzt das Ausmaß der Zerstörung konkret dargestellt: sieben Frauen finden nur einen Mann... etc. Didascal. 807B; Butt. S. 127.

101. Didascal. lib. VI, c. XI, col. 808 D; Butt. S. 129, s. Augustin, De Genesi ad litteram, PL 34, col. 262 „etsi voluntas scriptoris incerta sit, sanae fidei congruam non inutile est eruisse sententiam".

chen Maße abzulehnen. „Littera occidit, spiritus autem vivificat"[102], zitiert Hugo und beseitigt damit jeden Zweifel, welchen Eigenwert er dem sensus ad litteram zubilligt. Selbstverständlich ist es notwendig, daß der Studierende Standhaftigkeit beweist in der Auffindung der intelligentia spiritualis, und daß er sich durch die „litterae apices" nicht von diesem eigentlichen Anliegen abbringen lassen soll[103].

Es ist die größte Gefahr, die man beschwört, wenn man bei dem historischen Schriftsinn beharrt und sich mit ihm begnügt. Sind doch die Juden, „populus antiquus", nur aus diesemGrunde verworfen worden, weil sie dem tötenden Buchstaben gefolgt und des belebenden Geistes nicht teilhaftig geworden sind[104].

Vollkommen deutlich wird jetzt Hugos Anliegen: Seine Warnung vor dem tötenden Buchstaben soll nicht nur eine allegorisierende Schriftauslegung rechtfertigen, sondern auch darauf hinweisen, daß das Sichbegnügen mit dem litteralen Schriftsinn zu Irrtümern führen muß. „Non litteratus, sed spiritualis omnia diiudicat"[105], ruft Hugo seinem Leser zu, wobei die Bezeichnung „litteratus" einen abwertenden Beiklang erhält, schon weil in diesem Zusammenhang die Juden erwähnt werden[106]. Er will also einen methodischen Mittelweg. Die Allegorie behält auch bei Hugo den eigentlichen Wert, es kann auch anders nicht sein, auch er kann die Hebräische Bibel nur im allegorischen Sinn verstehen, doch will er die „allegoria" eindämmen, in Einklang mit den rechten Glaubensinhalten bringen: der Lernende soll im Zweifelsfall sich an diejenigen wenden, die gelehrter sind als er. Die Schrift mit ihrem historischen Gehalt, dessen Sinn dem gläubigen Christen oft unklar bleiben muß, hat nur eine dienende Funktion, diszipliniert den Geist des Lernenden, bis dieser imstande ist, sich dem Auffinden des eigentlichen Schriftsinns, der Allegorie, zuzuwenden.

„Parvis imbutus, tentabis grandia tutus"[107] verlangt Hugo von seinen Schülern. Sein methodischer Geist versucht zwei immanente Gefahren einer nicht adäquaten Schriftauslegung abzuwenden, von denen die erste wohl in höherem Maße für ihn Aktualität besaß, die zweite aber, die Gefahr des „Judaisierens", obwohl von ihm nicht ausdrücklich so be-

---

102. II Cor. III, 6.

103. „... nimirum oportet divinum lectorem spiritualis intelligentiae veritate esse solidatum et eum litterarum apices quae et perversae nonnumquam intelligi possunt, ad quaelibet diverticula non inclinent." Lib. VI, c. IV, col. 804 D; Butt. S. 121.

104. Ibid.

105. Col. 805 A; Butt. S. 122.

106. Bernhard von Clairvaux spricht in abwertender Weise von den Judaei litteratores: „o semel paululum quod de adipe frumenti unde satiatur Jerusalem, degustares, quam libenter suas crustas rodendas litteratoribus Judaeis relinqueres", Epist. 106, 2 PL 182, 242 A, zit. v. Lubac, op. cit. II, S. 291.

107. Didascal. col. 799 C; Butt. 114. Ausführlicher hat Hugo diesen Gedanken ausgeführt, ibid. 774 A/B, Butt. S. 62/63.

nannt, wie zu Zeiten eines Hieronymus, Gregor, Beda, auch ihm deutlich vor Augen stand.

3. Juden und Judentum in Hugos Exegese

Theoretische Ausführungen und Anwendung eben dieser Theorie müssen einander nicht immer entsprechen. Hugo hatte jedoch die Vertiefung in den historischen Schriftsinn, für welchen er so eifervoll plädierte, selber vorgenommen. Wer sich entgegen der bisherigen Praxis eifervoll für eine intensive, keinen Zeitaufwand scheuende, Beschäftigung mit der littera oder der historia einsetzt, dessen Aufmerksamkeit lenkt sich natürlicherweise auf diejenigen, denen die Bedeutung der littera von jeher zentrales Anliegen des Bibelstudiums gewesen war: auf die Juden. Es mußte sich wie von selbst ergeben, daß Hugo sich an die Judaei litteratores wandte, sie nach ihren Meinungen und traditionellen Vorstellungen und Textauslegungen befragte. Erleichtert wurde ein solches Vorhaben durch die Tatsache, daß die Stadt Paris für Juden und Christen gleichermaßen ein Zentrum des Lernens bildete. Wie erinnerlich, erwähnte Benjamin von Tudela ausdrücklich das Bestreben der Pariser Juden, Gelehrten ihr Haus zu öffnen, ihnen Gastfreundschaft zu erweisen. Hugos methodischer Geist konnte auf diesem Gebiet wichtige Anregungen gewinnen und zusätzliche Motivationen erfahren. War doch den Juden die christologische allegorisierende Schriftauslegung tiefste Blasphemie, so daß sie sicher jeder Zeit bereit waren, Christen den eigentlichen Sinn der Schrift nahe zu bringen, um auf diese Weise gegen den „ta'ut" zu kämpfen. Die jüdischen Streitschriften gegen die christologische Bibelauslegung entstanden vomEnde des 12. bis Mitte des 13. Jahrhunderts[108] und waren in zahllosen Gesprächen und Auseinandersetzungen zwischen gebildeten Juden und christlichen Geistlichen und Gelehrten während vieler Jahrzehnte vorgebildet. Mit dem gleichen Eifer, mit dem sich der Mainzer Jude mit demAbt von Westminster in Gespräche einließ, waren Juden im 12. Jahrhundert bereit, mit gelehrten Christen Gespräche zu führen, besonders, wenn es sich wie bei Hugo nicht um Streitgespräche, sondern um Unterweisung und Belehrung

---

108. Außer dem bereits erwähnten „sefer Josef ha meqane" entstand Ende des 12. Jh. das „sefer milhamot ha-šem" (Buch der Kriege für den Herrn) des Jacob ben Reuben aus Südfrankreich, vermutlich vom Ende des 12. Jh. (Ausg. J. Rosenthal, Jerus. 1964, S. XII/XIII). Späteren Datums ist das „sefer nizahon" eines Anonymus veröffentlicht, erstmalig von J.Chr. Wagenseil im Jahre 1681 in seiner Schrift „Tela Ignea Satanae" und das „sefer nizahon" des Jomtov Lippmann aus Mühlhausen aus der zweiten Hälfte des 14. Jh. Alle Schriften sind nach dem gleichen Prinzip aufgebaut, angeordnet in der Reihenfolge derjenigen Schriftverse, die eine christologische Auslegung erfahren haben, um sich mit dieser polemisch auseinanderzusetzen.

handelte. Man kann mit Sicherheit annehmen, daß die Juden in Hugo einen aufgeschlossenen und toleranten Gesprächspartner gefunden haben.

Im folgenden will ich eine Auswahl derjenigen Litteralauslegungen Hugos treffen, bei denen Grund zu der Annahme besteht, daß er diese Gesprächen mit Juden verdankte. Bei diesen Auslegungen handelt es sich um solche, zu denen sich Parallelen in der Midraschliteratur finden lassen ohne daß er uns einen Hinweis darauf gibt, daß er sie von Juden erfahren hat, um solche, die er nach seinen Worten von Juden erfahren hat, und um Auslegungen, zu denen sich Parallelen in der rabbinischen Exegese aufzeigen lassen, wiederum ohne daß Hugo sich auf einen jüdischen Gesprächspartner beruft.

Auch Hugo wußte von der Existenz einer mündlich überlieferten Lehre, von fabulae und traditiones der Juden „quas deutorosin vocant"[109]. In denen wird gelehrt — so Hugo —, daß Gott imAnfang zwei Frauen für Adam erschaffen hatte, „ex quibus hominum texunt genealogias infinitas patientes infructuosas quaestiones". Unter „deutorosin" verstand Hugo, wie aus seinem Beispiel hervorgeht, weniger die mündliche Gesetzesauslegung als die Midraschüberlieferung, doch scheint es, daß den Worten Hugos nicht eine unmittelbare jüdische Informationsquelle, sondern Übernahme einer traditionellen Erläuterung zum Timotheusbrief zugrunde liegt[110]. Es ist hervorzuheben, daß Hugo mit der Erwähnung der fabulae „quas Judei non scriptas tenent" und der Wiedergabe des Midrasch keine Kritik an den Glaubensvorstellungen der Juden, wie es mancher seiner Vorgänger und Zeitgenossen vorgenommen, geübt hat.

Unmittelbarer und aufschlußreicher ist eine andere Bemerkung Hugos, die nicht nur auf Kenntnis der nachbiblischen jüdischen Literatur hinweist, sondern für seinen Umgang mit Juden und Gesprächen über Auslegungsmöglichkeiten mancher Schriftsteller zeugt. Im hebräischen Text zu Joel I, 15 lesen wir: „Ah für den Tag des Herrn", wofür die Vulgata einen dreifachen Ausruf „Ah, Ah, Ah" wiedergibt. Hugo will für

---

109. PL 175, in Epist. ad Timoth. col. 594.

110. Haimo von Halberstadt erläutert diese Textstelle in dem gleichen Sinne, doch weitaus ausführlicher, in Anlehnung an Augustin. August. (PL 42: 642) erwähnt die Überlieferung der beiden Frauen Adams aus der Deuterosis der Juden. Diese Überlieferung war demnach im 11. und 12. Jh. verbreitet. Haimo polemisiert in diesem Zusammenhang gegen die Bemühungen der Juden, Jahreszahlen in der Schrift, wie Lebensalter von Methusalem, Noah, Sem etc., Regierungsjahre Salomos, Rehabeams rational auszulegen. Mit seiner Kritik stützt er sich auf Hieronymus (dicit enim beatus Hieronymus: quid mihi prodest scire quot annis vicerit Methusalem, noe ... nihil". Hier. Epist. 72, PL 22, col. 674, Haimo, PL 117: 783/784). Ausführlich hierüber, auch über jüdische Überlieferungen der zwei Frauen Adams, allerdings aus einer späteren Zeit, Ch. Merchaviah,The Church versus Talmudic and Midrashic Litterature (hebr.), Jerusalem 1970, 67/68.

das dreifache „Ah" der Vulgata eine Erklärung, die er von einem Juden gehört hat und der in den „Erzählungen des Gamliel" bewandert ist, nicht verschweigen[111]. Jeder einzelne der drei Ausrufe bezieht sich auf die drei großen Heimsuchungen in der Geschichte des Volkes Israel: „primo quando tenti sunt ab Aegyptiis, secundum ab Assyriis, tertium ab Babyloniis". Die Vermutung, daß der jüdische Gesprächspartner Hugos eine eigene Midraschinterpretation geliefert hat, ist nicht von der Hand zu weisen[112], da der einfache Ausruf des hebräischen Textes keine Midraschauslegung provoziert. Doch ist ein dreifacher Weheruf, der eine dreifache Bedeutung enthält, der Midraschliteratur nicht fremd[113]. Die Tatsache, daß hier nicht der Begriff „Deutorosin", sondern „Geschichten Gamliels" verwendet wird, zeugt ebenfalls für die Aktualität dieser Midraschinterpretation, da diese Bezeichnung für die gesamte nachbiblische Literatur der Christen im 12. Jahrhundert, die vom Talmud selber noch wenig Kenntnis besaßen, geläufig war. In den späteren Jahrhunderten wurden die Erzählungen Gamliels und der Talmud im Sprachgebrauch vieler Christen zu austauschbaren Begriffen[114].

111. Adnotat. in Joel. PL 175, col. 333 A; „non debemus premere silentio, quae a quodam accepimus Judaeo juxta Gamlielis naenias eloquenti et perito", ibid.
Obwohl Zweifel darüber bestehen, ob Hugo der Autor der Schriften „In Joelem", „In Abdiam" und „In Nahum" ist, ordne ich diesen Text hier ein.
Zweifel äußerte bereits B. Hauréau, Les œuvres de Hugo de St. Victor, Paris 1866, S. 18/19. A. Wilmart, „Le commentaire sur le prophète Nahum, attribue à Julien de Toledo (Bull. de litt. ecclesiast. de Toulouse, VII/VIII, S. 192) hält Hugo für den Autor der Schriften „In Joelem" und „In Abdiam". In Anlehnung daran ebenfalls R. Baron,Etudes sur Hugo de St. Victor, Angers 1963, S. 49, mit der Einschränkung, daß sie wohl nicht von ihm selber redigiert wurden. D. v. d. Eynde, Essai sur la succèssion et la date des écrits de Hugo de St. Victor, Rom 1960, S. 5, bezeichnet Richard v. St. Victor als Autor.
Auf jeden Fall gehört diese Schrift in die Zeit der Generation Hugos, und der Begriff „Bücher Gamliels" war in der ersten Hälfte des zwölften Jahrhunderts besonders verbreitet. Vgl. S. 217.
Vgl. B. Smalley, The Study of the Bible in the Middle Ages. Oxford 1940, S. 97, n. 2.
112. Smalley, op. cit. S. 103.
113. Beispiel: sefer Petirat mosche (Tod Mose): Mose ging in sein Zelt und weinte: „wehe meinem Fuß, der das Land Israel nicht betreten soll, wehe meiner Hand, die nicht von seinen Früchten pflücken, wehe meinem Gaumen, der nicht von den Früchten des Landes, in dem Milch und Honig fließt, gekostet hat". Bet Ha-Midrasch, Jellinek, I. 127.
Oder: Wehe mir vor der Familie des Boethos, wehe mir vor ihren Knütteln, wehe mir vor der Familie des Hanin ... etc. (TB pesahim, fol. 57, 1), vgl. Merchaviah, op. cit. S. 159, n. 3.
114. Gamliel wird zum ersten Male in der Apostelgeschichte erwähnt, als „Pharasaeus ... legis doctor honorabilis universae plebi" (AG, V, 34). Paulus berichtet, daß Gamliel sein Lehrer gewesen war „ego sum vir judaeus ... secus pedes Gamliel eruditus juxta veritatem paternae legis" (AG, XXII, 3). — Rabban Gamliel I. und II. gehörten zu den bedeutendsten Schriftgelehrten (Tana'iten) des Lehrhauses von Javneh. Gamliels II. Ruf reichte weit über die Grenzen Judaeas hinaus, er diskutierte über Glaubensfragen mit Römern und mit „Minim" (Juden- oder Heidenchristen).
Es scheint, als würden hier mehrere Traditionen zusammenfließen. Der Gesetzeslehrer

Hugo kennt die jüdische Überlieferung,nach welcher die Engel die Schutzpatrone aller Völker der Erde sind. Angelehnt an Dan. XII, 1 (in dieser Zeit erhob sich Michael, der Fürst, der große Fürst, der dem Volke Israel vorsteht) und an Dan. X (wo die Engelfürsten der Perser und der Griechen Erwähnung finden), führt Hugo aus[115]: „Et non solum in illis testimoniis probatur angelos principari hominibus, sed etiam alibi testatur Scriptura, dicens: Statuit excelsus terminos gentium, secundum numerum angelorum Dei“[116]. Die Zahl der Engel, fährt Hugo fort, entspricht der Anzahl der Völker, so daß jedem einzelnen Volk ein Engel vorsteht.

Obwohl Hugo in diesem Zusammenhang keinen jüdischen Gesprächspartner erwähnt, liegt seinen Worten eine jüdische Traditionsquelle zugrunde. Israel wurde nach der Midraschtradition erst nach der Sünde des Goldenen Kalbes einem Engel unterstellt. Bis zu diesem Zeitpunkt stand Israel, im Gegensatz zu allen anderen Völkern, unter der unmittelbaren Schutzherrschaft Gottes, doch trat der Engel — so der Midrasch — erstmalig nach Moses Tod — als Josua den Engel erblickte[117] als Schutzpatron Israels in Funktion[118]. Petrus Comestor, aus der Schule

der Apostelgelschichte lebte in der Erinnerung fort (Petrus Alfunsi idealisierte ihn und behauptete, er wäre in seinem Herzen ein Christ gewesen, PL 157, col. 655). Die Juden wiederum sprachen oft von ihren großen Gesetzeslehrern, so daß Gamliel zum Prototyp des Verfassers der jüdischen nachbiblischen Literatur wurde (Über Gamliel II. Grätz, op. cit. Bd. IV, S. 28, 37ff, 40ff).

Für die Verbreitung dieser Bezeichnung in Hugos Zeit zeugt der Bericht des Hermann von Köln, eines zum Christentum konvertierten Juden (um 1118), der in einem jüdischen Bethaus zu Worms einer Midraschauslegung beiwohnte, nach den „Geschichten Gamliels", es handelte sich um die traditionelle Midraschauslegung zu bestimmten Bibeltexten, die während des Gottesdienstes verlesen wurden. Hermann von Köln wies die Juden auf ihre irrigen Vorstellungen hin. Hermannus Quamdam Judaeus, MGH, 1967, Edit. G. Niemeyer,S. 112.

115. Expositio in Hierarch. Coelest. St. Dionysii, lib. IX. PL 175, col. 1091 CD.

116. Deut. XXXII, 8, doch hat diesen Wortlaut nur die Septuaginta: κατὰ ἀριτμον ἀγγέλῶν θεοῦ, der masoretische Text lautet: „nach der Zahl der Söhne Israel" (le mispar bene jiśrael). Hieronymus äußerte bereits Zweifel an der griechischen Version: „sive ut melius habetur in hebraico juxta numerum filiorum Israel" (In Ez. PL 25: 265). Auch Hugo kannte eine andere Version: „quamvis secundum aliam translationem ibi non angeli, sed filii Dei nominantur, aliud aliquid significatum videatur", ibid.

117. Jos. V, 14.

118. Nach der Midraschüberlieferung war Michael, bevor er Schutzherr Israels wurde, der Schutzherr der Welt, basiert auf Schriftversen wie Gen. XIV, 13: „und es kam der ‚palit‘ (der Entronnene, der Flüchtling, vom Kriegsschauplatz)" und Kohelet X, 20: „Und der ‚Geflügelte‘ wird ausrichten...". „Und warum ist sein Name ‚Palit‘? Weil, als Gott den Samael hinunterstieß, dieser das Gewand Michaels ergriff und ihn mit sich in die Tiefe zog, und so ‚palat‘ Gott ihn von sich (und so stieß Gott ihn von sich)". Aus Pirqe de Rabbi Elieser, 27, 1. Nach der Sünde des Goldenen Kalbes haderte Mose mit Gott, weil dieser Israel vernichten wollte (Exod. XXII, 7ff), da verzieh Gott ihnen, unterstellte sie aber einem Engel, wie schon vorher (Exod. XXII, 20—22) verkündet wurde: „Siehe ich schicke einen Engel vor dir her, dich zu hüten auf dem Wege ... hüte dich vor ihm und höre auf

Hugos, beruft sich ausdrücklich auf die Tradition der Hebraei, als er über die Engel und Schutzherren der Völker spricht[119], und seine Ausführungen beweisen, daß seine Gesprächspartner bewandert waren in der Midraschliteratur.

Es ist anzunehmen, daß auch Hugo, vielleicht unbeabsichtigt, jüdisches Gedankengut, das er Gesprächen mit Juden entnommen hat, in seine Erklärung aufgenommen hat.

Zuweilen scheint es, als hätten Gespräche mit Juden nicht nur Informationen vermittelt, sondern auch Beunruhigung verursacht. Jedenfalls könnte die bei unserem Autor ungewohnte Leidenschaft bei seinen Ausführungen zu Joel III, 1: „Et erit post haec, effundam spiritum meum super omnem carnem...", die Schärfe, mit welcher er sich gegen die Juden wendet[120] und die Art seiner Interpretation dieser Prophezeiung eine solche Schlußfolgerung zulassen[121]. Die von ihm so oft geforderte Grenze zwischen littera und sensus spiritualis hält er mit seiner Auslegung nicht ein, die Allegoria wird zur Historia: „de adventu igitur Christi praesens littera proprie intelligitur, de missione Spiritus paracleti prophetia clausa ad liquidum solvitur." Es stellt sich im Verlauf der weiteren Ausführungen heraus, daß er die jüdische Interpretation dieser Prophezeiung kennt, und die Tatsache, daß er diese hier in diesem Zusammenhang zitiert, mag für ein tatsächlich stattgefundenes Streitgespräch zeugen. „Alles das", hören wir, „was wir auf den Advent Christi und die Sendung des Heiligen Geistes ausgelegt haben, deuten die Juden auf das Kommen ihres Messias, durch welchen, wie sie behaupten, die Erfüllung vollständig wiederhergestellt werden wird. Nur das Volk der Juden wird des Messias' teilhaftig werden, sie allein werden ihn anrufen, und er wird sie erhören."[122] Mit der Behauptung, daß diese Auslegung

---

seine Stimme, denn ich bin in ihm...". Und nach der Sünde des Goldenen Kalbes sprach Gott: „Und ich will vor dir hersenden einen Engel..." (Exod. XXXIII, 2). Hierzu der Midrasch: „Und jetzt, wo Ihr nicht würdig euch gezeigt habt, werde Ich (Gott) euch einem Sendboten unterstellen ... aber Israel ist nicht dem Engel unterstellt worden, solange Mose lebte, erst Josua sah ihn", Jos. V, 12.
Tanchuma, mišpatim, XVII, 18, Sundel (Hg.), S. 106.

119. „Tradunt Hebraei qui prius Deus ipse custos eorum erat, deinceps dedit eis Michaeleum custodem eorum proprium, sicut caeterae nationes proprios habent angelos custodes sibi delegatos addidit etiam Dominus semel ‚ascendam in medio tui et delebo te' ...". Hist. Scholast. lib. Exod. PL 198, col. 1191 C.
120. Adnotat. in Joelem, PL 175, col. 353 D.
121. "Hic Judaeus Appella erubescat, hic caecitatem et insaniam erubescat, ut qui gloriatur se ducem caecorum et legis tenere lucernam, tenebras sui erroris et imperitiae suae caliginem in hoc loco deprehendat...", ibid. Auch Hugo war also durchaus imstande, den „Umgangsstil" in Disputationen mit Juden anzunehmen!
122. „Quaecunque super adventum Christi ad missionem Paracleti interpretati sumus, Judaei ad adventum sui Messiae referunt, in quo ut ipsi aiunt, cultus legum ad integrum reparabitur ... solus populus Judaicus Messiam recipiet, solus eum revocabit, et ipse exaudiet...", ibid. col. 358 A.

der littera entspricht, ist das Hauptargument der Juden, die nur ihre Interpretationsweise „ad litteram" verstehen, gewissermaßen entkräftet.

Aufschlußreich sind Hugos „Adnotationes Elucidatoriae in Pentateuchon, in Librum Judicum et in Librum Regum"[123]. Es gibt wohl in der gesamten bisherigen bibelexegetischen Literatur keinen christlichen Autor, der in irgendeiner seiner Schriften, dem Bemühen, den litteralen Schriftsinn aufzufinden, in dem gleichen Maße treu geblieben ist, wie Hugo von St. Victor in seinen „Adnotationes"[124]. Es waren vor allem zwei Faktoren, die eine erfolgreiche Durchführung versprachen: Hugos methodischer Geist, der hier ad oculos demonstrieren konnte, was er in seinem Didascalicon in vehementer Weise gefordert hatte, und, motiviert durch dieses feste Vorhaben, Begegnungen mit Juden, von denen er Unterweisung und Belehrung erfuhr. Oft stoßen wir beim Lesen der „Adnotationes" auf Redewendungen wie „tradunt Hebraei", „Hebraei dicunt", „opinio Hebraeorum" oder einfach „quidam", worauf die oft kritiklos übernommene rabbinische Tradition folgt.

Im folgenden einige Beispiele, bei denen sich rabbinische Quellen nachweisen lassen. Eine Midrascherklärung zu Lemechs Worten an seine Frauen haben wir bereits von Nicolaus von Manjacoria gehört[125], doch lernen wir, im Gegensatz zu dieser, aus Hugos Art der Anwendung des Midrasch, daß ihm die Textschwierigkeiten klar geworden sind, obwohl er nicht wie Raschi, den ich zum Vergleich anführen werde, den Midrasch dem Text völlig angepaßt hat. Zu den Worten „occidi virum in vulnus meum", beruft sich Hugo auf eine „opinio antiqua hebraeorum", gemäß welcher Lemech blind gewesen war, doch trotzdem auf die Jagd zu gehen pflegte, nicht um das Fleisch der von ihm erlegten Tiere zu genießen — vor der Sintflut genoß der Mensch kein Fleisch —, sondern um sich aus den Fellen und Häuten Kleidung herzustellen. Folgt der Midrasch — aus Tanchuma —, der auch Nicolaus zur Vorlage gedient hatte. Hugo berichtet ausführlich, daß Lemech aufgrund der Anweisung seines Knaben, der mit ihm ging (wir erfahren nicht, daß es sich um seinen Sohn Tubal Kain gehandelt hat), Kain „(qui) sicut furibundus curreret per illum locum" erschlagen hatte. Darauf geriet Lemech — so Hugo — in Zorn und erschlug den Knaben[126]. Hugo verrät

---

123. PL 175, col. 29—114.
124. Überzeugendes Beispiel, seine Auslegung von Melchisedek, dem Priesterkönig und seiner Gaben an Abraham (Gen. XIV, 18). Er versagt es sich, in Melchisedek die Praefiguratio Christi und in seinen Gaben Sinnbild für die Eucharistie zu sehen, und so hören wir ihn: „ad vero Melchisedech proferens panem et vinum": „quod inter gentiles est signum pacis..."; und zu „erat enim sacerdos Dei altissimi": „vel ita intellige ... non purus cibus sed sacrificium...", col. 51 B.
125. S. S. 76.
126. Col. 44 D.

uns nicht, daß dies unabsichtlich geschah — der Midrasch berichtet, daß Lemech vor Verzweiflung die Hände zusammenschlug und dabei versehentlich seinen Sohn traf, und wenn Hugo auch im folgenden erwähnt, daß Lemech mit seinen Frauen geklagt hat, dann deshalb, weil „multum punitus est Cain, sed multo amplius punitur Lemech"[127]. Raschi wendet den Midrasch in seiner textharmonisierenden Weise an. Lemech haderte mit seinen Frauen, die sich von ihm wegen dieser Taten zurückgezogen hatten.deshalb seine feierliche Anrufung: „höret meine Stimme (wendet Euch mir wieder zu), habe ich etwa freventlich verwundet oder mit Absicht getötet?" „Es ist ein Fragesatz", bemerkt Raschi ausdrücklich! Lemech beteuert, versehentlich gehandelt zu haben, warum soll dann die Tat an ihm siebenundsiebzigfach geahndet werden (an Kain, der frevlerisch getötet hatte, (nur) siebenfach)? Anscheinend befriedigte Hugo dieser Midrasch nicht völlig, da er noch eine andere Erklärung, mit welcher er sich auf „quidam" beruft, anführt. Demnach wurde Lemech von seinen beiden Frauen schlecht behandelt und dies ohne jeden Grund. Darob erzürnte er sich und wandte sich an seine Frauen mit der rhetorischen Frage: „Habe ich etwa einen Mann erschlagen oder irgendetwas getan, daß ihr mich derart behandelt? Siebenfach soll Kains Tod gerächt werden, aber eine viel schwerere Strafe soll Euch meinetwegen auferlegt werden." Diese Erklärung finden wir bei Josef Kara[128], einem Zeitgenossen Hugos und Schüler Raschis, der um den Deraš zu vermeiden, eine selbständige, nicht in der rabbinischen Tradition verwurzelte Pešat-Auslegung, anführte.

Exod. I, 15 lesen wir: „Und der König von Ägypten sprach zu den hebräischen Hebammen, von denen die eine Schifra und die andere Puah hieß." Es geht aus dem Text nicht klar hervor, aus welchem Volk diese beiden Hebammen stammten, es heißt „mejaldot ha iwriot", was auch mit „Hebammen der Hebräerinnen" zu übersetzen wäre, so daß es sich auch um ägyptische Hebammen handeln könnte, um so mehr, als die wohl eher bereit gewesen wären, Pharaos grausamen Auftrag auszuführen. Raschi identifiziert Schifra und Puah mit Jocheved und Miriam, der Mutter und der Schwester Moses, ihre Namen bezeichnen ihre Eigenschaften[129], und Raschbam bemerkt ausdrücklich: „Er (Pharao) sprach zu den Hebammen, die Hebräerinnen waren." Hugo beruft sich bei seiner Auslegung auf „quidam (qui) dicunt, istas Sephoram et Phuam fuisse Hebraeas", die lateinische Übersetzung „obstetricibus hebraeorum" läßt ebenfalls Zweifel an dieser Tatsache[130]. Die Frage „quo-

---

127. Col. 44 D, 45 A.
128. Josef Kara zu Gen. IV, 23, aus „Pletath Soferim", A. Berliner (Toldot Raschi), S. 12.
129. „Schifra, das ist Jocheved, weil sie die Kinder pflegte (schön machte, šafir = schön); Puah, das ist Miriam, weil sie den Kindern laut zurief, um sie zu besänftigen" (puah = laut rufen, in Anlehnung an Jes. XLII, 14).
130. Luther übersetzt: ebräische Wehmütter.

modo duae tantum obstetrices potuerint sufficere toti regni" wird von
Hugo wieder durch „quidam" beantwortet: „Has duas esse praelatas et
multas sub se habere subjectas obstetrices"[131]. Diese Auslegung entspricht der Erklärung des Ibn Esra: „Diese herrschten über alle anderen
Hebammen, denn es besteht kein Zweifel, daß es mehr als fünfhundert
gegeben hat (um Pharaos Befehl auszuführen)..." Doch kann Ibn Esra
Hugo kaum als Quelle vorgelegen haben[132], da aber dieser ausdrücklich
bemerkt, diese Erklärung an vielen Stellen gelesen zu haben, ist anzunehmen, daß Hugo sein Wissen Gesprächen mit Juden verdankte.
Doch nicht immer übernimmt Hugo eine rabbinische Auslegung unkri-
tisch.Beispiel: Exod. III, 22: „Jede Frau soll sich von ihrer Nachbarin ...
silbernes und goldenes Geschirr geben lassen." Hierzu hören wir Hugo:
„tradunt Hebraei, quod tantam gratiam habuerint a Domino filii Israel
coram Aegyptiis, ut dono postularent eorum vasa, et ipsi darent", aber
— so betont er — „nostri vero expositores dicunt, verisimilius, *mutuo*
accepisse"[133], hier ist die christliche Auslegung eindeutig die richtige. Es
fragt sich aber, aus welchem Grunde er überhaupt die hebräische Tradition erwähnt. Mir scheint, daß Raschbams Auslegung dieses Textes uns
diese Frage beantwortet: „Als freiwilliges und eindeutiges Geschenk
(empfingen die Kinder Israel die silbernen und goldenen Geräte), denn
es steht geschrieben: ICH gebe Gunst diesem Volke bei den Ägyptern
(Vers 22)"[134] und emphatisch fügt er hinzu: „dies ist eine Antwort an
die Minim", so daß man zu dem Schluß kommen kann, daß auch Hugo
mit der Erwähnung der rabbinischen Auslegung eine polemische Absicht verband, um so mehr, als wir einen Hinweis dafür haben, daß dieser Schriftvers häufig Gegenstand einer Auseinandersetzung zwischen
Juden und Christen gewesen ist[135].
Interessant ist die Auseinandersetzung zwischen Hugo und seinen jüdischen Gesprächspartnern, die wir seiner Auslegung von Jacobs Segens-

131. Col. 61 D.
132. Hugo starb im Jahre 1141, und Ibn Esra schrieb seinen Pentateuchkommentar nach
1155.
133. Col. 62 C.
134. Raschi geht auf den letzten Teil des Verses ein: (Geschmeide und Kleider) sollt ihr
Euren Söhnen und Töchtern anlegen und von den Ägyptern als Beute annehmen: für
hebr. ‚nizaltem' (entwenden, zur Beute machen?) setzt Raschi die Übersetzung des Onkelos ein: teroqenun = ausleeren, nämlich Ägypten, im Sinne von verlassen. Wortreich
rechtfertigt er diese Auslegung, mit welcher er den Makel beseitigen wollte, als hätten die
Kinder Israel bei ihrem Auszug aus Ägypten dieses beraubt. Luther übersetzt: „sie sollen
Ägypten entwenden (Kleider und Geschmeide)."
135. Einen Hinweis für die Aktualität dieser Schriftstelle für die christliche antijüdische Polemik finden wir in Rigordus' Bericht über die Vertreibung der Juden aus der
Domäne des Königs. Folgendermaßen schildert er die Enteignung der Juden: „et tunc
expoliati sunt auro et argento et vestibus, sicut et ipsi Judaei in exito Aegypto Aegyptios
exspoliaverant", Bouquet op. cit., XVII, S. 5. Demnach wurde Philipp August zum Rä-
cher Pharaos.

spruch für Judah (Gen. XLIX, 8ff) entnehmen können. Zwei Deutungen der christlichen Auslegung dieses Textes erscheinen ihm problematisch, eine sprachliche und eine inhaltliche. Wenden wir uns zuerst der sprachlichen zu. Vers 12 übersetzt Hieronymus: „Pulchriores sunt oculi eius vino, et dentes eius lacte candidiores." Hier ist eine sprachliche Ungenauigkeit zu verzeichnen, im hebräischen Text steht nicht „schöner" sondern „rot"[136]. Da dieser Vers von dem Überfluß an irdischen Gütern spricht, mit denen Judah gesegnet sein wird — er wird seinen Esel an den Weinstock binden (das heißt, so hoch wird dieser wachsen), er wird sein Kleid in Wein waschen und seinen Mantel in Traubenblut — ordnet sich die hebräische Auslegung logischer in den Zusammenhang ein: „Judahs Augen werden gerötet *von* Wein sein und seine Zähne weiß *von* Milch." Die Konjunktion (hebr. „me") ist also nicht elativ, wie bei Hieronymus, sondern instrumental zu begreifen. Hugo übernimmt die Version des Hieronymus, doch fügt er hinzu: „in hebraeo habetur rubicundiores: et notam secundum Hebraeos abundantiam vini quod aparet in oculis potentium" und zu „dentes ejus lacte candidiores": „hic notatur etiam secundum illos abundantia ovium et lactis quod in dentibus apparet comestum"[137]. Hugo verrät uns nicht, ob ihm die hebräische Version textnäher erscheint, er stellt sie kritiklos neben die lateinische. Doch da er, wie wir gesehen haben, seine Stellungnahme gegebenenfalls nicht verschweigt, erschien ihm wohl die hebräische Auslegung einleuchtend, umsomehr als er darauf hinweist, daß dieser Teil über die irdischen Güter spricht, mit denen Judah gesegnet sein wird: „tanta erit fertilitas in vinea ejus, quod ad unam vitam poterit onerari unus asinus et ad eam ligabitur usquequo oneratus sit."[138]

Die inhaltliche Problematik dieses Segensspruches ist bei weitem schwieriger: „Es wird das Szepter von Judah nicht weichen, noch der Stab des Herrschers von seinen Füßen, bis komme ‚šiloh'". Hieronymus verstand „šiloh" im Sinne von „šalaḥ" (senden) und übersetzte: „qui mittendus est", und es ist klar, daß nur von Christus in diesem Text gesprochen wird[139]. Es gibt kaum einen Traktat oder eine Disputa-

---

136. Hebr. ḥakelili = rot, gerötet, wie Sprüche XXIII, 29: „wo sind gerötete (?) Augen? Wo man lange beim Wein sitzt" (Luther übersetzt bei beiden Texten: „rot", rötlicher als Wein, rote Augen).

137. Col. 59 B.

138. Ibid.

139. „Licet de Christo grande mysterio sit, tamen juxta litteram prophetatur, quod reges ex Juda per David stirpem generentur et quod adorent eum omnes tribus..." Doch verschweigt er nicht den sensus ad litteram: „... juxta litteram prophetatur, quod reges Juda per David stirpem generentur et quod adorent omnes tribus." Eine historische Deutung erfährt auch der Vers: „von der Jagdbeute bist Du hochgestiegen", „ostenderet eum captivos populos esse ducturum et ... ascendisse in altum, captivam duxisse in captivitatem", doch beläßt er es nicht hierbei, denn „quod melius puto captivitas passionem, ascensus re-

tio zwischen Juden und Christen, in welcher die Juden nicht durch ihre Kontrahenten mit diesem Vers konfrontiert werden, als Beweis für das Kommen Christi[140]. Die rabbinische Exegese dieses Textes ist aufgrund dieser wiederholten Konfrontation Wandlungen durchgegangen. Raschi „wagte" es noch, eine messianische Auslegung zu geben. Zu den Worten „das Zepter wird nicht weichen...", hören wir ihn: „Von David an, und weiter, das sind die Fürsten der Diaspora in Babylon, die über das Volk mit dem Zepter herrschten...", und zu „und Gesetzeslehrer zu Deinen Füßen": „(das sind) die Torahschüler, die Fürsten im Heiligen Land, bis einst šiloh kommt, der gesalbte König..."[141], und so hat auch Onkelos übersetzt. Das heißt, der Messiaskönig wird wieder in šiloh gesalbt werden, dort wird die Erneuerung des von Gott gewollten Königtums stattfinden. Für „šiloh" bringt Raschi noch eine andere, eine Midrascherklärung, die sich in keiner Weise, weder in den inhaltlichen, noch in den sprachlichen Zusammenhang fügt und vielleicht einiges über Raschis Unsicherheit bei der Auslegung dieses Textes aussagen könnte: „Der Midrasch sagt ‚šilo(h)' = šaj lo[142] (ihm eine Gabe), sie bringen Huldigungsgaben aus Ehrfurcht." Hingegen wendet sich Raschbam entschieden einer historischen Auslegung zu, es handelt sich um Rehabeam, bis dieser nach šiloh kommt (denn dies ist nahe Sichem), wird Judah das Königtum besitzen, und ausdrücklich formuliert er seine Worte als eine „tešuvah la minim"[143]. Josef Bechor Schor geht einerseits denselben Weg wie Raschbam, indem er den Segensspruch als eine historische Voraussage begreift, doch weicht er insofern von ihm ab, als er in dem Text zwischen zwei Phasen unterscheidet. In der ersten Phase wird Judah „Zepter" und „Stab" besitzen, das heißt, er wird Herrscher

surrectionem significat". Der Rest des Spruches wird durchgehend allegorisch gedeutet, auf Jesus, auf die Völker, die ihm anhängen werden, auf die Apostel und die ecclesia. Hier. Quaest. in Gen. op. cit S. 54.

140. Beispiel für christologische Deutungen im Mittelalter: Paul Alvarus disputiert mit Bodo Eleasar über die „richtige" Auslegung, PL 121, Epist. XIV, col. 480; Epist. XVI, col. 484. Der Tractat des Fulbert von Chartres (vom Beginn des 11. Jh.) handelt nur über die Auslegung von Gen. XLIX 8ff, er verteidigt eifervoll die Version des Hieronymus und konfrontiert die Juden mit der historischen Realität, die weit entfernt von einem jüdischen Königtum ist. PL 141: 305/308/313, Blkr., Auteurs, S. 237, Nr. 204–207. – Man könnte seiner und auch Petrus Damianis Auslegung (op. cit. col. 46) entnehmen, daß ihnen die messianische jüdische Auslegung bekannt gewesen ist. Auch Nicolaus von Manjacoria kannte die jüdisch-messianische Auslegung; er fügte seiner christologischen Auslegung dieses Textes hinzu: „Hebraei prestolantur, Messias, ut nos probamus Christus", Berger, op. cit. S. 14. Gilbert Crispins Schlußworte beziehen sich ebenfalls auf Gen. XLIX: „nam qui promittebatur, venit jam missus, sicut attestantur signa que prenunciabantur, Jesus Christus expectatio gentium, cui honor et imperium per omnia", edit Blkr. S. 68.
141. Ber. Rab. 98, S. 1259.
142. Ps. LXXVI, 12.
143. S. S. 149.

und Gesetzgeber sein, aber dann, in der zweiten Phase, wird das Königtum sein Teil sein, und ihm werden die Völker (Stämme) anhängen, das
heißt, dem Königtum aus dem Hause David. Raschbam verstand „ad šiloh" als terminus ad quem, Josef Bechor Schor als terminus a quo[144].
Hugo zitiert als erstes die Hieronymusversion „donec veniat qui mittendus est". Dann zitiert er eine hebräische Version, die am ehesten der
Auslegung des Josef Bechor Schor entspricht, da sie ebenfalls zwischen
zwei Phasen unterscheidet: „Im Hebräischen heißt es, bis er nach šiloh
kommt, wo Saul von Samuel zum König gesalbt wurde. Und der Sinn
ist: bis Saul, bis zu diesem Zeitpunkt war Judah Herr über die Stämme,
doch dann wurde ihm das Königtum zuteil." Aber es erhebt sich die
Frage, warum wurde Judah zum Herrscher über seine Brüder, über die
Stämme? Hierfür gibt Hugo zwei Begründungen: „non auferetur scep-
trum, id est dominium quodam, sicut quod primus intravit mare
rubrum[145] et vel quod primus obtulit oblationem in derserto constructo
tabernaculum"[146]. Auch hier übernahm Hugo unkritisch
Midraschtradition als Litteralexegese. Auch auf die zweite Frage, aus
welchem Grunde wurde Judah das Königtum zuteil, antwortet Hugo
mit einem Midrasch: „quia erupiet scilicet Josef a manibus fratrum suorum"[147], und bei seiner Auslegung der Worte: „et ipse erat expectatio
gentium" bezieht er sich wieder auf die Hebraei: „(qui) hoc totum ad ipsum referunt, de quo Dominus respondit: Judas ascendit pro vobis in
praelium", und wir erfahren, daß „gentes vocat diversas tribus". Diese
Deutung, daß die Stämmeversammlung sich nicht auf „šiloh", sondern

---

144. Übersetzung der Auslegung: (Es wird das Zepter) „denke nicht, daß (Judah) in Armut
sein wird, bis die Zeit der Königherrschaft kommt ... bis er nach šiloh kommt, wird er
Richter und Herrscher sein, aber dann ... wird er König sein. Denn als der Tag von šiloh
kam und es zerstört wurde (I. Sam. IV), da erwuchs das Königtum des Hauses David ...
aber bis dahin wird es nicht in Niedrigkeit sein, (er wird) nur Zepter und Stab des Herrschers haben..."
145. Aus Mechilta (op. cit. S. 106). Man fragte Rabbi Tarfon: „Rabbi, sage uns, warum ge-
bührt Judah das Königtum?" Und die Antwort: „... als Israel am Ufer des Roten Meeres
stand, sagte der eine Stamm: ich gehe nicht zuerst ins Wasser, und der andere sagte, ich gehe nicht..., und während sie noch (darüber) berieten, sprang Nachschon ben Aminadav
(aus dem Stamme Judah) in das Meer, und sein Stamm ihm nach, deshalb verdienten sie
das Königtum, wie der Psalm sagt ,als Israel aus Ägypten zog, das Haus Jacob aus dem
fremden Volk, da wurde Judah Sein Heiligtum, Israel Sein Königreich...' sprach der Ewige: derjenige, der Meinen Namen am Meere geheiligt hat, wird kommen (ad še javo) und
wird König sein über Israel."
146. Num. VII, 12.
147. Ber. Rab. 84, 17, S. 1021: „und Judah sagte zu seinen Brüdern: was für einen Nutzen
haben wir..." (Gen. XXXVII, 26). Der Midrasch: „Bei drei Gelegenheiten sprach Judah
vor seinen Brüdern, und sie machten ihn deshalb zum König über sie: (obige), und ,Judah
sprach zu Josef' (um Benjamin zu verteidigen als bei ihm der Becher gefunden wurde —
Gen. XLIV, 18) und ,Judah trat hervor' (für seine Bittrede, an die sich die Erkennungsszene anschließt), Gen. XLIV, 18.

auf die Zeit der Eroberung des Landes bezieht, beruht sicher wieder auf einer mündlichen Information. Die schriftlichen Auslegungen beziehen diese auf šiloh, auf die Stämmeversammlung zur Zeit der Königserhebung. Bei einem anderen Text scheint es, als hätte Hugo Lesart und Auslegung verwechselt. Gen. VI, 1 lesen wir: „und es sahen die Söhne Gottes[148] die Töchter des Menschen", doch von Hugo erfahren wir „in Hebraeo est filii angelorum, sive bonorum sive apostatorum qui a quisbusdam putantur concuibuisse cum mulieribus et genuisse fortissimos et maximos viros"[149]. Raschi gibt zu diesem Text zwei Auslegungen: „Elohim" im Sinne von „Herr" oder „Richter", nicht im Sinne von „Gott", indem er sich auf Schriftverse wie Exod. IV, 16: „Du (Mose) wirst für Aron zum ‚Herrn' (auch hier ‚elohim') sein", stützte; und: „die Söhne des Herrn, das sind die Engel (hebr. śarim, Fürsten, im Sinne von Engelfürsten), die im Auftrage des Ewigen herabgingen, und sie vermischten sich mit ihnen"[150].

Für den Begriff „are miskenot" (Exod. I, 11): „urbes tabernaculorum"[151], kennt Hugo zwei Bedeutungen: „vel sonat in voce miscenoth et significat pauperum ... et secundum hoc ... urbes pauperum aedificatas intelligitur, urbes prius debiles et pauperum mansiones operatione Hebraeorum fortiores effectas". Das ist ein Deraš, doch kennt er noch einen Pešat: „... significat positionum, intelligitur ita fortes urbes compositas quod thesauri regis reponerentur ibi in custodia pro firmitudine loci..."[152]. Hugo hat beide Auslegungen von jüdischen Gesprächspartnern erfahren, die erste, den Midrasch, finden wir ähnlich, nur ohne die zusätzliche Erklärung, in Exodus Rabba[153], die zweite, den pešuto šel miqra, finden wir bei Raschi: „... das sind Vorratsstädte"[154], er beruft sich auf den Text in Jes. XXII, 15: „geh hinein zu dem Verwalter, dem Hofmeister, zu Schevna, der über die Vorräte gesetzt ist". Sowohl Raschbam als auch Josef Bechor Schor übernahmen diese Auslegung.

Einen jüdischen, in rabbinischer Auslegung bewanderten Gesprächspartner, verrät Hugos Interpretation von Richter XII, 4: „fugitivus est Galaad de Ephraim et habitat in medio Ephraim et Menasse"[155]. Diese

---

148. Hebr. „Bene ha elohim", ergo Söhne Gottes und nicht Söhne der Engel.
149. Col. 45 D.
150. Josef Bechor Schor fügt dieser Erklärung hinzu: Mit Gewalt und mit starker Hand haben sie sich die Töchter und Frauen der Menschen angeeignet und dadurch die Ordnung der Welt völlig zerstört.
151. Luther übersetzt: Schatzkammern.
152. Col. 61 C.
153. Exod. Rab. 1 (Schmot): „das sind Städte, die ihre Besitzer verarmen (im Namen des Rabbi Samuel, oder jeder, der sich mit ihnen beschäftigt, verarmt) aber Rabbanan sagen: Vorratskammern."
154. In Anlehnung an Onkelos.
155. Col. 92 D.

Übersetzung ist eher eine Paraphrasierung des hebräischen Textes, der wörtlich „Ihr seid Gil'ad inmitten von Ephraim und Menasse" eigentlich keinen Sinn ergibt. Raschi interpretiert gemäß dem „Targum Jonathan": „die Flüchtlinge von Ephraim sagten: ihr seid Gil'ad, minder wert (als wir), denn Ephraim verachtete Gil'ad und (sie) sagten ihnen: was seid ihr wichtig inmitten Ephraims und Menasses?" Eine Auslegung, die sich harmonisch in die Erzählung über den nun entbrennenden Bruderkrieg zwischen Ephraim und Gil'ad einfügt. Hugos Interpretation klingt fast wie eine Übersetzung von Jonathan und Raschi: „in hebraeo sic habetur ,atem Galaad' quod interpretatur, vos Galaad, quod est cum indignatione pronuntiatum.Quasi diceretur: vos, quis estis? Aut qualis inter nos habitatis? Atem, vos Galaad inter Ephraim et Manasse."[156] Es scheint, als hätte ihm die rabbinische Interpretation völlig eingeleuchtet.

Eine Midraschtradition liegt Hugos Auslegung zu Gen. III „und sie (Adam und Eva) flochten Feigenblätter zusammen", zugrunde. Es erhebt sich die Frage, warum gerade hier die Pflanze bei Namen genannt wurde, was bisher bei keiner anderen geschehen ist; daher der Midrasch, der auch von Raschi übernommen wurde: „Durch die Sache, durch die sie verdorben worden waren, wurde ihnen geholfen"[157], und Hugo bemerkt lakonisch: „per hoc quidam existimant, ficum fuisse lignum scientiae boni et mali", und es scheint, als wäre er mit dieser Erklärung vollkommen einverstanden.

Ebenso erinnert Hugos Interpretation der Anrufung Gottes (Adam, wo bist Du..., Gen. III, 9) an die rabbinische Auslegung: „Ecce quanto est misericordia Dei? Non vult eo subito convenire de culpa sua, ne amissa verecundia inverecundi fiant et pertinaces"[158], erläutert Hugo, ohne einen Hinweis zu geben, ob er diese Erklärung von einem Juden gehört hatte, doch wir erinnern uns an Raschi: „ER kannte seinen Aufenthalt, doch um mit ihm (Adam) ein Gespräch zu beginnen, und um ihn nicht plötzlich zu verwirren (fragte ihn Gott)."[159]

Doch verrät wiederum Hugos Interpretation von 1. Kön. XIII, 1 (filius unius anni erat Saul cum regnare caepisset et duobus annis regnavit super Israel) den jüdischen Gesprächspartner. Dies ist ein Text, der keinerlei Sinn ergibt, er verlangt nach einer Auslegung. Raschi gibt wie häufig bei schwierigen Texten zwei Erklärungen: Unsere Lehrer lehrten, Saul war *wie* ein Knabe (als er König wurde), der noch nicht den Geschmack der Sünde gekostet hatte, aber — und somit gibt er zu verstehen, daß er dem Pešat den Vorzug gibt — gilt es zu erklären[160]: Im ersten Jahr, als er

---

156. Ibid.
157. S. S. 41.
158. Col. 42 A.
159. S. S. 46.
160. Wörtlich: zu lösen (hebr. liftor).

zum König gewählt wurde — und er herrschte zwei Jahre über Israel —
(aber) sofort im ersten Jahr wählte er sich dreitausend Mann aus Israel
(ibid., Vers 2)[161]. Hugo übernahm beide Auslegungen, doch beruft er
sich bemerkenswerterweise bei der Wiedergabe des Midrasch nicht auf
einen jüdischen Gesprächspartner: „Saul erat filius unius anni, id est in-
nocens et simplex ut puer unius anni. Et duobus annis regnavit in illa
simplicitate, postea mutatus est in pejus." Erst jetzt bei seiner zweiten
Auslegung, die nach rabbinischem Verständnis dem „pešuto šel miqra"
entspricht, hören wir ihn: „hebraei dicunt,Saul duobus tantum annis
regnasse, Samuelem viginti annis judicasse Israel", und nach dieser Erklärung ist zu verstehen, daß Saul, als er anfing zu regieren, war er „filius unius anni id est unum annum jam habuisset in regno, fecit quod se-
quitur: elegit sibi tria millia de Israel", so daß zwischen ihm und Raschi
völlige Übereinstimmung herrscht im Verständnis dieses Textes[162].
Für den stammelnden Mose (Exod. IV, 10) gibt Hugo folgende Erklärung, „quidam dicunt Moisen propterea non esse eloquentem, quia diu
moratus fuerat in terra Madian: unde oblitus erat aliquantulum linguae
Ägyptiae"[163]. Eine Auslegung, die mit Nachdruck von Samuel ben Meir
verfochten wurde[164].
Aus diesen Beispielen, die noch zu vermehren sind, geht eindeutig hervor, daß es zu Hugos Arbeitsweise gehörte, sich bei seinen litteral-
exegetischen Arbeiten an Juden zu wenden, um sich mit ihnen zu beraten. Verstärkt wird dieser Eindruck bei Auslegungen, bei denen uns
Hugo keinerlei Hinweis dafür gibt, daß er die Meinung anderer zitiert,
aber bei denen es scheint, als hätte er, motiviert durch zahlreiche Unterhaltungen mit Juden, Denkkategorien angenommen, die ihn dazu verleiten, Auslegungen, wenn auch nicht im Wortlaut so doch im Sinn und
im Geist des rabbinischen Midrasch zu formulieren.
Die vielen Bezeichnungen für Isaak (Gen. XXII): „tolle filium tuum
unigenitum quem diligis...", erregten auch Hugos Aufmerksamkeit,
und seine Worte zu dem Text erscheinen fast wie eine verkürzte Paraphrasierung des ausführlichen Midrasch, den Raschi übernommen
hat[165]. Auch für ihn ergeben die Bezeichnungen einen tieferen, aber einen litteralen Sinn, sie sind keineswegs nur rhetorische Floskel, und so
hören wir ihn „omnibus istis verbis intendit hoc ut magis et magis ac-
cendat carnalem amorem patris erga filium, ut postea praeponat amorem Dei suo carnali amori, et, cum viceret gloriosior sit victoria..."[166].

---

161. Luther übersetzt in demselben Sinn: Saul war ein Jahr König gewesen, und da er
zwei Jahr über Israel regiert hat, erwelet er dreytausend Mann.
162. Col. 98 B; dieselbe Auslegung bei Kimchi, die Quelle ist: „seder olam", so daß es sich
um eine verbreitete rabbinische Auslegung handelt.
163. Col. 62 C.
164. S. S. 146.
165. S. S. 50.   166. Col. 53 A.

Raschi fügt dem Midrasch noch eine Erklärung hinzu: „Für jede einzelne Bezeichnung wird er eine zusätzliche Belohnung erhalten, wenn er den göttlichen Auftrag erfüllt", wohl weil er dadurch bewiesen hat, daß die Gottesliebe über jeder Vaterliebe steht, und Nachmanides sieht den Sinn der ausführlichen göttlichen Anrede darin, „um die Mizwah — die Gehorsamsbereitschaft — zu erhöhen".

Zu Josefs zweitem Traum, Sonne, Mond und Sterne verbeugten sich vor ihm (Gen. XXXVII, 10) sagt Raschi: „Da schalt ihn (Jacob), weil er sich Haß zuzog: sollen wir etwa kommen, ist deine Mutter nicht schon gestorben?" Und Hugo: „Nam ego et mater tua? Hoc dicit pater, ut ostendat somnium sine interpretatione esse quia matri convenire non potest ... et per hoc intendit lenire invidiam fratrum"[167].

Sowohl Raschi wie auch Hugo begreifen Rubens Verhalten in dem Krieg gegen Sisra als Schlauheit oder als List (Richter V, 15), „An Rubens Bächen? Gauen? (hebr. pelagot) überlegten sie lange"[168]. Hierzu Raschi: „Aber in den Überlegungen ihres Herzens (hebr. ḥiluqe lev) vermehrten sich die Zweifel und erweckten in ihm List, und worin bestand diese List? Er saß zwischen den Kriegslagern[169], um zu hören, wer siegen wird, um mit diesem zu sein"[170]; und Hugo: „ex magna calliditate cordis divisit se Ruben ab aliis et terminos suos longe posuit a frequentia bellorum in tali divisione ab utraque parte ut ... ad eum secure qui quiescentem non pondus praelii sed sibilus tantum levis famae perveniret"[171].

Hugo registriert mit größter Aufmerksamkeit Textschwierigkeiten und erläutert auch diese nach rabbinischen Grundlinien. Zu Richter I, 1 „Juda ascendit", bemerkt er: „Per Judam in hoc loco non personam sed populum, tribum videlicet Juda intelligere debemus"[172], und Raschi: „der *Stamm* Judah zieht als erster hinauf", wohl weil hier zum ersten Male in der Bibel Judah nicht als der Sohn Jacobs gemeint ist. Und Hugos Worte zu dem Vers: „dimisit Josue populum" (Richter II, 6): „... narratio ad superiorem revertitur"[173], denn Josua war schon tot, eine Redewendung, die an Raschis häufige Bemerkung „die Schrift kehrt zu

---

167. Col. 57 A.
168. Col. 57 A.
169. So in den gängigen deutschen Übersetzungen, der lateinische Text, den Hugo vor sich hatte, lautet: „diviso contra se Ruben magnanimorum reperta est contentio", und Luther: „Ruben hielt sich hoch und sonderte sich ab." So daß die lateinische Version auch Raschis Auslegung entspricht. — Buber übersetzt: „In den Parteien Rubens gab es Herzensführungen groß."
170. In Anlehnung an den Targum Jonathan, der hebr. „mišpatajim" = „Kriegslager" übersetzt, wenn es eigentlich in diesem Zusammenhang „Weideplätze" heißen sollte (Luther: Hürten).
171. Col. 91 B.
172. Col. 87 A.
173. Col. 88 B.

dem oben Erzählen zurück" erinnert. Doch es bleibt bemerkenswert, daß manchen Auslegungen, die Hugo von den „Hebraei" übernommen hatte,Midraschquellen zugrunde liegen, von denen kein nordfranzösischer Bibelexeget seiner Epoche behauptet hätte, daß sie dem „pešuto šel miqra" entsprächen. Es erhebt sich zuweilen der Eindruck, daß Hugo in seinem Bemühen, die Allegorie zu vermeiden, einer Auslegungsmethode verfiel, die sich rabbinische zeitgenössische Exegeten nicht minder bemühten zu umgehen, dem „Deraš". Vielleicht aber lag gerade hierin die Gefahr für jeden christlichen Autor, der sich bemühte, dem einfachen Schriftsinn treu zu bleiben und sich an Juden wandte, daß er die Grenze zwischen Midrasch und „pešuto šel miqra" überschritt, so daß somit den eifervollen Gegnern einer Auslegung „more judaico", denen nicht nur die „littera occidens" sondern auch die „aniles fabulae" Ziele des Angriffs waren, Vorschub geleistet wurde.

X. Schlußwort

Es ist nicht anzunehmen, daß Hugo unmittelbar mit der „Raschi-Schule" in Verbindung gestanden hatte. Die Tatsache, daß einige seiner Auslegungen auf Raschi, Josef Kara oder auf Samuel ben Meir zurückzuführen sind, beweist eher, wie weit verbreitet deren Erklärungen gewesen waren, und in welchem Maße die nordfranzösischen rabbinischen Exegeten als Sprachrohr ihrer Zeit zu verstehen sind. Mit seinen Adnotationes wollte Hugo sicher ein pädagogisches Anliegen erfüllen, den Blick seiner Schüler auf die Littera richten und sie in der Auffindung des litteralen Schriftsinns eines Textes anleiten. Er hatte somit den Grundstein zu einer Entwicklung gelegt, die erst unter seinen Schülern einen Höhepunkt erreichen sollte, den Hugo vielleicht selber nicht in diesem Maße weder vorausgesehen noch beabsichtigt haben mag. In einer Zeit, in welcher sich die sozialen und politischen Bedingungen, unter denen die Juden innerhalb der christlichen Gesellschaft lebten, in beängstigender Weise zuspitzten, aber Begegnungen, vor allem auf beruflicher Ebene, noch zum täglichen Leben gehörten, sollte rabbinische Textauslegung christlichen Gelehrten durch Juden, die vielleicht primär aus geschäftlichen Gründen mit ihnen in den Klöstern und Kathedralschulen in Verbindung traten, in einer Weise gegenwärtig werden, die imstande war, nicht geringe Verwirrung anzurichten. In beachtlichem Maße hatte die rabbinische Auslegungsmethode Eingang in die christliche Gelehrtenwelt gefunden, deren nicht geringer Repräsentant Hugos Schüler, Andreas, war[1]. Andreas tolerante und souveräne Einstellung zur rabbinischen Exegese „ad litteram" scheint erstaunlich. Bei seiner Auslegung von Prophetenworten, die von jeher als Voraussagen auf das Kommen Christi gedeutet wurden, zitiert er die Meinungen der Juden, ohne daß es in jedem Fall ersichtlich wird, daß er sich von diesen distanziert oder Kritik übt. Zu Bileams Segensspruch, „es wird ein Stern aus

---

1. Ausschnitte aus den exegetischen Schriften des Andreas von St. Victor bei Smalley, op. cit. S. 375—396. Über sein Leben und sein Werk, ibid. S. 112ff.
Ebenso „Andrew of St. Victor, Abbot of Wigmore, a twelfth Century Hebraist", von demselben Autor, in „Recherches des Theologie aucienne et medievale", X, Louvain 1938. Seine exegetischen Schriften, vor allem seine Hinweise auf Juden und jüdische Traditionen, verlangen sicher eine gründliche Analyse, die mir aus den bisher vorliegenden Materialien vorzunehmen nicht möglich ist. Doch berechtigen uns B. Smalleys Ausschnitte doch zu einigen Schlußfolgerungen.

Jacob aufgehen und ein Zepter aus Israel aufkommen" (Num. XXIV,
17), teilt er seinem Leser mit, daß die Juden diese Worte auf ihren Messias beziehen, der die Wundertaten, von denen im folgenden die Rede
ist, vollbringen wird[2].
Hieronymus' Deutung der Jesajaworte: „So lasset nun ab von dem Menschen, dem Atem in seiner Nase ist, denn ... (zu was? erhaben?)[3] ist er zu
achten", bringt Andreas erst die Auslegung des Hieronymus: „desistite
persequi hominem ... cessate quia ipse reputatus est a Deo, qui misit illum et a credentibus eum excelsus ... aperta est de Christo prophetia..."
Aber, so fährt Andreas fort, die Juden lesen statt „excelsus", „in quo",
wonach zu deuten wäre: lasse davon ab, Menschen zu vertrauen, wie
Pharao von Ägypten, der Euch vielleicht von den Babyloniern retten
könnte, „quia in quo reputatus est? sowohl von Gott wie auch von Menschen?"[4] Es ist anzunehmen, daß Andreas' jüdischer Gesprächspartner
ein übriges getan, und einen eigenen „Pešat" erfunden hatte. Jesaja ben
Amoz wirkte zur Zeit der assyrischen und nicht der babylonischen Gefahr, in der nordfranzösischen Exegetenschule finden wir keine derartige Auslegung.
Dem Schriftbeweis für die Jungfrauengeburt stellt Andreas die jüdische
Auslegung gegenüber, die anscheinend derjenigen Raschis entspricht[5].
Richard von St. Victor war erschüttert von einer derartigen Abweichung aller Auslegungstraditionen und beschuldigte Andreas des Judaisierens[6], seine Schrift „De Emmanuele" ist seine Antwort auf Andreas Verirrung[7]. Es mag aber auch Andreas nicht leicht gefallen sein,
die jüdische Auslegung als legitime Möglichkeit des Schriftverständnisses in Betracht zu ziehen, doch scheint es, als hätten die Juden seiner
Umgebung mit Hohn und Aggression nicht gespart, um die ihnen unsinnig scheinende christologische Interpretation zu entkräften[8].
Doch wird sein Bemühen, den „sensus ad litteram" aufzufinden, der gerade bei derartigen Schriftstellen der rabbinischen Überlieferung entspricht, am deutlichsten bei seiner Auslegung des sündenerlösenden
Gottesknechtes des Deuterojesaja[9]. Das gesamte Kapitel erfährt eine
Deutung im streng historischenSinn, es handelt sich um das Volk Israel,

2. Smalley, op. cit. S. 160.
3. Hebr. unvokalisiert bmh, Hieronymus vokalisiert: bamah = Erhöhung, erhöht; die
Mesorah: bemah, in was, worin.
4. Smalley, S. 162 n. 2; Raschis und Josef Karas Auslegung von Jes. I, 22, s. S. 135.
5. Andreas zitiert hier eine Deutung zu Jes. VII, 14, die auf die nahe Zukunft hinweist, die
Frau des Propheten wird schwanger werden und ein Kind gebären; s. Raschi, S. 106.
6. Smalley, op. cit. S. 157.
7. PL 196: 601,Smalley 163.
8. Sie gießen Hohn über ihre christlichen Kontrahenten aus, und beschuldigen sie der
Schriftverdrehung, s. Smalley S. 163.
9. Smalley S. 164; Jes. LIII, s. S. 116ff.

das hier allegorisch als Gottesknecht, dem für seine Sünden die Strafe der Diaspora auferlegt wurde, angesprochen wird: „de populo agens tamquam de uno homine loquitur, quem vocat virum dolorum"[10], erfahren wird. Das geschlagene Volk jedoch wird nicht sterben, die Feinde Israels, die Babylonier, werden an seiner statt Tod und Begräbnis erleiden. „... impii et divites Babylonii ... increduli et divitiis occupati, in sepulturam et mortem pro eo dabuntur."[11]

Man sieht, die jüdischen Gesprächspartner Andreas' taten das Ihre, sich in keinerlei Argumentation über allegorische oder zeitgemäße Auslegung einzulassen. Der „pešuto šel miqra" hatte einen Höhepunkt erreicht, auch Juden, die nicht als Gelehrte in die Geschichte eingegangen sind, sich aber wie die meisten ihrer Zeitgenossen dem Bibelstudium widmeten, wandten ihn konsequent an, bestimmt, wenn sie sich mit Christen unterhielten. Bei Jesaja LIII handelt es sich demnach um die Epoche des Deuterojesaja, und nicht um eine Voraussage auf künftige Katastrophen, wie es Raschis Interpretation zu entnehmen ist[12].

Andreas teilt uns mit, daß er mit den gelehrtesten Juden Umgang gehabt hatte[13]. Diese werden ihm das Leben nicht immer leicht gemacht haben,oft merkt man seinen Worten an, wie er von ihnen bedrängt wurde, doch scheint es, als hätte er von sich aus eifrig das Gespräch gesucht. Hören wir ihn doch einmal ungeduldig ausrufen, daß es sicherer sei, in den Wegen der Tradition christlicher Gelehrter zu gehen, als den Juden auf ihrem Weg zu folgen, von dem sie meinen, daß er der richtige sei... Denn, so fügt er ungehalten hinzu, die heutigen Juden sorgen sich mehr um das Geldverdienen als um sorgfältige Schriftauslegung[14].

Doch möchte ich nicht annehmen, daß es sich bei Andreas um „judaisieren" im wahren Sinn des Begriffs handelt. Für Andreas galt die historische Auslegung oftmals als die jüdische, er konnte diese übernehmen, ohne gleichzeitig etwas von seinen eigenen Glaubensvorstellungen aufgeben zu müssen. Wenn es seiner Vernunft einleuchtete, übernahm er von einem Juden eine Interpretation „ad litteram", seine Glaubenserkenntnis blieb sicher davon unberührt. Diese Einstellung ist vergleichbar mit Samuel ben Meirs Auffassung mancher Gesetzestexte, die nicht im Einklang mit den Geboten der Gesetzesauslegung stand, ohne daß es ihm in den Sinn gekommen war, diese anzuzweifeln.

Mehr ließ sich wohl nicht erreichen. Die Juden konnten wohl ein wenig Irritation verursachen, zu überzeugen vermochte keine Seite die andere. Die Christen konnten es sich gewissermaßen erlauben, auf die Methode

10. Smalley, S. 391.
11. Ibid S. 392.
12. S. S. 124.
13. Smalley, S. 166.
14. Ibid. S. 167.

der Litteralexegese einzugehen und sogar christologische Auslegungen zu verschweigen, ohne Gefahr zu laufen, von ihren eigenen Lehren abzuweichen. Für die Juden hätte jedes Zugeständnis Einbruch in ihre Glaubensüberzeugungen bedeutet. Exegese „ad litteram" und „lefi pešutc ̄el miqra" waren Mittel, um nicht allzu offene Angriffsflächen zu bieten, die Juden ließen von ihren „inutiles fabulae" ab, und besonders aufgeschlossene Christen waren bereit, bei den Juden zur Schule zu gehen, um der Littera das Recht einzuräumen. Somit wurde, wenn auch nur eine schmale, Basis geschaffen, auf der Begegnung und Gespräch stattfinden und ein begrenztes Maß an Verständnis erreicht werden konnte.

Mit Andreas von St. Victor ist wohl ein Höhepunkt erreicht, doch Gespräche zwischen Juden und Christen über Fragen des richtigen Textverständnisses fanden immer wieder statt, und nicht wenige christliche Gelehrte — ein repräsentatives Beispiel ist im 14. Jahrhundert Nicolaus von Lyra — ließen sich von Juden im Verständnis der Littera unterweisen, und übernahmen dabei gleichzeitig deren Midraschauslegungen. Doch ist diese Art der Begegnung nur ein kleiner begrenzter Ausschnitt eines vielschichtigen bunten Gesamtbildes, die das Geschick der Juden nicht beeinflussen oder ändern konnte. Was in der Stille, im exklusivem Kreise, vielleicht möglich gewesen wäre an gegenseitiger Achtung und Duldung zu gewinnen, wurde in der Turbulenz wirtschaftlicher und politischer Belange und Ansprüche mancher weltlicher Herrscher, unterstützt von eifervollen Repräsentanten der Kirche, überspielt.

Abkürzungen

1. Quellen

PG	Patrologia Graeca (Migne)
PL	Patrologia Latina (Migne)
MGH	Monumenta Germaniae Historica
MGH SS	Scriptores
MGH DD	Diplomata
MGH Ep.	Epistolae
RS	Rerum Britannicarum Medii Aevi Scriptores (Rolls Series)
CCL	Corpus Christianorum Series Latina

2. Zeitschriften

JBL	Journal of Biblical Literature
JQR	Jewish Quarterly Review
REJ	Revue des Etudes Juives
MGWJ	Monatsschrift für die Geschichte und Wissenschaft des Judentums

Bibliographie

1. Bibelausgaben

Biblia Sacra juxta Vulgatam Versionem. Rec. et brevi apparatu instruxit R. Weber, T. I.—II. Stuttgart 1969

Martin Luther: Die Gantze Heilige Schrifft, Deutsch, Wittenberg 1545, H. Volz, Hg., München 1972

Biblia Hebraica, edidit Rud. Kittel / P. Kahle, Stuttgart 1937

Miqraot Gedolot, Ausg. Lublin 1862, Neudr. Jerusalem 1964

Zürcher Bibel, Die Heilige Schrift des Alten und des Neuen Testaments, Zürich 1907—1931, Neuübersetzung, Zürich 1942

Die Schrift — zu verdeutschen unternommen von Martin Buber gemeinsam mit Franz Rosenzweig, Berlin o.J.

2. Hebräische Quellen

Benjamin von Tudela	Massa'oth, Edit. M.N. Adler (Hebr./Engl.), London 1907, Neudruck New York o.J.
Midrasch Bereschit Rabba	Edit. J. Theodor, Ch. Albeck, Jerusalem 1965
Bet — Ha Midrasch	A. Jellinek (Hg.), Jerusalem 1967
Commentaries on the Book of Jesajah	on Mss. of J. Kara, Menachem ben Chelbo, Samuel ben Meir u.a., Jerusalem 1970
The Fifty-third Chapter of Isaiah according to the Jewish Interpreters	S.R. Driver, Ad. Neubauer, Bd. I Texts, Bd. II Translations, New York 1969
Hebräische Berichte über die Judenverfolgungen während der Kreuzzüge	A. Neubauer, M. Stern (Hg.), Hebr. und Deutsche Übersetzung, Berlin 1892
Jalqut Schimeoni	B. Landau (Hg.), Jerusalem 1959
Josef Bechor Schor	Kommentare zu Genesis, Exodus (A. Jellinek, Hg.), Jerusalem 1957
Josef Bechor Schor	Kommentar zu Leviticus Numeri Deuteronomium (Ch. Isser, Hg.), London 1960
Josef Kara	Kommentar zu Kohelet, B. Einstein (Hg.), Berlin 1886, Neudr. Jerusalem 1972
Josef Kara	Kommentar zu Nevi'im Risonim, S. Eppenstein (Hg.), Ffm. 1906, Jerusalem 1972
Josef Kara	Kommentar zu Jeremia, L. Schlossberg (Hg.), Paris 1881
Josef Kara	Kommentar zu den Klageliedern, S. Buber (Hg.), Breslau o.J.
Mechilta de Rabbi Ismael	Edit. H.S. Horowitz, I.A. Rabin, Jerusalem 1960
Midrasch Tanchuma	Edit. S. Buber, Wilna, Neudruck Jerusalem 1963

Midrasch Tanchuma   Edit. Ch. Sundel, Jerusalem 1964
Midrasch Tehillim (Soher Tov)   Edit. S. Buber, Wilna, Neudruck Jerusalem
                                       1967
Midrasch Tehillim   A. Wünsche, Deutsche Übersetzung, Trier
                                       1892, Neudr. Hildesheim 1967
Pirqe de Rabbi Elieser   Warschau, Neudr. Jerusalem 1963
Pesiqta Rabbati   Edit. M. Friedmann, Wien 1880
Pletath Soferim, Beiträge zur jüd.   A. Berliner (Hg.), Breslau 1872, Neudruck Je-
Schriftauslegung im Mittelalter   rusalem 1971
Raschi:
Commentary of Raschi on the Pro-   L. Maarsen Edit., Jerusalem 1936, Neudr. Jeru-
phets and Hagiographs Parschandatha   salem 1972
T. I The Minor Prophets
T. II Jesaja
T. III Tehillim
Raschi Al Ha Torah (Pentateuchkom-   Edit. A. Berliner, Ffm 1905, Neudr. Jerusalem
mentar)   1962
Raschis Pentateuchkommentar   S. Bamberger (Deutsche Übersetzung), Breslau
                                       1934, Neudr. Tübingen 1963
Samuel Ben Meir (Raschbam), Peruš   A. Bromberg Edit. Jerusalem 1967
Ha-Torah
Samuel Ben Meir, Pentateuch-   Edit. D. Rosin, Breslau 1881, Neudr. Jerusa-
Kommentar   lem 1969
Sefer Chassidim (Buch der Frommen)   J. Wistinetzki, J. Freiman (edit), Ffm. 1924,
                                       Neudr. Jerusalem 1969
Sefer Jossipon   H. Hominer (Hg.), Jerusalem 1971
Sefer Josef Ha-Meqane   J. Rosenthal (Hg.), Jerusalem 1970
Sefer Gezerot Askenaz we Zorfat   A.M. Habermann (Hg.), Jerusalem 1946
Sifre ad Deuteronomium (Sifre d've   Edit. L. Finkelstein, Berlin 1934
Rav)
Sifre ad Numeros (Sifre d've Rav)   Edit. H.S. Horowitz, Jerusalem 1966

3. Quellen (Latein)

St. Bernardi, Opera, Vol. VIII, Epistolae, Edit. J. Leclerc, H. Rochas, Rom 1957
Corpus Christianorum Series Latina, Turnholt 1954ff (CCL). Die einzelnen Bände und
    Schriften sind in den Anmerkungen zum Text aufgeführt.
Gisleberti Crispini Disputatio Judaei et Christiani, Ed. B. Blumenkranz, Stromata Pa-
    tristica et Mediaevalia 3, Utrecht 1956
Hugonis de Sancto Victore Didascalicon de Studio Legendi, Edit. Ch. Buttimer,
    Washington 1939
Mansi, G.D., Sacrum Conciliorum Nova et Amplissima Collectio, Gratz, Neudr. 1960,
    Paris 1901—1927
Martène, Edm., Durand, U., Thesaurus Novus Anecdotarum, 5 Vols., Paris 1712
Raymundi Martini, Pugio Fidei, Adversus Mauros et Judaeos, Lipsiae 1687, Neudr. 1967
Migne, J.P., Patrologiae Cursus Completus, Series Latina, (PL) 221 Vols. Paris 1844—61.
    Die einzelnen Bände und Schriften sind in den Anmerkungen zum Text aufgeführt.
Monumenta Germaniae Historica (MGH). Die einzelnen Bände, Schriften und Editionen
    werden nicht hier, sondern in den Anmerkungen zum Text aufgeführt.
Petrus Venerabilis. The Letters of Peter the Venerable, Edit. G. Constable, Vls. I, II,
    Cambridge/Mass. 1967
Recueil des Histoires des Croisades, 4 Vols., Paris 1844

Recueil des Historiens de Gaule et de la France, M. Bouquet u.a., Nov. Edit. Paris 1869ff
Regesta Pontificum Romanorum, Edit. A. Potthast, 2 Vols., Berlin 1875
Regesten zu der Geschichte der Juden im Fränkischen und Deutschen Reich bis zum
   Jahre 1273. J. Aronius, Berlin 1887—1902, Neudr. Hildesheim 1970
Registrum Gregorii VII, Edit. Caspar, Berlin 1920

4. Darstellungen

I. Agus, Urban Civilization of Pre-Crusade Europe, 2 vls., New York 1965
—, Controls of Roads by Jews in Pre-Crusade Europe, JQR, XLVIII, 1957
—, The Heroic Age of Franco-German Jewry, New York 1969
A. Aptowitzer, Mavo le sefer Rabiah (hebr.) (Introductio ad sefer Rabiah), Jerusalem
   1938
W. Bacher, Die hebräische Sprachwissenschaft, MGWJ 46, 1902
—, Le mot Minim dans le Talmud, designe t'il quelques fois des Chrestiens? REJ 38, 1899
J. Baer, Raschi and the Historical Reality of his Time. (hebr.) Tarbiz 20, 1950, Jerusalem
M.G. Bardy, Les Traditions Juives dans l'œuvre d'Origine, Revue Biblique 34, 1925
R. Baron, Etudes sur Hugues de St. Victor, Angers 1963
—, Science et Sagesse chez Hugo de St. Victor, Paris 1957
S. Baron, A Social and Religious History of the Jews, 13 Bde., 1—8, New York
   1952—1961
—, Rashi and the Community of Troyes, in: Rashi Anniversary Vol., New York 1941
P. Berard, Augustin et les Juifs, Lyon 1913
S. Berger, Quam Notitiam Linguae Hebraicae habuerint Christiani Aevi Temporibus in
   Gallia, Paris, Nancy 1893
E. Le Blant, La Controverse des Chrestiens et des Juifs aux Premiers Siècles de l'Eglise.
   Mem. de la Societée nat. des Antiquaires de France, VI, Paris 1898
B. Blumenkranz, Die Judenpredigt Augustins, Basel 1946
—, Les Auteurs Chrétiens Latins du Moyen Age sur Juifs et Judaisme, Paris 1963
—, Juifs et Chrétiens dans le Monde Occidental, Paris 1960
—, Jüdische und christliche Konvertiten, in: Miscell. Mediaev. 4, Judentum im Mittelal-
   ter, Berlin 1966
J.B. Bodmer, Die französische Historiographie und die Franken, in: Archiv für Kul-
   turgeschichte 45, 1963
E. Boshof, Erzbischof Agobard von Lyon, Köln 1969
F. Bourquelot, Etudes sur les foires de Champagne sur la nature et l'etendue et les reglès
   du commerce qui s'y faisait au XII, XIII, XIV siècle, 2 Vols., Paris 1865
A. Cabaniss, Bodo Eleazar, a famous Jewish Convert, JQR 43, 1952/53
G. Caro, Sozial- und Wirtschaftsgeschichte der Juden in Deutschland, Frankfurt 1924,
   Neudr. Hildesheim 1964
G.H. Dalmann, Der leidende und der sterbende Messias, Berlin 1888
L. Dasberg, Untersuchungen über die Entwertung des Judenstatus im 11. Jahrhundert,
   Den Haag 1966
D. v. den Eynde, Essai sur la Succession et la Date des Ecrits de Hugues de St. Victor,
   Rom 1960
S. Federbusch (Hg.), Rashi, his Teachings and Personality, New York 1958
L. Finkelstein, Jewish Self Government in the Middle Ages, New York 1924
M. Freimann, Die Wortführer des Judentums in den ältesten Kontroversen zwischen
   Juden und Christen. MGWJ 55, 1911
M. Friedländer, Der vorchristliche jüdische Gnostizismus, Göttingen 1898
—, Patristische und Talmudische Studien, Wien 1878, Neudr. 1972

A. Funkenstein, Changes in the Pattern of Christian Anti-Jewish Polemics in the 12th Century, Zion 33, 1971 (hebr.)

F.L. Ganshof, Was ist das Lehnswesen?, Darmstadt 1970[3]

A. Geiger, Parschandatha, die nordfranzösische Exegetenschule, Breslau 1855, Neudr. Jerusalem 1970

Germania Judaica, I.Elbogen, A. Freimann, H. Tykoczinsky (Hg.), Breslau 1934

J. de Ghellinck, L'essor de la Litterature Latine au XII Siècle, Brüssel 1955

—, Le Mouvement Théologique du XII siècle, Paris, Brüssel 1948

L. Ginzberg, Die Haggadah bei den Kirchenvätern und in der apocryphen Literatur, MGWJ 43, 1899

L. Ginzberg, Geonica, New York 1909

O. Gönnenwein, Das Stapel- und Niederlassungsrecht, Weimar 1939

M. Grabmann, Die Geschichte der scholastischen Methode, 2 Bde., Freiburg 1911

H. Graetz, Hillel, der Patriarchensohn, MGWJ XXX, 1881

—, Die mystische Literatur in der gaonäischen Zeit, MGWJ 8, 1959

—, Geschichte der Juden, vols. 5—7, Leipzig 1870ff

S. Grayzel, The Church and the Jews in the 13th Century, New York 1966

H. Gross, Zur Geschichte der Juden in Arles, MGWJ XXXI, 1888

—, Gallia Judaica, Dictionnaire Géographique de la France d'après les Sources Rabbiniques, Paris 1892, Neudr. Amsterdam 1969

M. Güdemann, Geschichte des Erziehungswesens und der Cultur der Juden in Frankreich und Deutschland, Wien 1880

H. Hailperin, Jewish „Influence" on Christian Biblical Scholars in the Middle Ages, Historia Judaica, Vol. IV, New York 1963

—, Rashi and the Christian Scholars, Pittsburgh 1963

B. Hauréau, Les Oeuvres de Hugues de Saint Victor, Paris 1886

A.B. Hulen, Dialogues with the Jews as Sources for the Early Jewish Argument against Christianity, JBL 51, 1932

J. Jacobs, The Jews of Angevin England, London 1893, Repr. 1969

C. Jenkins, Bede as Exeget and Theologian, in: Essays in Commemoration of the 12th Century of his Death,Oxford 1969

G. Jeremias, Der Lehrer der Gerechtigkeit, Göttingen 1962

J.M. Jost, Geschichte der Israeliten, Berlin 1820, Bd. VI

J. Juster, Les Juifs dans l'Empire Romain, 2 Vols., Paris 1914

Z. Kahn, Etude sur le livre de Joseph le Zelateur, REJ I, 1880, III, 1881

S. Katz, Pope Gregor the Great and the Jews, JQR 24, 1933

E. Kautzsch, Die Apokryphen und Pseudepigraphen des AT, 2 Bde., Tübingen 1900, Neudr. Hildesheim 1962

G. Kisch, Forschungen zur Rechts- und Sozialgeschichte der Juden in Deutschland während des Mittelalters, Stuttgart 1955

—, The Jews in Mediaeval Germany, New York 1970

J. Kritzeck, Peter Venerabilis and Islam, Princeton 1964

E. Lavisse, Histoire de France, 9 Vols., Paris 1905—1910, Vol. III

A. Levy, Die Exegese bei den französischen Israeliten, Leipzig 1873, Neudr. Jerusalem 1971

I. Levy, La nativité de Ben Sira, REJ XXIX, 1894

—, Controverse entre un Juif et uns Chrestien au XI siècle, REJ V, 1882

M. Liber, Raschi. London 1960 (Engl. Übersetzung A. Szold)

S. Liebermann, Shki'in, a few words on some Jewish Legends and Customs and litterary sources found in Karaite and Christian Works, Jerusalem 1970 (hebr.)

E.M. Lifschitz, Rabbi Salomo Ben Isaak (hebr.), 1946, Neudr. Jerusalem 1963

I. Loeb, La controverse réligieuse entre les Chrestiens et les Juifs au moyen age, Paris 1884

H. Loewe, Die Juden in der katholischen Legende, Berlin 1912

H. de Lubac, L'exégèse médiévale, 2 Bde., Paris 1959—1964
Ch. Merchaviah, The Church versus the Talmudic and Midrashic Litterature (hebr.)., Jerusalem 1970
W. Mohr, Die Karolingische Reichsidee, Münster 1962
—, Alttestamentliches Gedankengut in der Entwicklung des karolingischen Kaisertums, in: Misc. Mediaev. 4, Judentum im MA, Berlin 1966
A. Neubauer, Documents sur Narbonne, REJ V, 1885
G. Paré, A. Brunet, P. Tremblay, La Renaissance du XII. siècle, Paris, Ottawa 1933
J. Parkes, The Conflict of the Church and the Synagogue, London 1934
—, The Jew in the medieval Community, London 1938
H. Pirenne, Hist. Economique et Sociale au Moyen Age, Paris 1963 (nouv. édit.)
S. Poznanski,Mavo al ḥokme mefarše ha miqra, Warschau 1913, Neudr. Jerusalem 1965
N. Porges, Josef Bechor Schor, ein nordfranzösischer Bibelerklärer des XII. Jahrhunderts, Leipzig 1908
—, Rabbi Samuel ben Meir als Exeget, MGWJ 32, 1882
L. Rabinowitz, The Talmudic Basis of the Herem ha-Yishub, JQR, NF, XXVIII, 1938
—, The Herem Hayyischub, London 1945
—, The social Life of the Jews in France in the 12th and 14th Century, London 1938
M. Rahmer, Die hebräische Tradition in den Werken des Hieronymus, MGWJ 42, 1898
Th. Rainach, Agobard et les Juifs, REJ 50, 1905
J.A. Robinson,Gilbert Crispin, Abbot of Westminster, Cambridge 1891
J. Rosenthal, Die antichristliche Polemik der Raschikommentare, in: Rashi, his Teachings and Personality, S. Federbusch (Hg.), New York 1958
C. Roth, The Eastertide Stoning of the Jews and its Liturgical Echoes, JQR XXXV, 1944/45
K.A. Schaab, Geschichte der Juden in Mainz, 1855, Neudr. Wiesbaden 1968
W.A. Schneider, Geschichte und Geschichtsphilosophie bei Hugo von St. Victor, Münster 1933
M. Simon, Verus Israel, Paris 1964
B. Smalley, The Study of the Bible in the Middle Ages, Oxford 1952, Neudr. 1964
—, Andrew of St. Victor, Abbot of Wigmore: A 12th Century Hebraist, Recherches de Théologie ancienne et medievale, Louvain 1938
O. Stobbe, Die Juden in Deutschland während des Mittelalters, Braunschweig 1866, Neudr. Amsterdam 1968
H. Strack, P. Billerbeck, Kommentar zum Neuen Testament, IV. Bd., München 1961
E.F. Sutcliffe, The Venerable Bedes Knowledge of Hebrew, Biblica 16, 1935
G. Tellenbach, Der Sturz des Abtes von Cluny und seine geschichtliche Bedeutung, in: Quellen und Forschungen aus italienischen Archiven und Bibliotheken, Bd. 42/43, 1963
R. Travers Herford, Christianity in Talmud and Midrash, London 1903, Neudr. 1972
E. Urbach, The Sages, their Concepts and Beliefs (Hebr.), Jerusalem 1969, engl. Übersetzung, Jerusalem 1975
—, Ba'ale ha tossafot, Jerusalem 1968
K. Uhlirz, Jahrbücher des Deutschen Reiches unter Kaiser Otto II., Leipzig 1902
P. Volz, Die Eschatologie der jüdischen Gemeinde im Neutestamentlichen Zeitalter, Hildesheim 1966
B. Weinryb, Rashi, against the Background of his Epoch, in: Rashi Anniversary Volume, New York 1941
Z. Werblowsky, Crispins Disputatio, in:Journal of Jewish Studies XI, 1960
A. Lukyn Williams, Adversus Judaeos, a Bird's-Eye View of Christian Apologiae until the Renaissance, Cambridge 1935
A. Wilmart, Nicolaus von Manjacoria, Cistercien a trois Fontaines, Rev. Benedict. 33 (1933)
J. Winter, Aug. Wünsche, Geschichte der rabbinischen Literatur, Trier 1894

L. Zunz (Hg.), Toldot Raschi (hebr.), Warschau 1862, Neudr. Jerusalem 1971
—, Die gottesdienstlichen Vorträge der Juden, Ffm. 1892, Neudr. Hildesheim 1969
—, Zur Geschichte und Literatur der Juden, Berlin 1845

ROSEMARY RADFORD RUETHER
Nächstenliebe und Brudermord

Die theologischen Wurzeln des Antisemitismus.
Aus dem Amerikanischen von Ulrike Berger. Mit
einer Einführung von Gregory Baum und einem
Nachwort von Peter von der Osten-Sacken.
(Bd. 7) 272 Seiten. Kt.

Brillant geschrieben, enorm kenntnisreich, radikal in der Fragestellung und im Lösungsversuch
hochaktuell, weit über das spezielle Problem
hinaus, bis in die Fragen zwischen Rechten und
Linken in der Theologie hinein.

Helmut Gollwitzer

MARTIN STÖHR (Hg.)
Zionismus

Beiträge zur Diskussion. (Bd. 9) Ca. 140 Seiten.
Kt. (erscheint Sept. 1980)

Mit dem gegenwärtigen Erscheinungsbild des
„real existierenden Zionismus" ist die Antwort
auf das, was den Zionismus ausmacht und woher er kommt, noch nicht gegeben. Sie kann nur
aus verschiedenen, thematisch differenzierten
Teilantworten entstehen. Eben das geschieht
in diesem Symposion, in dem Juden und Christen in offener und kritischer Solidarität sich den
konkreten Einzelfragen stellen.

ABHANDLUNGEN ZUM CHRISTLICH-JÜDISCHEN DIALOG
HERAUSGEGEBEN VON HELMUT GOLLWITZER

AUSCHWITZ – KRISE DER CHRISTLICHEN THEOLOGIE

Eine Vortragsreihe. Hrsg. von Rolf Rendtorff und
Ekkehard Stegemann. (Bd. 10) Ca. 180 Seiten.
Kt. (erscheint Okt. 1980)

STEFAN LEHR
Antisemitismus – religiöse Motive im sozialen Vorurteil

Aus der Frühgeschichte des Antisemitismus in
Deutschland 1870–1914. (Bd. 5) VIII, 296 Seiten. Kt.

REINHOLD MAYER
Franz Rosenzweig

Eine Philosophie der dialogischen Erfahrung.
(Bd. 4) 188 Seiten. Kt.

CHARLOTTE KLEIN
Theologie und Anti-Judaismus

Eine Studie zur deutschen theologischen Literatur der Gegenwart. Mit einem Geleitwort von
Gregory Baum. (Bd. 6) 152 Seiten. Kt.

CHR. KAISER VERLAG MÜNCHEN

JOHANNES DEGEN
Die unsichtbare Mauer
Reisetagebuch und Berichte aus Israel und Palästina. (Kaiser Traktate 51) 147 Seiten. Kt.

Tagebuchnotizen. dokumentierende Berichte u. reflektierende Skizzen fragen nach dem Gewicht. das die Menschenrechte und internationale Rechtsgrundsätze im besetzten Westjordanien haben.

Degen macht deutlich, daß auch die Verständigung zwischen Juden und Christen neue Anstöße erhält, wenn die heutige Lage in Israel und Palästina realistisch gesehen wird.

Erinnern, nicht vergessen
Zugänge zum Holocaust. Herausgegeben von Martin Stöhr unter Mitarbeit von Ulrike Berger. Petra Heldt, Helmut Just und Peter von der Osten-Sacken im Auftrag der Arbeitsgemeinschaft Juden und Christen beim Deutschen Evangelischen Kirchentag. (Kaiser Traktate 43) 184 Seiten. Kt.

BERTOLD KLAPPERT
Israel und die Kirche
Erwägungen zur Israellehre Karl Barths (Theologische Existenz heute 207) 76 Seiten. Kt.

Klapperts Studie zur Israellehre Karl Barths begleitet die Frage, welcher theologische Rang den Ereignissen in Auschwitz zukommt, eine Frage, die ihm als kritischer Maßstab für Barths Lehre wie für Theologie und Kirche heute dient.

PINCHAS LAPIDE /
JÜRGEN MOLTMANN
Jüdischer Monotheismus – christliche Trinitätslehre
Ein Gespräch. (Kaiser Traktate 39) 96 Seiten. Kt.

Es ist erstaunlich, daß sich über ein Thema, bei dem sich offenkundig die Wege von Judentum und Christentum scheiden, zwischen den beiden Gesprächspartnern ein erhebliches Maß an Übereinstimmung ergeben hat.

Die Gemeinde

FRIEDRICH-WILHELM
MARQUARDT /
ALBERT FRIEDLANDER
Das Schweigen der Christen und die Menschlichkeit Gottes
Gläubige Existenz nach Auschwitz (Kaiser Traktate 49) 64 Seiten. Kt.

Die stark beachteten Vorträge eines jüdischen und eines christlichen Theologen auf dem Nürnberger Kirchentag 1979 bemühen sich um eine gemeinsame Basis für Möglichkeiten des Glaubens nach Auschwitz.

KRISTER STENDAHL
Der Jude Paulus und wir Heiden
Anfragen an das abendländische Christentum. Aus dem Englischen von Ulrike Berger. Mit einem Vorwort der Übersetzerin. (Kaiser Traktate 36) 144 Seiten. Kt.

Stendahl deutet die Quellen nicht um. sondern sucht sie so zu verstehen und zu ergründen, wie sie ursprünglich gemeint sind. Er betont, daß Paulus seine Bindung mit dem traditionellen Judentum nicht preisgegeben hatte und daß die Verwendung seiner Theologie für antijudaistische Bestrebungen eine verwerfliche Fehlinterpretation ist. Stendahl ist kein Polemiker; dies gibt seinen kritischen Darlegungen besonderes Gewicht.

Die Gemeinde

RITA THALMANN
Jochen Klepper
Ein Leben zwischen Idyllen und Katastrophen. 1903–1942. 403 Seiten. Mit 68 Abbildungen. Ln.

Diese bestürzend eindrückliche Klepper-Biographie sagt Wesentliches über die Verstrickung des Menschen in seiner Zeit aus. Sie spricht zu uns allen.

Neue Zürcher Zeitung

Versuche des Verstehens
Dokumente jüdisch-christlicher Begegnung aus den Jahren 1918–1933. Herausgegeben und eingeleitet von Robert Raphael Geis und Hans-Joachim Kraus. (Theologische Bücherei 33) 308 Seiten. Kt.

CHR. KAISER VERLAG MÜNCHEN